暮鼓晨鐘

侯家駒專欄選集

侯家駒／著

臺灣學生書局印行

自序

這本小書的主要內容，誠如本書副標題所示，主要為民國七十八年起，在經濟日報每週一發表的「侯家駒專欄」，再佐以十五年來發表於其他報紙的若干專論與短文——每篇均於篇末註明發表日期及出處；若篇末只註明日期者，則均為經濟日報專欄所發表。

為報紙寫專欄是始於六十二年初，但真正感覺到「有話要說」與「一吐為快」，是自六十三年一月下旬，政府推動的「穩定當前經濟方案」起，該方案是為處理第一次能源危機帶來的物價膨脹，採取限價與議價方法，以直接管制物價，並使用限建與抽緊銀根（選擇性與一般性信用管制手段都一股腦地使用）等政策，以抑制膨脹。當時認為如此違反市場機能，將會嚴重損及經濟發展，立即以「遏抑需求不如擴大供給」為題，於聯合報發表專欄以示反對，這在當時威權情況下可真是空谷足音，但卻受到很多沉默大眾的私下鼓勵，亦就發表一連串的專文；其中一篇名為「限價、議價與市價」，主要是批評當時的議價制度，是以一個產業各廠商的平均成本，再加上「合理」利潤，以議定價格，乃即指出這顯然是不自覺地在保護效率差的廠商，反競爭、反淘汰，結果是提高物價而非抑制之。有關當局竟然從善如流，於該文發表的當天即宣布取消議價的規定——這是拙作得到回響最明快的一次，所以記憶猶新；另一次是七十四年四月上旬，因當時政局沉悶，乃發表「撥雲見日還是鬱蒸成雷！」，主張成立經濟改革委員會，以便四兩「撥」千斤，不久，行政院即成立臨時編組的經濟革新委員會。

記得在第一次能源危機之際，本人發表一連串與當局唱反調的文章，曾與一友人談起寫作動機：「七分本性，三分佯狂。秉本性以立言；假佯狂以遁世」。此後所發表的文字，均秉此立場，一直以政府暨社會諍友自居，說出很多人不願說，不肯說或不敢說的話。在撰寫這些文章中，當然力求客觀與公正，但仍難免涉及主觀成分。此處所說的「主觀成分」，是指所持論點或有所失誤，那是由於本身資訊或學養不足，決非出自一己之私或個人利害。易言之，這些諍言均出自肺腑，期能有所匡正——此一心情於今尤烈，故以「暮鼓晨鐘」作為書名。

寫專論二十餘年，雖偶有友人促請結集出版，但想到張季鸞先生為大公報撰寫社論而享譽一時，卻常自謙其文章價值只有半天生命，拙作價值亦可能如此，而不敢作結集之想。後來思及，明清「經世文編」內容：亦非學術性，而是對時政的批評與建議，成為當時的暮鼓晨鐘，亦為日後留下若干史料。拙作在某些方面，是與這些文編有些類似，故應學生書局發行人孫善治先生之請，並承老友石遠謀兄鼓勵，乃出此選集。為便於閱讀，本書分為政治、經濟及社會三編：每編再分若干項目：政治編則分為（政治）氣候，（領導）風格，（政革）方向與策略；經濟編則按（生產）要素、產業、財（政）金（融），貿易及兩岸；社會編區分倫理，科（技）、教（育）、環保、健保、住宅及福利等項。這種分類當然不是那麼嚴謹，只是說涉獵範圍而已。若有讀者以此問罪：一位經濟學教授，何能對政治與社會等問題放言無忌；則請細讀本書，將可發現，所指政治者，社會者，只是取材而已，其內容都是使用經濟意念「一以貫之」。

暮鼓晨鐘——侯家駒專欄選集

目次

一、政治

(一)氣候：

撥雲見日還是鬱蒸成雷?——建議徹底檢討當前政治經濟情勢……一
經濟特權的益本分析……五
政商結合的後果與對策……八
民主政治應政經分離……一二
務實主義與金權政治……一四
從寡占理論看這次選舉……一七
民代與金權政治……二〇
瓦解成本下降的警惕——執政黨選後應有的省思……二三

(二)風格：

得過且過，不了了之？——從今年中央民意代表選舉結果談起 …… 二六
學術與才德 …… 三〇
高球與高俅 …… 三二
肅貪與反賄選的雷雨 …… 三五
「總統信條」與危機處理 …… 三八
「主好詳則百事荒」——行政效率低落的真正癥結 …… 四一
「變化抵不上一句話」——評李總統對隔離水道的裁示 …… 四四

(三)方向：

掌握先機還是疲於奔命？——我國財經問題應該正本清源 …… 四七
為萬世開太平——為突破困境、統一全國進一言 …… 五一
對人不對事？——金牛亦有基本「牛」權 …… 五六
政治特技，政策斷層——從取締砂石車出爾反爾說起 …… 五九
政經合一與政經分離 …… 六三

口號翻新與備多力分—當前經濟困局癥結試探……六六
「天人合一」新解—從南部水災說起……六九
是風險愛好抑嫌惡？—中共三試導彈有感……七二
外和兩岸，內除黑金—為突破經濟困局進一言……七五
「到頭終搞光」—堅壁清野政策的可能後果……七八
賀伯風災・痛定思痛……八一
產業空洞化行將顯著—堅壁政策的清野效果……八四
兩岸經貿的戒急用忍……八七

㈣策略：

公地放領與只租不售……九〇
道是無心若有心—談土地政策與土地炒作……九三
鼓勵銀行炒地皮？—銀行法修正草案試析……九六
獎勵人民占用國土……九九
「一人慶有，賴上兆民」—股市安定基金後遺症試析……一〇二
攀登全球競爭力的巔峰……一〇五
千萬別搗馬蜂窩—不可對中共使用排他條款……一〇八

國發會的弔詭……一一一
波特旋風評價……一一四
政府失靈探源……一一六

二、經濟

(一)要素：

防止土地投機之道……一一八
勞力為何缺少？如何解決？……一二一
「新市地公有」的意義……一二四
切實貫徹「平均地權」遺教……一二八
何不早日開放大陸勞工！……一三二
土地問題與土地稅……一三五
水資源與市場機能……一三八
失業析因暨對策……一四一

㈡產業：

汽車工業政策的檢討與改進……一四四
供給面的憂慮……一四九
生產與所得政策分開—農業結構政策必經之途徑……一五二
經濟倫理與企業家精神……一五六
水泥應否外銷……一五九
高鐵可以休矣—高速鐵路益本分析……一六二
是產業空洞抑係經濟調適……一六五
注意中小企業式微跡象……一六八
千萬留春住—談輔導中小企業之道……一七一
對高速鐵路的看法……一七四
所得分配與中小企業……一七七
中小企業與政治氣候……一八〇

㈢財金：

急就章，問題一籮筐—外匯自由化的省思與因應……一八三

匯率狂飆的原因及對策……一八八
國際收支出現逆差的省思……一九二
國稅國徵，何錯之有？……一九五
「雙赤字」成因試解……一九八
信用社的羊頭與狗肉……二〇一
論中央地方財政收支劃分……二〇四
金融風暴處理之檢討……二〇七
財政收支劃分平議……二一〇
基層金融應重新組合—從彰化四信事件說起……二一三
央行在兩面作戰……二一六
兩稅合一的商榷……二一九
收支劃分與開源節流……二二二
兩稅合一的再探討……二二五
兩稅合一方案試評……二二八
財政危機解決途徑……二三一
證所稅借箸代籌……二三四

㈣貿易：
對外貿易的參謀本部與野戰部隊—籲成立外貿人才訓練機構……一三七
哀破落户—美國要引發第二次大恐慌乎？……一四二
多國企業與貿易自由化—從可口可樂事件說起……一四六
真品平行輸入問題……一五〇
破落户與小麻雀—我國被列入特別三〇一優先國家名單有感……一五三
真品不能平行輸入？……一五六
有嘴說別人—美國亟須反躬自省……一五九
延滯近半世紀的經貿組織—由ITO到WTO的歷程及前瞻……一六二
美國擬自絕於亞洲？—從美對我貿易制裁說起……一六五
301條款與經濟大國……一六八

㈤兩岸：
拒斥「三通」的成本……一七一
兩岸金融往來展望……一七四
金融登陸可減資金外流……一七七

從經濟思想史看大陸經濟變遷……………………………一八〇
從經濟觀點看中國的「分」與「合」……………………二八三
見招拆招抑借力使力—回應「江八點」的關鍵所在……二八六
兩岸「西進」應可合璧……………………………………二八九
以民生融合民族主義—為兩岸打開僵局進一言…………二九二
再談兩岸西進工程…………………………………………二九五
隔岸看中共與美貿易戰……………………………………二九八
協助大陸解決農業問題……………………………………三〇一
振與經濟待三通……………………………………………三〇四

三、社會

(一)倫理：

管理中國化…………………………………………………三〇七
現代化過程中的經濟倫理…………………………………三一二
「遲」是中國人的特性？—為制度改革再進一言………三一八
由經濟倫理到社會倫理—以忠恕之道一以貫之…………三二三

宗教事件的經濟分析——泛經濟行為亟須導正……………………三二六
㈡科教：
應速促進大學研究風氣……………………………………………三二九
新聞自由與完全競爭………………………………………………三三四
科學研究應有的方向——向國科會進一言………………………三三七
大學教育的質與量…………………………………………………三四〇
㈢環保：
「上山下海」的再考慮……………………………………………三四三
環保與成長兼顧之道………………………………………………三四六
再談公害處理基金——兼論地方財政之充實……………………三四九
㈣健保：
全保可採重大疾病保險方式………………………………………三五二

從現行社保缺失看全保規劃……三五五
全民健保的我見……三五八
全民健保應為民營……三六一
全民健保的三前提……三六四

㈤住宅：

「住者有其屋」達成之道……三六七
管制房租的商榷……三七〇
雙殼重税不可行……三七三
廣建國宅不足恃……三七六

㈥福利：

水利會費不應全免……三七九
減刑的益本分析……三八二
敬老年金的商榷……三八五
再論敬老年金的正當性與可行性—兼答一讀者的質疑……三八八

一、政治

撥雲見日還是鬱蒸成雷？

——建議徹底檢討當前政治經濟情勢

國曆元旦以後，台灣春雨綿綿，氣壓奇低。本來，「杏花春雨江南」與「廿四番風信」，是為大地帶來春的訊息，但是，政治上的「江南」事件，經濟上的十「信」、國「信」風波，卻帶來秋的肅殺，使每個人的心情，變得像這幾個月的台北市天氣一樣，陰沉抑鬱，悶悶不安。

這股鬱氣存於社會大眾心胸，對於社會並不是一件好事，很可能「結鬱蒸以成雷」，一觸即發，而造成不可收拾的局面。解決之道，就是要宣泄這股鬱氣，以破沉悶。連朝陰雨，使人沉鬱，但一旦放晴，重見白日青天，則滿天雲霾，盈胸塊磊，都會一掃而空，所以，「撥雲見日」是解決「鬱蒸成雷」之道，否則，任其發展，則可能會醞釀成「石破天驚」的局勢。

「撥雲見日」中的「撥」字，是有主動的意義，這是要有關當局「撥亂反正」，其所用手法，是「以四兩撥千斤」。陰陽五行之學，雖然有些荒謬，但是，首創諸賢，並不見得都是一昧迷信之輩，他們是想運用天災，以警惕集大權於一身的執政者，希望能發揮一些制衡作用，而執政者亦常在這些場合自我檢討，並求直言。自我檢討有助於執政階層的改進、約束；「求直言」，一面是徵求改革的意見，一面亦是讓朝野發洩胸中鬱氣。由於天災時常發生，亦就是常會產生一些「撥雲見日」的效果，隨而，對於執政者可以多多少少地發生些制衡作用。台灣去年發生的六三水災，以及一連串的煤礦災變，在陰陽五行學者心目中，就是一種警告，假若當時所有的高級官員都能心存警惕，戒慎戒懼，則江南事件與十信風波也許就不會發生——這是後見之明，而且有些無稽，但這些天災之中，難道就沒有「人禍」的成分？譬如說，水災是否涉及台北附近坡地的水土保持與下水道問題；煤礦災變是否涉及煤礦應否開採以及安全設備與檢查問題；但是，到了現在，下水道問題依然存在，煤業政策仍未落實；可見有關當局實際上亦沒有接受災變本身所帶來的警告，更遑論其他。事實上，我們有些官員做的工作，只是一些修補與粉飾工夫，根本談不上落實。

處於目前的情勢，要如何「撥雲見日」，才可以穩住大局與安撫人心？在政治方面，我是門外漢，但總認為自我檢討與廣開言路，以求徹底地與全面地改革，再為國人揭示一種理想目標與達成理想的過程，將不失為正確途徑，蓋因撥雲霧，就是藉溝通以消除現實上與心理上障礙；見白日，則是顯示一種理想，一種希望。記得於民國卅九年，在軍中讀過兩篇先總統　蔣公有關自我檢討與指引前途的訓詞，其言辭之懇切，令人不禁熱淚盈眶；其指引之堅定，又使人不禁熱血沸騰。可能就是由於這些自我檢討與改革指引，才能挽狂瀾於既倒，收人心於渙散，奠立了三十年小康之局。到了民國六十八年，中美斷交之際，當局亦曾檢討與改進，但在美國通過「台灣關係法」後，這些檢討與改進，亦就不了了之。兩相比較，不可同日而語。是以，當前的檢討與改革，必須要有卅九年那樣懇切與堅定，才可以給予人民一些理想與希望。所謂檢討，是自我切切實實的反省，不是虛應故事，而將責任推諉給時代或社會；所謂改革，亦是要由自我做起，尤其是在順序上，要由上而下，否則，那是革命，而不是改革。至於這些改革，必然是落實的，而不是口號，不僅是在當前沉悶局勢中提供希望，也且為未來統一大業理想，指出可行途徑。

經濟是當前我國命脈，尤其不能由於局勢的沉悶，影響到投資意願，妨礙整個經濟成長。但是，由於十信、國信等事件，使工商界與社會大眾，對於有關的制度與官員失去信心，認為若干制度、法規、與官員，不但不能解決問題，有時候反而製造問題。在這種信心危機與沉悶心境之下，如何能激勵投資意願？要想挽救工商信心與打破大眾沉悶，首須有關當局痛下決心，作極為徹底的檢討與大規模的改革。其方式，可在總統府或行政院下，設立一個臨時性組織，其名稱不妨就叫做「經濟改革委員會」或「全面改善投資環境委員會」，下面分設若干工作委員會，分別主管金融、賦稅、法規、行政、教育訓練、研究發展、經濟紀律……等改革事宜。各工作委員會分別由官員、專家、業者暨其他有關人士組成，除彼此交換意見外，還擴大舉行各種型態的聽證會，以廣納有關各階層的觀感，共同對有關問題作深入檢討與探究，從而提出具體的改革方案，以全面改革我們的投資環境，作為躋身已開發國家之林的準備。

假若政府真想為目前局勢撥雲見日，而不讓它結鬱蒸以成雷，在經濟方面，似乎應該宣布設立上述的改革委員會，以顯示決心與振奮人心而可達成立即宣布的效果，因為這像是在陰霾的天氣裡，透露一線光芒，使人們燃起希望之火。設立後，廣泛的檢討與聽證，使有關大眾可以一舒胸中抑鬱，而使整個沉悶一掃而空；再若由此擬具切實的方案，則更可為整個國家帶來光明的遠景—在這一點上，我們一定要分辨口號與理想：前者只是空洞的八股；後者則伴隨可行的方案，現在的民眾，已非吳下阿蒙，大家都有分辨的能力。

經濟改革委員會是當前「破悶」的武器，其對經濟發展的真正貢獻，還是在未來；而短期中有關激勵投資的各種方策，還須政府有關單位密切協調，再以有效管道結合業者意見，儘快提出。不過，這些管道絕對不能容許少數個人或家族壟斷。蔣總統所作「反壟斷、反特權、反投機」之訓示中的「壟斷」，只要經濟真正自由化、國際化，經濟上是不太可能有壟斷情形出現；但是，業者表達意見的管道，卻可能由少數個人或家族壟斷，這些壟斷者無疑地就是特權人士，而且由於能左右有關單位政策，易於助長其投機行為。是以，在「反壟斷、反特權、反投機」的大前提下，絕對不應該容許這一類壟斷情事的發生，否則，撇開其壟斷、特權、投機的危害不說，如果這些個人或家族有什麼風吹草動，其對政治、社會、經濟層面的衝擊，將遠大於這次蔡氏家族所帶來的後遺症，亦就是將會帶來更大的沉悶局面，而使當局難以破解與收拾，豈不慎哉！

以上蒭蕘之見，純係個人憂國憂時之心，至於到底要撥雲見日，還是任憑它鬱蒸成雷，就全看有關當局的袖裡乾坤了。

（七十四年四月四日聯合報刊出）

經濟特權的益本分析

戰國策載，秦國王孫異人（始皇之父）為趙國人質，商人呂不韋見到後回家請教其父，「耕田之利幾倍？」其父答曰，「十倍」，又問「珠玉之贏幾倍？」答曰「百倍」，再問「立國家之主贏幾倍？」答以「無數」。

最後一句話等於是說，「運用政治力量製造經濟利益贏幾倍？」直至今日，其答案仍是「無數」，試觀海峽兩岸情況就可了然：一邊在搞「官倒」；一邊在搞特權。在大陸搞「官倒」的，幾乎都是中共官員；在台灣搞經濟權的，除官員外，還有各級民意代表，榮星花園案只不過是冰山一角——即使是就榮星案本身而言，僑福公司說送出的「禮金」在四千六百萬元以上，而現在曝光的只約一千六百萬元。

政府官員搞經濟特權，就是貪汙舞弊，其型態是「靠山吃山，靠水吃水」，一般人民「不怕官，只怕管」，遇到工務、稅務、警務、法務等事，有時候就不得不繳納「規費」（行「規」之「規」也）了！易言之，政府官員若搞貪汙，則是「各有所司」。而民意代表搞經濟特權則是「無孔不入」，其伎倆大致有關說護航、炒作地皮、包攬工程和壟斷採購等等。以台北市議會來說，關說護航是市議員取善利用的手段，據說一般行情，要市議員打一通電話給有關官員，索費至少一萬五千元，要是市議員「親征」，一次要五萬元以上，而市議員比較熱中的則是徵地補償費的提高，佔據河川地蓋違建，地下行業的插花、商業案件的通關等事。市議員炒作地皮的獲利更多，先是使用壓力變更土地用途，再作土地買賣的中間人，標購公有土地。在工程方面，慣於參加圍標搓圓仔湯；壟斷採購範圍更廣，從交通號誌、藥品、器材到教材、教具及運動服裝，無所不包。至於台灣省議會，若干省議員所搞的特權，除上述四者外，還要加上黃金路線與行庫貸款兩項。前者是部份經營客運業的省議員運用壓力，迫使台汽公司讓出黃金路線路權；後者則是普遍向省營行庫貸款，成為行庫呆帳的主要來源。

以上所述，就台灣情況言，業已證明「運用政治力量製造經濟利益」贏利「無數」。在利潤無限大的情形下，其所投入的直接成本，當然不成比例，而不必納入「益本比」的討論之中，其所需注意的，乃是經濟特權的風險成本。一般說來，風險是與利潤作同向變動，亦就是利潤愈高，風險愈大。經濟特權利潤既是「無數」，其風險當亦「無數」。經濟特權的風險大致有二：一為實現特權的可能性；一為東窗事發的或然率。前者攸關行政部門的操守與立場，後者則涉及司法機關的效率與領導階層的決心。就前者言，民意代表慣用的方式，先是要求有關單位作某種決定，以符合其私利，若是遭到拒絕，則採取下列伎倆：一為提出質詢，當場給予有關首長難堪；一為杯葛預算，甚或刪除之；一為組成專案小組調查相關案件，或翻舊案，增加有關單位困擾。很多官員為著避免困擾，就讓民意代表予取予求，以致經濟特權在這方面的風險成本大為降低，這等於是官員們誘發民意代表給予行政部門更多困擾。

就後者言，司法機關的效率固為重點，但其本身操守可能更須注意；至於領導階層，可能為著製造「民主假象」，或是「不足為外人道」的心態，而故意對這些特權不予追究，以致經濟特權在這方面的風險成本幾近於零——從民國五十年代的黃豆案到這次的榮星案，二十多年內，似乎未曾出現類似規模及情事的司法案件。由此看來，政府似乎有意為民意代表的經濟特權，降低其風險成本，而有「鼓勵」之傾向。

政府這種「得過且過，不了了之」的態度，實在是不智之舉，因為就其本身言，這樣做會誘發經濟特權變本加厲，更增加本身的壓力與困擾，而且給予人民一種「同流合汙」的印象。若就大處言，這種經濟特權將會破壞社會倫理、妨礙政治民主，影響經濟自由，因為經濟特權就是作奸犯科，當然是破壞社會倫理；經濟特權誘使金權滲入政治與選舉，又扭曲了民代對政府的監督，以致妨礙政治民主化的進行；自由經濟是強調機會均等的完全競爭，而經濟特權則是一種更甚於獨占的壟斷，以致影響到經濟自由化的貫徹。所以，政府官員（無論是地方官吏還是領導階層）不管是為自己打算還是為國家社會著想，都應該立定腳跟，把握原則，提高經濟特權的風險成本：一為行政部門若是不能抗拒壓力，則至少亦要仿效經濟部，對於民代之關說建立登記制度；一為領導階層應以這次榮星案之偵辦為起點，督促司法機關對於政府官吏與民意代表涉及經濟特權情事，嚴予調查辦理。如此，勢必使經濟特權的成本增加，收益減少（官員抗拒壓力，當然亦會降低特權者的收益），終將導致特權瓦解，以至於短期內，可以淨化今年年底的選舉風氣，在長期裡，則有利於社會倫理化、政治民主化與經濟自由化的實踐。

（七十八年一月三十日刊出）

政商結合的後果與對策

最近，某財團「利益輸送」事件，涉及一位高官的女兒；又有一家公司的虧損超過資本額，亦涉及「利益輸送」，且有「內線交易」之嫌，而其主持人則為現任立委。於是乎，政商結合問題再度為社會注意的焦點。

政商結合的目的，當然是製造經濟特權，即在政治勢力下攫取經濟利益，以便更為有錢有勢。記得在前年一月三十日本專欄，曾以「經濟特權的益本分析」討論有關問題，先從戰國策記載，呂不韋父子為協助秦始皇之父取得王位繼承所作的對話裡，得出一個結論，那就是「運用政治力量製造經濟利益，可達無數倍」。這句話到今天仍然得到印證，單就今日公職人員選舉言，動輒一擲數千萬甚至上億的金錢，而且大家趨之若鶩，樂此不疲，若不是為著將本求利，追求無數倍經濟利益，究竟多少人如此熱中？

那些當選的縣市長在第一任期間營利行為較不顯著，到了第二任，就明目張膽了，他們最常用的手法，是重劃都市土地與開闢馬路，好從中作土地投機；縣市議員較為熱中的，則是徵地補償費的提高，承包公共工程、佔據河川地蓋違建、地下行業的插花、商業案件的通關，以及地皮的炒作；省議員除上述外，還要加上客運黃金路線與行庫特權貸款（院轄市議員亦可享受特權貸款）。至於立委，更是關說的重要來源，而且常藉對有關部會施壓之伎倆以從中取利，譬如立院中有所謂的「鋼鐵俱樂部」，迫使中鋼取消籌設冷軋鋼廠計畫，而為本身營業爭取利益；而「號子」立委，則多是以前義正詞嚴指責券商壟斷的立法委員們。說到「關說」，監委力量尤勝立委，這一方面是由於立委中還不乏熱心政治的正義之士，而現在監委之中，則誠如經濟部李前部長所說的，「多是生意人」，致與以前的監委多為風骨嶙峋的讀書人；有很大區別；另一方面，監委手握糾彈兩法寶、專門「對人不對事」，每次調查時，均要機關首長應訊，而且不斷調查，讓這些首長疲於奔命，不得不對其平時「關說」就範。

這些政商結合所產生的經濟特權，至少在總體經濟上，對於資源分派與所得分配上產生扭曲效果。政商結合首先是以不正當方法取得經濟資源，從而扭曲了資源分派，其中較為重要的，乃是從金融機構取得大量貸款，譬如說上述虧損掉一個資本額（七億多元）的公司，其所欠金融機構的貸款卻不下二十億元；由於資金取得容易，所以即使用於生產上亦掉以輕心，而在使用上缺乏效率，何況這些資金很多是用於金錢遊戲，近年股市與房地產的狂飆，亦與經濟特權有相當關係。由於經濟特權是運用政治力量攫取無數倍經濟利益，致使富者愈富，且因新的剝削者出現，而可能導致貧者愈貧，這幾年國內貧富差距擴大，很可能與這種經濟特權有關。易言之，政商結合已使我國資源分派缺乏效率，所得分配趨於不均。

除此之外，還在經濟面影響到公共建設，這可從軟體與硬體兩方面來說：前者是影響到財經政策的品質；後者是影響到公共工程的品質。先就後者言，行政院於日前主動考評台灣省基層建設，經抽查十五個鄉鎮八十七件工程，竟無一件工程是甲等，丙丁等反而有六十三件，足見施工品質之低落，在此次抽查中被列為施工品質不良之一的桃園縣，其計畫室指出，這是由於民意代表介入施壓，或是直接、間接承包工程所致。就前者言，近年立院通過及審查的法案，諸如藥物藥商管理法、公平交易法、產業升級條例等等，均有利益團體的影子；再若當年證所稅稅率原定為千分之十五，但在政商結合的壓力下，定案的稅率竟然只有千分之六，而且每逢股市有甚麼風吹草動，號子立委還要求證所稅率再降低；至於在立院糾紛、阻攔下，民生法案大塞車，更是司空見慣，每屆院會都是如此，從而影響到財經政策的推行。

在非經濟面，政商結合亦同樣地產生不良效果，首先是金權介入政治，影響到真正民主的落實；其次是政商結合，翻雲覆雨，混淆黑白，以致不僅影響到社會公平，而且影響到明辨是非的標準與習慣。

政商結合既有如此不良後果，就須設法防制，在那篇專欄中，亦曾提及防制之道，是要提高經濟特權的風險成本——其風險大致有二：一為實現特權的可能性；一為東窗事發的或然率。前者攸關行政部門的操守與立場，後者則涉及司法機關的效率與領導階層的決心。後者實在已經面臨考驗，因為撰寫那篇專欄的的動機，是當時發生榮星花園舞弊案，但是，時隔兩年多，仍未水落石出；若是真有其事，就應該判決，給社會一個交代；若是事出子虛，亦應該還涉案人的清白——奇怪的很，那些被關了好幾個月的議員們，亦未主動尋求結案，以要求冤獄賠償；大概就是這樣彼此心照不宣，不了了之，但卻犧牲了社會正義，助長了經濟特權。職此之故，要想阻止政商結合，必須採取釜底抽薪方法，那就是及早制訂「公職人員財產申報法」，並規定任何人出任政府某一職等以上官員時，應該出售其擁有企業之股份。

（八十年三月十八日刊出）

民主政治應政經分離

本專欄曾於「政經分離與政經合一」一文中，說到我國在經濟自由化下，政治力量漸從經濟領域撤退；對內經濟政策亦已逐漸講求一個政策手段針對一個政策目標，從而減少政治考量；以致在政經分合的第一義與第二義上，我國可說是漸漸走向政經分離。

不過，這主要是針對政府中的行政部門而言，可是，立法與監察二部門——甚至地方議會，卻並非如此，這些部門中的民意代表，雖不乏耿介之士，但很多是與金權相結合，他們是從金權來，再到金權去，亦可以說，在起初，是用經濟力量作為政治的敲門磚，等到從政後，再以政治力量謀取經濟利益，這是另一型態的政經合一。為簡便計，本文專以立委為例，說明這種政經合一的行為。

很多立委為其所屬利益集團謀取利益，是眾所週知的事，所以，常被報紙寫成「利委」。他們採取的手法，約可分為五類。第一類是運用其壓力，承包政府工程與採購，譬如在解嚴以前，就有立委獲得特准，進入電信交換機系統市場，現任交通立委則紛紛介入捷運系統、第二條高速公路路權營運、爭奪電信現代化後光纖設備供應商生意、推介營造工程、掌握兩岸三通後飛航通路、要求採購其自國外引進的高速鐵路專業技術……。第二類是利用立法或修法的權力，為自己謀利益，譬如在審查關稅稅則之中，有關立委就可上下其手，這是積極地創造他們的經濟利益；再若土地問題，要想作出突破性的立法，於現行體制下的立法院，就永無通過的可能，因據一位立委說，「立委大都直接或間接和土地有關」，這是他們在消極地維護其經濟利益。第三類是利用職權取得特許權，譬如在金融面，從證券商、新銀行、證券投資、期貨交易到保險業的開放，都有立委們的影子。第四類是利用壓力，改變行政部門的政策，例如為維護雜糧進口捐下累積的基金，硬是扭轉雜糧基金與糧食平準基金合併的原則；在獎勵投資條例廢止的前夕，一批立委施壓，不僅使專事造紙、陶瓷、鋼鐵等七家民間企業，倉促搭上「獎勵」的最後列車，還可准依舊規定，自行編定一百七十餘公頃工業用地，逕行開發利用。第五類是利用他們和高級官員之間關係，製造一些小道消息，以增加其經濟利益，譬如幾位號子立委和財政部長吃頓飯，就傳出證交稅要降低的風聲，讓股價連漲了一個多星期。這些利益之中，有的非常巨大，難怪有位立委對友人誇口道：「只要幹一票，選幾任立委的經費都有了！」對於這些人，如何能寄望他們能為社會大眾謀福利？

這種孳孳為利的風氣，倒很符合經濟學家熊彼德所創的民主理論。在他以前，是被稱為古典民主理論，認定道德目標是公民的自我發展，其中尤以另一位著名經濟學家彌爾，倡導自由，並認為經由對公共事務的積極參與，個人的人格才可以趨於完美；在這種情況下，維護民主政治的民意代表，當然更能袪除自私、重視公益。但是，熊彼德於其「資本主義、社會主義與民主」一書中，卻認為民主政治只是菁英政治，普通公民無法參與決策，而且認為民主政治並不具有任何崇高的道德目標。這可能是因為熊氏基本上是經濟學家，而以「自利」為出發點，所以假定這些代議士自謀己利。可是，社會菁英似乎應是我國古代所稱的「君子」，「君子喻於義」，應該是這些「君子」的自我要求。而且無論是古之君子還是今之菁英，都應是心口如一的誠實人，他們在競選之中，以及在就職誓言裡，都是口口聲聲地專為人民謀福利，怎麼能違背承諾與誓言，而做那些自私自利的事？

為著避免金權政治的出現，必須貫徹政經分離原則。為要達成此目的，立法、行政二部門，以及社會，均須努力。首先要求立法部門，必須自律，自律並不是一句空話，而是要以法令規範之。這就需要立法院通過「陽光法案」，規定立委在競選之時必須公布財產，卸任（或下次競選）時再公布一次——最近有幾位立委自動公布財產，應是好的開始；此外，要嚴格執行議事規則中的「迴避條文」；最能正本清源的辦法，厥為立法規定，立委不得擔任營利事業負責人——現在業已刪除職業團體選舉立委的規定，在邏輯上應易實行。其次是要求行政部門高級官員，必須堅定立場，拒絕外來關說與壓力，因若行政部門真能堅持立場，則金權政治將因無法得逞而消失。

第三是寄望於社會有心與有識之士，組成一個監督國會的單位，讓「利委」們在十目所視與十手所指之下無所遁形。

最後則是行政、立法及社會各方面，應該早日立法，讓全民享有創制、複決權力，以免立委們消極地不立法與積極地立法去謀取其本身經濟利益。

（八十一年七月二十日刊出）

務實主義與金權政治

哈佛大學退休教授高伯瑞於前幾天來台灣訪問，公開發表一次演講，並有若干次座談與討論，其中一次座談會，定名為「從不確定時代到務實主義」——這是合併他的兩本書名而成，會中，費景漢院士曾就韋氏大字典中，務實主義（Pragmatism）的定我，對高伯瑞教授質疑。該定義是說務實主義反智、反知、反理論，從而認為高氏有此傾向。

按務實主義一詞，是來自希臘文，原義為「行動」。而Pragmatism在哲學上原譯為「實用主義」，大英百科全書曾予扼要介紹：此一學派於本世紀前廿五年盛行於美國，該學派是據理念、政策與擬議的有用性、可行性與實際性，作為其評鑑準則，從而強調行動比學說優先，經驗比原理優先，而且認為理念的意義來自其後果，真理的意義來自其驗證。因此，理念在根本上是被視為手段，只是行動的計畫。

這段簡介，在基本上，是和韋氏大字典定義一致，高氏雖曾否認費院士的質疑，力辯其自己並不反對理論，只是不喜歡不適切的理論。但在事實上，費院士的質疑，是有其根據的，因為高氏在思想上是屬於美國制度學派，而制度學派的傳統，是視所有理論為設論（Hypothesis），易言之，對理論頗為輕視。高氏各書只是提出問題，少有答案，更未提出理論。

事實上，高氏是經濟學家，他所輕視的當然是經濟理論，而所有的理論都是經驗與知識的系統化，尤其是經濟理論，其本身就是經濟事實的縮影，再用以解決經濟問題，但因時代不同，事實有異，每一時代有其理論，以作為各該時代的指引，切不可為當前缺乏適切理論而因噎廢食，對一切理論嗤之以鼻，因若如此，則必缺乏前瞻性、整體性與一貫性，反而在處理事務上，顧此失彼，前後矛盾，輕重倒置，自亂陣腳，經常收拾自己行為的爛攤子。

就一般來說，過度的強調務實或實用的人，則將極為「現實」，很可能趨向於沒有理想與原則，不講求道義，只追求一己利益。到這時候，人只是追求其生物性滿足，這就是孟子所說的，「人之所以異於禽獸者幾希」之人，所以，孔曰成仁，孟曰取義，要使生命昇華，讓人由生物人成為文化人。曾子更強調知識份子的責任，認為「士不可以不弘毅，任重而道遠」，孔子則直指，「士志於道」。明人陳眉公講得更為露骨，「人不通古今，襟裾馬牛」。

以上所云，只是指過度強調務實的結果，並非意味著高氏本人有此缺失。事實上高氏若干言論，頗能切中時弊，譬如他把美國的高所得階層稱為「自滿的多數」，意即具有影響決策力量的「多數」，其特徵有四：㈠堅信他們所獲的報酬是他們應得的，是其個人品德、才智和努力的結果，任何損及這個信條的措施，在他們看來都是不正當的；㈡有偏好短期利益的傾向，認為長期利益似乎是分散而不確定的，所以不願為長期利益而採取因應行動；㈢對政府角色的看法，具有高度選擇性，亦即將政府視為礙手礙腳的累贅或負擔；㈣極度容忍所得分配不均的不公平現象。這四個特徵總結為一句話，那就是反對加稅，因為政府若是因應長期整體利益與所得重分配而有所作為，勢必增加高所得階層稅負，這是減少他們「應得的」報酬，所以，將政府視為一種負擔。因此，亦導致美國「政府在補助這些富裕階層被認為是比救助窮人更理所當然的」，而且，雷根於一九八一年，將富人的最高累進稅由七〇％減至五〇％，八六年的賦稅改革中，更降為二八％，其基本哲學是：「當馬有足量的燕麥餵飽時，麻雀才可揀食一些殘渣」。

高氏所描繪「自滿的多數」有關情形，都可以在今日台灣找到，譬如其四個特徵，至少可在台灣財團身上發現三個半，這半個是第㈢特徵，那就是台灣工商界，在他們賺錢的時候，是把政府視為礙手礙腳的累贅或負擔，但稍有困難之時，又埋怨政府做得不夠，而一味地要求政府能人為地降低四率（利率、匯率、稅率與費率），以幫助他們，亦即作變相地補貼，另一大大不同之處，乃是美國「自滿的多數」，只希望不要加稅，而台灣「自滿的多數」，卻認為應該享有逃漏稅的自由，政府若是致力查緝，則就認定是「反商情結」，同樣地，政府為著眼整體長期利益而採取某些行動（例如增值稅按實課征），亦被咬定為「反商」，而使其胎死腹中。

在美國，「自滿的多數」就是「選舉的多數」，致有金權政治傾向。而金權政治於今日台灣，在務實主義的強調下，更是日益猖獗，因據前述，過度強調務實的人，做人將極為現實，而自滿的多數既是選舉的多數，執政者正可予以利用，以鞏固其統治。高氏提倡務實主義，反對金權政治，想不到在台灣竟然相輔相成，結合在一起了！

（八十一年十一月二十三日刊出）

從寡占理論看這次選舉

這次縣市長選舉揭曉，三黨各有所得與所失；國民黨穩住席次，但得票率大減；民進黨小輸一席，但得票率大增；新黨全軍皆沒，但初試啼聲，有此成績亦殊不惡。這種結果，很像完全市場情況，那就是供需雙方不可能盡如己意，但都可以接受。由此看來，國內民主政治有漸臻成熟的趨勢。不過，若以經濟理論來衡量選舉政治，則似以寡占理論較為適合。

所謂寡占，是指賣方只有少數廠商，各有其一部分左右市場力量，各廠商有所決策時，經常考慮到對手的反應，並籌劃己方對此反應的反應，所以，競爭常較純粹競爭為激烈。所以，這些廠商們為避免疲於奔命，而想結合為一種卡特爾組織，稱為共謀性寡占，在台灣，則稱之為「聯合壟斷」。卡特爾下的成員，只有兩種選擇；一為與組織合作；一為陽奉陰違而欺騙。若是成員多採前一選擇，則此一組織將會持續，其行為將和獨占者一樣，追求最大利潤。每一成員若產出相同，成本結構也相同，則其利潤流現值為A。若是其中有人心懷鬼胎，暗中欺騙，以低於共同訂價的價格求售，則其利潤將分為兩部分：一為欺騙的利潤B；一為組織瓦解後利潤流現值C。顯然可見，B＞A＞C。所以，成員將比較A與（B＋C）。若是A＞（B＋C），則必將選擇欺騙。職此之故，卡特爾在決定價格與產量上，希能使A＝（B＋C），以減少欺騙，亦即使其產出大於利潤最大化（亦即獨占行為）下的產出，亦就是說，在決策上不像預期那樣嚴苛，或者亦可說，中央決策人士不再堅持其原先心意。

若將共謀寡占理論應用到這次選舉，則政黨即為卡特爾，其成員是選舉候選人和黨員，甚至於包括選民。可能由於若干政黨中央決策人士過於堅持己見，在候選人方面，頗有遺珠之憾，以致朝野兩大政黨均出現違紀競選者，而在有些地區，這兩個黨亦著實敗在內室操戈上。而執政黨之所以能穩住陣腳，亦是在於其黨員甚或一般選民，將瓦解成本看得很嚴重，以致燃起危機感，譬如台北縣執政黨黨員間就傳出一種耳語：「投李勝峰，等於是幫尤清」；而很多選民多年來認為國民黨給予他們安定的生活，他們可以給執政黨一些「難看」，以刺激其改革，但不希望她倒台，因為他們體認到瓦解成本的嚴重性，所以，在最後關頭不得不投執政黨一票——顯然可見，這些選民所依賴的安全感，是來自百年老店，而非二歲嬰兒。

這些選民的心理，也就形成了政治上所謂的「鐘擺理論」；民國78年縣市長選舉，民進黨大勝；80年國代選舉，民進黨大挫；去年立委選舉，民進黨大勝；今年選舉，民進黨落敗。依此看來，明年的選舉，國民黨可要當心了！

經濟學中，寡占並無獨斷的理論，易言之，有關理論有多種，至少還有領導性價格與折拗性曲線。後者是指寡占者的對手們，在訂價上跟跌不跟漲，以致其面對的需求曲線，是由兩條線段構成的折線，而價格與產出就決定於此折點上。此一理論主要是說明寡占價格的僵固性；將此一理論用以闡釋這次選舉，此一僵固性即是國民黨鐵票未生銹——當然，這些鐵票，亦是百年老店的捧場人，而非二歲嬰兒的追隨者。

領導性價格，是指在政府禁止寡占者互相勾結下，寡占者之間只能暗中以某一廠商馬首是瞻。這一次，新黨的「許歷農效應」，就有領導性價格意味；「李登輝旋風」亦可作如是觀。

以上所述，對於各政黨領導階層，均應有所啟示，就共謀寡占理論看，黨中央今後在提名上，不能堅持己見，要力求圓融。就領導性價格言，在政府管制愈嚴下，領導性價格愈難產生作用，但在政治上，反而是民智愈開之際，個人魅力終究愈為有限。就僵固性言，在政治上，卻無永久的追隨者，以致鐵票亦難保證不會生銹。

（八十二年十一月二十九日刊出）

民代與金權政治

本專欄不止一次地談到金權政治，並且認定民意代表是在扮演要角，最近又貼出兩個戲碼，分由省議員與立委擔綱主演，都是屬於三國演義的戲目。

前一個戲碼，是「周瑜打黃蓋」——一個願打，一個願挨。其內容是說一位省議員向台灣銀行熱心推荐新行舍，一般做買賣，是賣方「漫天討價」，買方「就地還錢」，可是，台銀卻反其道而行，選擇估價最高的「漫天出價」，以致其付出的價格高出市價1億3千萬元，或高約40%，成為超衛勃倫效果。所謂衛勃倫效果（Veblen Effect），是指個人的炫耀性消費，價格愈高，購量愈多；台銀則是花公家的錢，出最高的價，做隱蔽性購買，故可稱之為超衛勃倫效果——以當代法律用語來說，則是「圖利他人」。

這筆交易完成後，這位省議員的助理，致贈2百萬元為台銀員工「加菜」，但卻把它變為4份，分致台銀董事長、總經理、主秘與承辦人，惟都被璧還，奇怪的是，各機關都設有政風單位，機關首長本應以身作則，將這些紅包送交政風單位處理（主秘與承辦人都曾如此做），而台銀的董、總，卻自行匯回與派人送回，以致後者出現了「羅生門」三種版本。

儘管如此，很少人懷疑台銀高級主管的清白，問題的焦點，是為何出現超衛勃倫效果？其實，這是省營行庫的無奈，因為省議會握有審核預算大權，將這些行庫視為禁臠——預算審查，是民代為人民看緊政府口袋，而事業機構是自給自足，自負盈虧，實在只須主管機關監督，毋須議會審查其預算——而對它們予取予求，不僅介紹行舍的建、買、租，連青年裝等訂做亦一手包辦，還要干預人事，並常有超貸行為，每遇省議會開會，行庫負責人約一半時間在那裡待命，並帶一個副總去專收借條，而這些借款往往變成呆帳。

是以，為消除二超（超衛勃倫效果與超貸）現象及有關歪風，必須使省營行庫民營化，否則，亦應請大法官會議，將相互投資不解釋為公股，以便公有民營，如此，才可以掙脫不肖民代的桎梏。

另一戲碼是「捉放曹」，由立法院國民黨黨鞭挑大樑。「曹操」是奸臣，此處是代表分贓與關說，因為執政黨的大黨鞭在內部建議，於中央政府總預算中，增列地方基層建設經費，分配給每名立委幾千萬元的地方建設額度；並要成立「立委請託事項管制中心」。今後凡是部會首長不理會立委重大請託事項，經2／3黨籍立委的連署，就建議中央撤換之。這兩項建議，前者明顯是分贓；後者則是公然關說。亦就是要使「分贓透明化，關說制度化」。這兩件為人唾棄，為法不容的行徑，居然要公開行之，而且還說，「自命清高的人，可以不要」，顯示建議者深得中國政治傳統的二字真傳：「厚」與「黑」。

這些建議提出後，輿論譁然，在野黨立委齊予抨擊，執政黨若干立委亦表反對，迫使執政黨有關人士煞車與改口，演出「捉放曹」鬧劇。但是，「放」出的「曹操」轉入地下，豈不是為禍更烈！蓋因立委們有選舉壓力，執政黨以此方法為黨籍立委爭取選票，致有「賄選」之實而且行之多年。

於此，不禁想到美國國會的兩院制：眾議院的議員，是按人口比例選出，其選票是決定於其對選區的服務；參議院的議員，是每州各自選出二人，由於出身大的選區，故其選票不是取決於其對地方建設的貢獻，而是來自其總體眼光與抱負，此所以美國很多的總統與副總統候選人，是出身於參議院。美國的民意，就在這兩種類型的政治人物的平衡上表現出來。

是以，為著避免分贓與金權在政治上愈演愈烈，四月份，國民大會臨時會議中修憲之時，最好能注意到此一問題，考慮到如何將國會修改為兩院制或具類似精神。

（八十三年二月七日刊出）

瓦解成本下降的警惕

——執政黨選後應有的省思

這次立委選舉結果，三黨都自稱是贏家：國民黨高層人士說，低空過半就是勝選（其實這是語意上弔詭，因為既是「低」空，何來「勝」選）；民進黨增加4席；新黨席次則是暴增2倍。若就客觀言，國民黨是小輸，其席次減少7席（一說為11席），得票率由53.02%降為46.06%；民進黨是小贏，席次增加4席，得票率由31.03%提升到33.17%；新黨則是大勝，席次增加14席，得票率為12.95%，而且在中南部落地生根。

兩年前的縣市長選舉揭曉，本專欄曾以「從寡占理論看這次選舉」為題予以分析。其重點是以聯合壟斷中瓦解成本，說明民眾對執政黨的支持程度。此所謂「瓦解成本」，是指共謀性寡占（即所謂聯合壟斷）組織的成員，對於該組織的忠誠度，實繫於該組織瓦解成本的高低，若是此成本愈高，則意指此組織解體，將使成員付出的代價愈大，以致他們將更支持該組織的持續存在；反之，則成員們就不太在乎該組織的能否持續，終使該組織瓦解。

近年來，每次選舉，執政黨都打出安定牌，就是對民眾提示，該黨若不能繼續執政，則民眾將會付出慘痛代價。亦可能就是選民們重視瓦解成本，得使國民黨這次低空過半，尤其是黃復興黨部提名11席得上8席，很可能是若干榮民相信執政黨所說的，「三黨不過半，榮民退休俸將會泡湯」。

以上是說，這次國民黨還未完全喪失執政機會，是由於瓦解成本的存在。但是，此一瓦解成本已因執政黨的自我行為，而在快速降低之中。執政黨所打出的安定牌，不外是國家安全與社會安定：多年來，國家安全主要繫於兩岸關係，目前兩岸弄得劍拔弩張，戰爭一觸即發，孰以致之？還不是執政黨的挑釁行為與領袖的口無遮攔所引發；近年，黑金政治甚為猖獗，執政黨難辭其咎，由於黑道之被縱容，使社會治安業已亮起紅燈——南部一議長殺人，一議長被殺，即是顯例，且因金權之縱橫，導致本年度多次金融風暴。

在這種情況下，執政黨仍打安定牌，是不是反而在提醒選民，執政黨才是危及國家安全與影響社會安定的「罪魁禍首」，以致在選民心目中，執政黨的瓦解成本大為降低，這才是國民黨這次所獲立委席次與得票率均大幅滑落的主要原因。不過，這些安定牌，仍然只是消極地維持瓦解成本於不墜，真正積極地提高瓦解成本者厥為經濟表現，此所以這次選舉前，執政黨在盡力「製造」利多消息，嚴格說來，景氣變動雖然影響選情，而選民更為關心的厥為經濟前景，執政黨的亞太營運中心構想，著實為台灣經濟前景繪下美麗的藍圖，但在僵化的大陸政策下，兩岸三不通，使此藍圖將成畫餅；且因金權之故，使無金無權無勢之中小企業，在逐漸式微之中，致使台灣經濟發展的基石開始動搖；以致執政黨還要背上導致經濟前景迷離的政治責任，從而降低其瓦解成本。由於此二者亦與兩岸關係及黑金政治有關，所以，執政黨今後要想提高其瓦解成本，就必須改善兩岸關係與放棄黑金政治。

在共謀性寡占分析中，單一成員面臨三種利潤，一為全心支持卡特爾組織，則其利潤為Ａ；一為欺騙組織（對組織所定的量、價，陽奉陰違）的利潤Ｂ；一為組織瓦解後的利潤

C。一般說來，是B＞A＞C，若是A＜（B＋C），則意指瓦解成本大為降低。以此理論分析這次選舉，顯然可見，B是不適用的，以致瓦解成本的高低全賴A與C之比較，意即A不一定大於C。在以往國、民二黨對決時，由於民進黨主張台獨，對國民黨而言，是提高A與降低C，以致提高瓦解成本，致使國民黨以很大幅度領先。這一次是三黨車拚，國民黨引爆兩岸緊張關係，使A降低，而民進黨在這次卻低調處理台獨主張，新黨則是反台獨與反黑金，使C提高，就在此消彼長的情況下，使瓦解成本大幅下降。若是國民黨再不重視此一現象，則C將更提高，終將凌駕於A，屆時，瓦解成本將為負值，在人民熱盼下執政黨將黯然下台。

（八十四年十二月四日刊出）

得過且過，不了了之？

——從今年中央民意代表選舉結果談起

這次中央民意代表選舉，博得中外交相讚譽，認為是我國民主過程中的重要里程碑，這是值得欣慰的事。但是，政治上的選舉行為，就像經濟上的市場活動，都是一種競爭，是以，從執政黨立場看，應該在選後檢討一下這場競爭中的得失。

據統計，黨外後援會推荐的候選人，當選率雖然不及百分之二十，但總得票率卻為百分之二二·一七，比起去年地方選舉中的百分之一四·八的總得票率，一年之間增加七·三七個百分點，增幅約為百分之五十，票源成長可謂迅速。照說，去年政治上有「江南」案及「十信」事件；在經濟上則是景氣低迷，成長率由前年的百分之一〇·五，驟降為百分之四·七；而今年，政治上不但沒有出大問題，並且行將推動政治革新，至於經濟方面，今年出口旺盛，成長率更將高達百分之十一；兩相比較，今年執政黨在這次選舉中應該比去年更為看好才是，現在竟使黨外候選人得票率大增，豈不是咄咄怪事！

當然事出必然有因，黨外候選人這次總得票率增加，也許是顯示，人民對中央政府的希望高於對地方政府的要求，例如七十二年中央民意代表選舉中，黨外候選人總得票率就比去年地方選舉高，而為百分之一六·八二——但和今年比起來，總得票率於三年來增加六個百分點，以致這一理由，似乎很難用來解釋這次黨外總得票率驟增的現象。若說黨外後援會在打組織戰，則執政黨近年來一直步步為營，豈會在組織上屈居下風？何況黨外山頭主義一向濃厚，「民進黨」又是倉卒成軍，在組織上那有執政黨嚴密？以致這一理由似乎很難成立。

依個人觀察，去年地方選舉，執政黨在得票率上獲勝，可能是與去年的經濟革新委員會有關，因為很多人民把選票投給黨外，其用意是要給執政黨當頭棒喝，希望有所振作，有所改革，現在政府既然成立經革會，是顯示有改革決心，所以，去年雖然發生重大的政治與經濟問題，但人民認為政府已經開始革「新」，所以，在地方選舉中投票支持執政黨。可是，去年十一月間，經革會結束後，其所提出的五十六個建議案亦就多被有關單位束之高閣，沒有下文，在當局的心目中，以為不了了之，可是，選民記憶猶新，豈不大為失望，連帶地懷疑到政府或執政黨的改革誠意。這種失望與懷疑是充分地表現於這次選舉中的選票上——其實，在八九月間，作者曾經先後在報刊上撰文，呼籲有關單位於今年十一月五日經革會結束週年，提出經革會建議案執行情況之報告書，以取信於民，文中特別提及，去年經革會的成立，在短期為政治性，若能執行其建議，則在長期中有其經濟上的貢獻；若不執行，則將使「一度作為政治籌碼的經革會，轉變為政府的政治包袱」，於「今年年底中央民意代表選舉中，經革會對於執政黨將是一種負擔」，無奈人微言輕，未能引起黨政大員注意何？此無他，乃是有關官員「不了了之」的基本態度。

其實，不了了之的事情，何止經革會建議案執行之事！其他方面亦常不了了之，例如，在政治方面，喊出了「三民主義統一中國」口號後，缺少具體做法與步驟；在法律方面，偏激分子結眾遊行，侮辱執法人員，每次都說「依法處置」，結果大多沒有下文；每次選舉中，對於違反選罷法之候選人常有糾正、警告等行動，但選舉結束後，被告發者多為落選人，對於當選者之違法行為則幾乎都是不了了之；在社會方面，鹿港人士簽名反對杜邦設廠的請願書，於三月間就向有關當局提出，但到現在還沒有收到覆文。諸如此類，「不了了之」是客觀事實，這是反映高級官員得過且過，能拖就拖的主觀心理。揆其實際，許多事真能不了了之？

當然，個人認為我們的領導階層不應，亦不會有這種不健康心理，但卻希望他們能拿出事實來，因為只有事實才可勝過雄辯。沉默的大眾業已使用選票發出要求改革的呼聲，領導階層豈可再能不了了之？就現階段看，執政黨或政府最應全力以赴的工作重點應如下述：第一是徹底消除得過且過，不了了之的心理與作風，轉變為劍及履及，言行一致的誠懇實踐之篤實剛毅的做法，因為只有誠與信，才可以真正凝聚民心。

第二是要重用人才。當民進黨醞釀成立之際，美國有位官員表示：組黨趨勢難以抗拒，執政黨要做的，乃是重用人才——這表示，連外國人亦看出，執政黨並沒有真正重用人才。在政治上，把人才當奴才用，固屬不是；把奴才當人才用，更為不妥。所謂人才，當然須有專門知識，當一位政務官，雖然不一定要是專家，但起碼要對其主管工作具有基本知識，否則，如何作出明確的決策。更重要的，這些人才必然是直言無隱之士，而非唯唯諾諾之徒，亦就是所謂「諍臣」，孔子曰：「天子有諍臣七人，雖無道不失其天下」「士有諍友，則身不離於令名，父有諍子則身不陷於不義」（孝經）。

第三是要確立分層負責的制度。無可諱言地，目前很多政府單位組織雖大，權力卻有限，難以作應做的決策，否則，中美菸酒談判的過程與結局就不會顯得那麼笨拙。是以，重用人才後，若不按其職位授權，則人才亦將變為庸才，而政府想從不了了之態度改為劍及履及的新形象，亦將完全落空。對於不肯授權的上級，不僅儒家嘗之為，「愚而好自用，賤而好自專」（中庸），連主張集權的法家亦不以為然，此所以韓非曰，「下君盡己之能，中君盡人之力，上君盡人之智」。

最後亦是最重要的，乃是厲行法治。在法治之下，人民固須守法，政府更應守法。在執法之時，於法無明文情況下任意處置人民，固屬違法，但在法有明文之下，而故意不予執行，亦是違法。政府不守法，如何能要求人民崇尚法治！這種放棄執法的行為，是表示本身超越於法律之上，政府官員有此心態，法治如何厲行？法律喪失其公平性、穩定性與權威性，社會如何得以安定？是以，政府當局必須先有厲行法治的決心與行為，然後，才可使整個國家臻於法治。

這四個重點，可以歸納為「誠信、人才、制度、法治」八個字，展望執政黨的前程，就首須觀察她對這八字訣是否實踐與實踐多少？

（七十五年十二月十九日聯合報刊出）

學術與才德

政治學家薩孟武先生，曾依執政者的學與術之配合，依序分成四等人物：第一等是有學有術，如周初的周公；第二等為不學無術，如漢代的霍光；第三等是有學無術，如北宋的王安石；第四等為不學有術，如南宋末年的賈似道。

其所謂「學」，當然是指學問，亦即知識；其所謂「術」，則有權術的意味，是以，有學有術，當然可以治天下；「不學無術」，對個人似是貶辭，但因該人雖無專門知識，卻不搞權術，亦就是老老實實，故可守成。另外兩等人物，據薩先生看法，有學無術，可能亂國，而不學有術則足以亡國。

至於「才」與「德」的搭配，則和「學」與「術」的配合，有所不同，此處的「才」，是指治國的長才，是合併了薩先生所說的「學」與「術」，所謂「德」，不僅指個人德性，也且包括政治倫理。此二者的排列組合，可以形成四種，即有才有德、有才無德、無才有德與無才無德。從中國歷代的執政者看，亦可以分成四個等級。

第一等人物，當然是才德兼具，亦就是有才有德，周代的文武周公屬之，不僅立國，而且享國甚久，並能立千百載的規模與楷模。

第二等是無才有德，多為守成之君，例如漢惠帝與明宣宗，他們雖無才華，但卻由於本身的德行，可以穩定政治中心。

第三等人物，是有才無德，多為開國之君，如北齊的高洋（文宣帝）與後唐的李存勖

（莊宗），本身有其才華，故能開疆闢土，但因缺乏道德的支撐，不是國祚不久，就是身亡國危。

第四等是無才無德，多為亡國之君，南北朝時代特別多，如劉宋廢帝、南齊東昏侯，以及北齊武成帝。他們既無才幹，卻憑其位置，逞其淫威，導致離心離德，吏治敗壞，終於國家覆亡。

（八十一年七月二十七日自立晚報刊出）

高球與高俅

最近，朝野為高爾夫球場與球證之事，鬧得如火如荼。在這方面，作者個人內心必須「認錯」，因為本人是高球（高爾夫球簡稱，下仿此）門外漢，以往誤以其球場一片草綠，可維護環境，再以淡水球證高達二、三十萬元，以為廣闢球場可以降低球證價格。誰知道新球場雖然越開越多，而球證價格卻越來越高，竟有高達750萬元之天價。球場本身更是環境的大破壞者，較著者至少有下列3項：

1.目前高球場多建在山坡，據農委會調查，營運中球場水土流失量是未開發的10倍，施工時水土流失量更是未開發的2,000倍，威脅居民安全。

2.高球場須用水灌溉草皮，一個18洞的球場，平均每天需水1,500至3,000公噸，往往抽取地下水，導致水位急速下降5到10公尺以上。

3.高球場很多在水源保護區，其為養護草皮而使用的農藥與肥料，影響飲用水質，危害健康。

除此之外，很多高球場的行為是違法的，以政府核准的84家高球場而言，其中只有4家取得開放使用執照，其餘多違規營業，價值數百萬元的球證多為這些違規者發出，若干高官擁有的球證亦多屬這一類。還有一些高球場所開放的山坡地，是核准面積的好幾倍——目前開發山坡地為高球場的面積已逾5,000公頃。

以上所述，全為社會成本，這當然不為高球業者與玩者所考慮，所以，有關人等從私人成本出發而公開地說，打一場18洞的高球，只花一兩千元，不見得比上KTV貴。這一說法，是和晉惠帝說餓飯的人為何不食肉糜的口吻，有異曲同工之妙，其實，玩高球的人，還須配備的費用（包括球、球具、汽車、小費，以及相互請客的費用），以致月入8萬以上的人士公開投書說「玩不起」。更何況還有那一大堆社會成本。台灣為蕞爾小島，高球場卻有110多個，絕大多數是設於民國77年後，這是因為蔣經國先生認為「獨樂樂不如眾樂樂」，曾將台北高球場改闢為青年公園，他去世後，上行下效，高球場就成野火燎原之勢。據說，有位政要當年決心從政，決定夫婦「合籍同修」高球，作為終南捷徑，後來果然一帆風順，飛黃騰達，創下「高球捷徑」模式，而且經由高球，官商易於結合而成為金權政治。

此一捷徑更可縮減為「高俅模式」，因為水滸傳中有這一個人物。這個高俅原名高二，是開封的幫閑，「踢得好腳氣毬」，大家順口叫他為高毬，後來發跡便改名高俅。他的發跡就是由於踢得好毬，受到愛好此道的宋徽宗寵愛，做了太尉，一上任就逼走80萬禁軍教頭王進，然後，為義子計奪人妻，陷害另一位教頭林沖——平劇野豬林就是演此故事。如果這是信史，就難怪金兵來犯，禁軍不堪一擊了。接近正史的宣和遺事，亦提到高俅，是最擅逢迎拍馬，當諫議大夫諫請徽宗，「減膳撤樂，損己益民」之時，高俅卻在一旁說，「草芥之言，何足畏哉……陛下何不開懷行樂」。是以，高俅模式有雙重意義：一為以球技作登龍捷徑；一為巧言令色以固寵。今日高官擁有的高價球證之中，定有不少是現代高俅的穿針引線，亦即高俅居中使高官得到高球證，在這些非法球場免費打球，無形中使這些球場由非法變為合法，甚至以此為號召，使其球證身價百倍，亦有不少是高俅的傑作。這些高官得贈球證，全憑其官位。在很多先進國家，高官受禮，在一定金額（譬如300美元）以上者，是要列為國庫收入。我國有關規定尚付闕如，以致陽光法案也許要另列一章予以規範。

台灣地狹人稠，實在不能負擔這麼多的高球場，真希望蔣經國重現，以減少野外的高球，以降低社會成本。但是，即使經國先生再世，朝中的高俅，亦可能難以根除，而其對國家社會的不良影響，卻更甚於野外高球。走筆至此，不禁浩嘆而成歪詩一首：野外有高球，朝中有高俅；人民怎麼辦？多福只自求。

（八十二年十一月一日刊出）

肅貪與反賄選的雷雨

自去年起，東北亞掀起一片肅貪與反賄選浪潮，在肅貪方面，日韓是拔得頭籌。於日本，政界大老金丸信去年因涉嫌受賄而退出政壇，並導致自民黨喪失政權；最近，眾議員中村喜四郎因營建業投標舞弊案被捕。在南韓，金泳三於軍方長期把持政治後執政，果然有不同風格，執政一年來，因涉及弊端而免職與因公開財產而辭職的公務員，分別為1,363人與242人；因公開財產而辭職與脫黨，以及涉及弊端而被捕的國會議員，依次為3人，4人與4人；涉及豪華別墅建築弊端被捕者31人；涉及豪華別墅建築弊端被捕者31人；涉及司法界弊端被捕者602人；涉及不動產投機被捕者64人；涉及大眾傳播界弊端被捕者200人；涉及大學入學考試弊端公布姓名的父母1,231人。

我國去年亦開始肅貪運動，但乏善可陳，甚至於很多案子仍未結案，譬如當時喧騰一時的榮星花園舞弊案，當時還收押了幾名議員（數月後釋出），但卻拖了好幾年，似乎要不了了之；再如台北市某議員因工程舞弊案於前年即已判刑確定，卻仍未執行。陽光法案實施後，由於未規定說明財產來源，雖然絕大多數高官與公職人員腰纏萬貫，卻未見一個因公開財產而辭職或脫黨的人。

自民國77年起，我國是進入真正的文人政府，但卻未出現金泳三震撼，其可能原因之一，厥為以往貪瀆風氣也許不太酷烈，否則，前不久亦不會出現三黨立委讚嘆蔣經國時代的清廉，以及其肅貪自身邊人開始的這則新聞。但是，無可否認地，貪瀆與賄選之風日熾，逐漸形成所謂的金權政治，尤以最近縣市議會正副議長的選舉達到高峰。只不過這種金權政治並非金光閃閃，而是黑氣騰騰，且因黑道滲入，形成「黑金政治」，據官方統計，這次縣市議員當選者8百多人中，有78位出身黑道，而且已有兩位當選議長，另兩位當選副議長。這些人士多為執政黨提名，甚至於提名兩次（譬如副議長之選舉），其用意可能只為勝選，而不管其品格與手段，在這一點上，倒有些像曹操當年，三次（建安15年、19年、22年）下令徵求「負汙辱之名，見笑之行，不仁不孝，而有治國用兵之術者」，在短期中，曹操這種手法，是達成其個人慾望，但卻使社會綱紀蕩然，風俗大壞，纂弒之風熾烈（亦禍延曹氏子孫），使魏晉南北朝成為中國政治史上的黑暗時代，顧亭林在論兩漢風俗時說：「夫以經術之治，節義之防，光武明章，數世為之而未足，毀方敗常之俗，孟德一人變之而有餘」，這番評論略易數字，亦可用之於今日。

這種黑金政治，業已造成「國貧官富」，因84年預算中公債比率已近3／4，而公開財產中，有數十億元甚至數百億元身價的公職人員（含官員）卻比比皆是。但是，為禍最烈的，乃是在「五鬼搬運法」的使用下，扭曲資源分派，降低資源效率，尤有進者，是使國內投資環境惡化，因為黑金政治是意味著官商勾結與黑道橫行，使規規矩矩的工商人士，在國內難以生存，而不得不「乘桴浮於海」，這是另一形態的葛來歆定律，劣幣驅除良幣。

現在幸有法務部馬英九部長挺身而出，在「民氣可用」情況下，大抓賄選人士，在社會上贏得很大掌聲——但掌聲是來自基層，卻未見高層予以鼓勵，以致有人到現在還以榮星花園案為例，認定此次仍將虎頭蛇尾，雷聲大雨點小，甚至於無疾而終。但本文作者卻持不同看法，認為必將雷雨交加，而有所結果，其結果可用團體遊戲中常用的首尾連字法表示：「初生之馬」「馬到成功」「功成身退」。

「初生之馬」是借喻於「初生之犢不畏虎」，馬部長涉足官場不久，故仍有其理想與銳氣，換成官場老手，就不會有這種大規模傳訊與收押行動；據馬部長自己說，本月底前應有結果，故可預料其「馬到成功」；至於為何會「功成身退」（當然不指立即如此），則是佛曰，「不可說」！

（八十三年三月二十一日刊出）

「總統信條」與危機處理

在看到有關政府將以「不回應、不重視、不接受」新三不政策，以對付中共最近一連串非理性行動的報導時，感覺上，彷彿是清朝兩廣總督葉名琛「六不」政策復活了一半：「不戰、不降、不守」。所以，在答媒體之問時，譏之為「駝鳥政策」。幸好第二天，政府首長否認有此政策，而且當天（26日）下午，總統府秘書長舉行記者會，說明李總統一貫反台獨的立場。不知道是否為巧合，中共於傍晚宣布，在下午6時停止導彈試射，提前兩天結束演習。

吳秘書長的記者會，是一次成功的政策宣示，但在記者們好幾次問到，李總統美國之行前，對於中共的反應有無評估？吳氏均未作正面答覆。此可解釋為並無評估，或者是只作一廂情願的評估，以致臨場亦缺乏危機處理。這樣既缺乏前瞻，又缺乏當機立斷，如何能面對中共可能的日益升高之壓力？

中共這次的文批武攻，雖無犯台登陸的可能，但卻極盡恫嚇之能事，首當其衝的是股市與匯市，雙雙創下今年最低點；但當中共提前結束飛彈試射後，股市立即大漲277點，新台幣匯率上升2.21角；足見當前的危機處理，主要應是在經濟面。吳秘書長在記者會中說，我國外匯存底為世界第二高，並為世界第七大對外投資國與第14大貿易國，足見未來將「危機」化為「轉機」的力量與利益歸屬亦仍在經濟面。於此想到美國管理學大師杜魯克，從管理觀點向柯林頓總統提出的「總統信條」（其原來標題是「總統應信守的六項法則」），或可作為當前危機處理的指導原則這六項法則是說：一、總統應自問，該做甚麼事？

二、全神貫注，只辦當前最重要的那件事，絕對不可以分心。

三、審慎選擇政策，不可輕舉妄動。

四、總統只管決策，絕對不插手執行細節。

五、政府不可在行政體系中安插親信。

六、不尋求連任——這是引用杜魯門對甘迺迪總統的忠告。這些法則，除其中一兩條外，均可作為危機處理的指導原則。由於美國總統亦是其最高行政首長，所以，我國行政部門應該學習與揣摩這些規則或原則的運用。舉些例來說，就第一項看，這是攸關我政府的政治路線。從領導階層歷次宣示者，台灣是在追求兩岸關係與務實外交間的平衡點，俾以保障台灣的生存與發展。所謂生存，主要是安全問題，若是安全受到威脅，亦就是難以生存，還談到甚麼發展！所以，該做的事，實以安全為首要。

在第二項法則中，杜魯克曾舉戰後詹森與雷根為例：詹森是一面對外打越戰，一面對內反貧窮，由於備多力分，兩戰皆墨；雷根則全力抑制物價膨脹，創造了長期繁榮。不容諱言的，我們當前要做的「那件事」，當然是緩和兩岸緊張情勢，由於「不可以分心」，所以，誠如國內外若干專家所建議的，應該將攻堅性務實外交暫時緩一緩，以免兩頭落空，步上詹森的後塵。

第三項法則中的「審慎」與「不可輕舉妄動」，既適用於兩岸關係，亦適用於務實外交。就前者言，我們在行動上是審慎有餘，在語言上卻把持不住，致被有些學者形容為「手持竹竿，大聲咆哮」，適與羅斯福所說的「手持巨棒，小聲說話」的情境，背道而馳，韓非子於「亡徵」篇中說，「國小而不處卑，力少而不畏強，無禮而侮大鄰，貪愎而拙交者，可亡也」，豈不令人觸目驚心！執政當局今後豈能逞口舌之快！在務實外交上，「不可輕舉妄動」的意涵，是指對內的宣揚，而非對外的促進。以李總統訪美為例，這是私人訪問，本來就不值得大驚小怪，中共起初只是抗議而已，並未採取激烈行動，但是，國內媒體，尤其是三家電視台大吹大擂，才可能引發中共的擔心起而恫嚇，是以，今後有關務實外交的對內宣導也須趨於審慎。

（八十四年七月三十一日刊出）

「主好詳則百事荒」

——行政效率低落的真正癥結

偶讀陸象山面奏宋孝宗的五個箚子，感人至深，尤以其第五個箚子為然。該箚子一開頭就說，「臣聞人主不親細事」，接著舉唐德宗為例：德宗擬親擇官員出「宰畿邑」，當時宰相柳渾就對這位皇帝說，「陛下當擇臣輩以輔聖德；臣當選京兆尹，以承大化；尹當求令長以親細事。代尹擇令，非陛下所宜。」

唐代首都為長安，長安一帶稱為京畿，其首長為京兆尹（如台北市長或北京市長），其下轄有數縣，大縣主官稱縣令，小縣主官稱為縣長。唐德宗以京畿重地或擬任用私人，想親自擇人為京畿縣令及縣長，但卻為宰相柳渾搶白了一頓，說皇帝在人事方面的責任，是選擇賢良出任宰相（有如現在的行政院長）；就京畿地區人事言，宰相所能做的，只是選擇幹才出任京兆尹，至於其所轄令長，則由京兆尹決定；現在皇帝要決定縣級幹部的人事，不僅超越了宰相的權限，也且超越京兆尹應有的權限，所以，是不適當的行為。

陸象山認為，柳渾「此言誠得皋陶周公之（意）旨」，再延伸到當時情況而印證之；「今天下半鹽靡密之務，往往皆上累宸聽，臣請陛下雖得皋陶周公，亦何暇與之論道經邦哉」！並引荀子的話以作點睛之語：「主好要則百事詳，主好詳則百事荒。」

陸象山在這方面，進一步引證南宋當時情況，以證明荀子的話，他說：

「臣觀今日之事，有宜責之令者，令則曰，我不得自行其事；有責之守者，守亦曰，我不得自行其事，推而上，莫不皆然。文移回復，互相牽制，其說曰，所以防杜；而行私者，方藉是以藏姦伏匿，使人不可致詰，惟盡忠竭力之人，欲舉其職，則苦於隔絕，而不得以遂志。以陛下之英明，焦勞於上，而事實之在天下者，皆不能如陛下之志，則豈非好詳之過耶！」

在這些「切中時弊」的對話之中，陸象山赤裸裸地指出人主「好詳之過」，其所引發的後遺症，至少有三：一為各級政府都「不得自行其事」，而等待上級的決定或指示，亦即等待上意，甚或揣摩上意，讓萬千個人只能做一個人的事，而不能發揮其各別的才能；一為「文移回復」，這是由於大家都做不了主，所以，遇事推諉，互踢皮球，以致造成公文旅行，凡事曠時廢日，貽誤時機；一為「互相牽制」，其原意是「防私」，結果卻是「行私者，方藉是以藏姦伏匿」，而「盡忠竭力之人，欲舉其職，則苦於隔絕，而不得以遂志」。歸納說來，即是荀子所說的，「主好詳則百事荒」。

陸象山所說的唐德宗與宋孝宗「好詳」之事，是專制王朝帝王的統治手段。但是，讀者們一定不會感到陌生。首就人事言，照說總統只應提名行政院長，院長任命部會首長，而各部會次長則由首長提請院長任命，可是放眼看來，別說部會首長，即使是常務次長，又有幾個不是「國王的人馬」。

在政事處理上，領導階層常說，這件事「非我出來不行」，正說明「親細事」的作風，其後遺症，如事事請示、揣摩上意；公文旅行、互相推諉；防弊大於興利，適足以防君子而助小人……想不到唐宋專制王朝「主好詳則百事荒」的政治習氣，竟然於千百年後重現於20世紀末的民主政治，令人有時光倒流之感。

「百事荒」，是意味著行政效率低落，而行政效率是攸關國家競爭力的重要項目之一，所以，要想提高國家競爭力，就必須認真地推動政府改造工程。所謂「改造」，就是改革，而所有的改革，都是由上而下，反之，若是由下而上，則是革命。是以，在政府改造工程中，領導階層首須自我改造，「不親細事」，只決定大政方針，並逐級授權，要求分層負責。說起來，這像是老生常談，但卻是診治千百年來老毛病的特效藥，其基本藥方則是兩千多年前荀子所說的，「主好要則百事詳」。

（八十五年八月二日刊出）

「變化抵不上一句話」

——評李總統對隔離水道的裁示

李登輝總統於前天到麥寮巡視台塑六輕工地，台塑公司陳情希將隔離水道由500公尺縮減為100公尺，俾可興建長庚醫院等回饋設施，李總統即席裁示，只要能發揮排水功能，100公尺就夠了。此一消息，引發多方議論，且多持否定態度，本文作者在這方面亦從眾議，認為此事有七不可之處：其中三「不可」涉及領導風格，另外四「不可」則直指其可能的後遺症。

在領導風格方面，本專欄曾於上月初發表「主好詳則百事荒」一文（以下簡稱「主文」），指出陸象山面奏宋孝宗的箚子，一開頭就說，「臣聞人主不親細事」，而六輕隔離水道，是要500抑係100公尺，對於一國元首來說，真是蒜皮小事，是由行政院下二級單位——經濟部工業局主管，何勞國家元首操勞？難道總統要降尊紓貴而和工業局局長別苗頭？其次，被稱為帝王學的「貞觀政要」一書，再三提及元首「兼聽則明」，意即對一件事情的處理，必須聽取各方面的意見才做決定。這次，李總統卻反其道而行，南下前既未要求經濟部提供有關資料，也未找經濟部相關人員陪同，僅聽台塑「片面之詞」，即作「100公尺就夠了」的裁示，不知是心直口快，還是信口開河？無論如何，都是違反「兼聽」法則。

最後，我國憲法明定行政院院長是國家最高行政首長，六輕隔離水道的寬狹顯然是行政事務，現在李總統竟然即席裁示，是明顯地越俎代庖，侵犯行政院職權。而且，即使是總統制，總統亦管不著如此「細事」，否則，國家何必設官分職，強調分層負責？在現行體制下，除非總統兼任行政院院長、經濟部長及工業局長，才可作此裁示，在我國近代史上，只出現過一次類似事件，那就是浙江軍閥夏超出任督軍（或省長）時，兼任警務廳長、杭州市警察局長及某派出所主管，這樣一條鞭作風，當時傳為笑談。

這件事（或者可說是李總統的一句話）看似簡單，但卻有其嚴重的後遺症，如以下所述：一、嚴重影響行政效率，這又可分三方面來說：㈠延誤時日，純就此事言，環保署與工業局為此事曾委託若干科技單位作長期研究，才得出維持500公尺隔離水道的結論，現若縮減為100公尺，又須做類似作業，豈非曠時廢日？且若不慎，給予環保人士口實，引發一連串抗爭，更將延宕六輕建廠工程；㈡打擊公務人員士氣，蓋因相關官員為此事依法行政，耗費很多心力與時間，為政府法律與社會利益把關，現在卻遭總統一句話而否定，這些奉公執法的官員，將情何以堪！誰還願意把關負責？㈢破壞分層負責，「主文」副標題是「行政效率低落的真正癥結」，文中敍及陸象山認為宋孝宗躬「親細事」，其結果是「臣觀今日之事，有宜責之令者，令則曰，我不得自行其事；有責之守者，守亦曰，我不得自行其事，推而上之，莫不皆然」，最後，則統統由天子決定，今若李總統的「100公尺就夠了」這句話成為定案，其結果亦將如此。

二、形成一言堂。前幾年，大陸流行一個順口溜：「計劃趕不上變化，變化抵不上一句話」，這「一句話」是指鄧小平的拍板定案，以致形成一言堂，只不過鄧小平的「一句話」，多為大事拍板，而不是為諸如隔離水道寬狹這樣「細事」而定案。今若李總統拍板定為100公尺，則這種一言堂，將對民主法治形成嚴重挑戰。

三、不尊重專家。六輕隔離水道採取500公尺的規定，是由工業局耗資上億元，委託水利專家研究所作的結論。現在李總統一句話就否定了多位專家的意見，真不知今後像在核四等案中，政府一再籲請民眾尊重專家的呼聲如何使人信服？

四、將有嚴重的社會成本。六輕500公尺隔離水道的作用，至少有四：減輕海岸沖刷；調節暴潮或暴雨；隔離工業汙染；維護沿岸生態。今若縮為100公尺，上述功能將喪失殆盡。當年阿里山公路與中橫快速道路之開發，因未聽有識專家之言，造成嚴重損失，其歷史很可能重演於麥寮地區。

（八十五年十月二十八日刊出）

掌握先機還是疲於奔命？

——我國財經問題應該正本清源

最近，一位新聞界朋友一口氣問我有關政府干預經濟的三件事：財政部干預股市，中央銀行干預匯市，經濟部干預出口。我的回答，均為不得已，受到外在壓力，易言之，都是被動取向。說到這裡，不禁想到若干年來，很多事情的處理還不都是這個樣兒。

記得前幾年，看到財經單位為應付一連串的事件，顯得手忙腳亂，所以曾對某些官員打一個比方，說明應然的處理途徑：假若陽明山上盤踞一千土匪，政府不派兵去掃穴犁庭，則是匪徒放火時候，政府忙著救火，匪徒綁票時候，政府忙著救人，一天到晚疲於奔命，而那千匪徒仍然存在。我們的財經問題亦復如此，有關當局應該正本清源，找出問題癥結，徹底解決之，而不能頭痛醫頭，腳痛醫腳。亦就是說，要主動出擊，而不是倉皇應戰；要打有計畫的攻堅戰，而非老是打倉卒的遭遇戰。職此之故，作者多年來，一直呼籲政府全面改進投資環境，但是，直到兩年多前，才在一個機緣下，使當局接受建議，成立經濟革新委員會。在我的構想中，這一類委員會至少需要兩年時間，讓各組參與專家殫精竭慮，擬訂正確的對策，據以修訂或制訂法令規則，建立整套的適合於現階段及可見未來之財經制度，使一些易於滋生問題的事故化為烏有。可是，經革會只限期六月，雖然通過了五十六項議案，但大半至今未見下文，使我們的財經官員，仍然無法掌握機先，仍然是倉皇應戰，雖然一個個疲於奔命，但根本問題仍然存在。

就拿這次三種干預來說，股市投資人希望銀行進場，財政部亦從「善」如流，以電話指示銀行購買股票，其所以如此，是由於我國主要銀行悉為公營，公營銀行幾乎完全缺乏自主權；而金融自由化、民營化，一直是各方面的主張，甚至於經革會亦曾建議提高公營銀行經營自由性，假若早日貫徹這些主張，則將不會有今日的干預，且因問題依然存在，今後當然仍會疲於奔命，以應付衍生的更多問題。

關於中央銀行干預匯率，當然有其不得已的苦衷，新台幣被迫升值，是有很多因子，但我國匯率緊釘美元定是因子之一。兩三年來，作者一直建議，改變決定匯率的基準，亦即真正以一籃通貨為匯率基礎，去年八月間，傳出美國要求新台幣升值一事，作者再度主張新台幣立即以歐洲通貨單位（ＥＣＵ）為決定匯率的基準，由此轉換為新台幣兌美元的價位，以後再按ＥＣＵ的變動與國內外匯市場的供需，以調整我國匯率，使美國失去要求的藉口，亦使我國業者有所遵循，而且有助於對西歐貿易的促進，以利外銷市場的分散；後來，我國駐外經貿官員亦曾提出類似建議，可是，有關當局充耳不聞，以致新台幣常被迫升值，央行為緩和升值幅度而干預，美國則指摘這種干預而再要求升值，央行再干預，美方再指摘，……如此，週而復始，問題依然存在。經濟部這次所提出的輸美自我設限，可能只是說說而已，但亦透露了我國有關的長久問題：貿易沒有真正自由化—而這種自由化多年來一直是學術界的一致主張。

這些例證似乎在說明，我們的財經首長不願掌握機先，掃穴犁庭，寧願倉皇應戰，疲於奔命。高級官員為何有此心態，真是令人難解，是不是由於「曲突不見賓，燋爛為上客」（三國，魏應璩雜詩，引用「淮南子」中救火故事），古有明例，以致寧願扮演焦頭爛額的救火隊？可是，蔣總統一再要求首長們要有前瞻性的想法與做法，在這種要求下，這種心態應該不致發生才是。再有一個解釋，那就是在現行政治形態下，首長們「一切向上看」，凡是上面交代的，都將盡力而為，上面未交代的，則是視而不見，可是，「上面」缺乏真正的智囊作業，以致所交代的很難觸及根本癥結——制度問題。亦就是由於這種「視而不見，聽而未聞」的態度，引發了近年的一連串自力救濟行動，而有關單位經常是前倨後恭，對於這些行動幾乎是如響斯應，這不僅助長進一步的自力救濟，抑且由於這些急就章措施，可能扭曲我們的經濟，以致產生更多的財經問題。當然，這些官員們可能還有一種心態，那就是「五日京兆」之心，每個人任期不久，何必花太多時間去研究那些根本癥結，開罪很多單位與既得利益集團，弄不好還可能落荒而走，倒不如「不做不錯」，太太平平做滿任期，定將飛黃騰達。或者，這無關於個人心態，而是整個政治風氣，「以機巧為才能，頑鈍為德量，因循廢弛為鎮定。隨俗浮沉，不辨是非為宏通涵養」（清季倭仁語），真若如此，夫復何言！但衷心認為與希望，風氣不致如此敗壞，而仍有可為。

職此之故，不揣冒昧，提出下列建議：

領導階層一定要有高瞻遠矚的智囊團（當然不限於財經面），對現行各種制度與問題，正本清源地予以徹底檢討，並對未來局勢的演變與社會的變遷，作模擬分析，提出整套對策，交由行政單位擬訂具體法規與可行措施。在這種檢討中，一定要排除政治上的禁忌與心理上的鄉愿，才可看出事實的真相與提出確切的辦法。假若我們的資政與顧問，不是酬庸性與投閑置散，應該足以擔當這一任務，否則，必須另闢蹊徑。以財經問題來說，不妨提高行政院經建會的層次，擴大其組織，增加前任有關部會首長級的官員以及學者專家為委員，再責令非現任部會首長的委員們，主持若干小組，徹底檢討財經問題，提出對策。

關於政務官的任命，應該以有思想與有擔當的人士為對象，亦就是魏源所說的「才臣」，而非其所謂的「能臣」：「小事不糊塗之謂能，大事不糊塗之謂才。才臣疏節闊目，往往不可小知；能臣又近燭有餘，遠猷不足，可以佐承平，不可以勝大變；夫惟用才臣於廟堂之上，而能臣供其臂指，斯兩得之乎！臨大事、決大計，識足以應變，量足以鎮猝，氣足以攝眾，若張良、霍光、龐士元、謝安、陸贄、寇準、韓琦、李綱，其才臣歟！理繁劇，萬夫之稟，一目十行，五官並用，無留牘，無遁情，若趙廣漢、張敞、陶侃、劉宴，其能臣歟！」以今日語言來說，政務官須用才臣，事務官要用能臣。

除行政機關外，立法院亦應發揮正本清源的效能，立委問政時，應少譁眾取寵，而要一針見血，對於財經問題要觸及其根本癥結，而非其表象，現在業已建立助理制度，這些助理應該請教專家，廣蒐資料，俾使立委在質詢時能言之有物，這不僅提昇問政水準，也且促使行政機構早日拋棄因循心理，面對問題，徹底解決。不過，立法與行政機構應該遵守古人之言：「議事者身在事外，宜悉利害之情；任事者身居事中，當忘利害之慮。」

（七十六年十一月二十七日聯合報刊出）

爲萬世開太平

——爲突破困境、統一全國進一言

狄更生於「雙城記」一書的開端，寫道：

「這是最好的時代，這是最壞的時代；這是智慧的世紀；這是愚蠢的世紀；這是信任的紀元，這是遲疑的紀元；這是光明的季節，這是黑暗的季節；這是充滿希望的春天，這是遍佈絕望的冬天；在我們面前無所不有，在我們面前一無所有；我們大眾將步上天國之路，我們大眾將墮向地獄之路。」

這段話正是我們目前處境的寫照，我們在台灣地區正享受中華民族從來沒有的富裕生活，以及有信史以來所沒有的自由、民主與平等，但卻陷入前所罕有的種種困境：

——政治上，串央民意代表逐漸凋謝，使具有全國代表性的民意機關越來越抹上地區色彩，導致我們在法統上面臨嚴重考驗，再加分離意識日益高漲，「台獨」主張已由國外走向國內，由文字走向街頭。

——經濟上，中美斷交後，民間投資意願一直不振，阻礙產業結構朝向技術及資本密集移轉，延緩經濟升級時間，為我國經濟帶來無限隱憂，因為這將嚴重地影響到未來對外競爭能力與經濟成長。

——社會上，出現一片暴戾之氣，脫法脫序行為，自力救濟行動，比比皆是，經濟犯罪事件，亦時有所聞，導致很多人士為社會秩序及子女出路耽憂，紛紛移民國外。

肇致這些困境的因子雖然很多，但歸結起來，卻只有一個根源，那就是我們政府缺乏明確的大陸政策，亦就是缺乏光復大陸或統一中國的具體方針，以致在政治上，由於長期隔絕，統一無期，自然地潛存「兩個中國」或「一中一台」的模糊印象，加上有心人士的煽動，隨而形成部分民眾的分離意識，使法統有中斷之虞。亦就是由於政治前途不確定，以及恐懼台灣海峽爆發戰爭，企業界多不敢與不願作金額大、回收慢的長期投資，並有若干人士多方將資金移往國外，導使國內產業不僅難以升級，甚或有趨向空洞化之虞。亦因對未來難以確定，意志薄弱者有世紀末之感，而有作奸犯科、經濟犯罪之情事；作風強悍者，眼見政府困於政治難局，乃無視於公權力的存在，脫法、脫序、自力救濟等事件從而層出不窮；如此這般，已使社會安定受到威脅，而很多人士見光復無期，「分離」漸顯，子女在台灣將難有發展，乃紛紛移民海外，其去國心境之悲愴，當可想見。

從表面看，我們像是處於「最壞的時代」、「黑暗的季節」與「遍布絕望的冬天」。在實際上，我們卻是處於「最好的時代」、「光明的季節」與「充滿希望的春天」，因為在對敵武器上，我們不是「一無所有」，而是「無所不有」；我們有益趨民主的政治、更為自由的經濟與歸向倫理的社會。只要我們不再「遲疑」，進而「信任」自己，運用「智慧」，擬訂具體可行方案，次等予以推行，就必可達成統一中國的大業。

也許有人認為我們的人口不到大陸的百分之二，土地只有大陸的千分之三，在彼眾我寡的形勢下，若談中國統一，則可能要統一於共產制度之下。這一論調實在是未能正視很多事實，姑不論大陸民心向背，至少有三件事可以視為關鍵因子：首先是中共熱望成為世界主要國家之一，所以，其對統一的願望極為殷切，而我們則可以畸零地業主心情，好整以暇地增強爭議力量；其次，中共經濟體制改革，在觀念上有相當幅度的改變，這種改變業已觸及共產主義傳統思想的核心，中共並不諱言「我們要學習和借鑑資本主義的作法」，這顯示我們在思想戰上初有斬獲，且有很多跡象顯示，中共已有默默認同以民生為基礎的三民主義之趨勢；最後，在土地面積上，台灣雖只有全中國版圖的千分之三，但在國民生產力量上，我們約為大陸的百分之三十，這股強勁的經濟力量，正是我們與中共作長期競賽與爭議的堅強後盾。

由此可見，我們現在正處於關鍵性時刻與關鍵性地位，是以，我們亟應把握這個時刻與憑藉這個地位，以舍我其誰的氣概，展開文化反攻，推動政治登陸，導引或迫使中共更為開放、更為民主，協助大陸同胞早日享受自由、富裕的生活，讓中華民族在自由、民主、倫理、富裕基礎上統一。這是歷史性使命，舍我其誰？

或者有人認為中共多變，但亦不可能再退回文革時期，而且數以萬計的留學生歸國，更不可能使中共退回老路。而且對我們來說，時間拖得愈久，愈對我們不利，因為時間愈久，我們的政府地方色彩愈濃，不僅難以憑藉關鍵性地位對中共施加壓力，以完成歷史性使命，甚至可能禍起蕭牆，內部紛爭，使中共以武力乘虛而入。假若我們採取文化反攻，政治登陸，則可能對中共改革派給予助力，而使大陸作更為穩定的開放，且使我們內部趨於團結，易於維持法統於不墜。

文化反攻，政治登陸，當然是要化被動為主動，改守勢為攻勢，其做法可分短期與長期。在短期裡，我當局可於適當場合公開宣示：未來的中國必然是自由的、民主的、倫理的、富裕的；未來中國統一的方式，應該尊重國民的願望，所以當然是和平的。如此宣示，不僅可以擴大政治號召，重建國際形象，而且也可以由於政治方向之較為確定，而有助於激勵投資意願。

長期中，我們應該對中共作積極性挑戰，我當局應對大陸作政治性號召，號召中共首腦從中華民族立場出發，為大陸同胞福祉著想，立即實行社會倫理化、政治民主化、經濟自由化——不言三民主義，而三民主義已在其中。為恐中共徒託空言，此「三化」必須各別訂立具體標準，且為鼓勵中共加速進行，我當局亦可提出保證，中共達成某些標準，我們就和他們作某種程度的民間接觸，諸如中共達成社會倫理化諸標準，則海峽兩岸人民可以直接「通郵」；達成政治民主化諸標準，則兩岸可以直接「通航」——因為通郵動機主要為促進人類情感，只有在倫理社會裡才有其意義；極權政治下，人民無遷徙、旅行自由，通航何用？所以只有達成政治民主化，才可以通航；我國對外貿易，係以民間企業為主體，所以，只要大陸工商業總產值的四分之三以上，是來自民營企業，且使市場機能充分發揮，則海峽兩岸可以直接「通商」。在初期，無論是通郵、通航還是通商，均比照國際慣例或東西德模式辦理。只要大陸達成社會倫理化、治政治民主化、經濟自由化各種具體標準，則共產主義已經名存實亡，亦就是自然統一在倫理、民主、自由大纛之下，而開萬世太平。這些成效當然需要時間才可顯現，但我政府卻須即時採取行動，由我當局及早掌握當前形勢，把握關鍵時刻，對中共首腦發出歷史性、神聖性政治號召。

由於這可協助我們突破困境，化共產制度於無形，將中國統一於三民主義之下，所以，這是在積極貫徹「反共」、「光復國土」與「確保國家安全」的基本國策；而且，這是民間往來，亦並不牴觸我政府「三不」（不妥協、不接觸、不談判）原則。事實上，「三不」中只有「不妥協」深具意義，因為這是基本原則，至於談判與接觸只是手段，不宜與原則混為一談。

多年來，政府的大陸政策，給予人民的印象是：無理想只有口號，有目標而無方針。現在要是採取上述積極行動，則將一改人民對政府的印象，恢復對政府的信心，進而消弭分離意識，引導意志集中，因為這是對台灣地區朝野人士，賦予神聖的歷史使命，將視野由台灣一隅擴向整個華夏，使無論從事政府活動還是工商業務的人士，在不久的將來，將擁有更大的發展空間。假若我們仍然我行我素，則前述困境將愈陷愈深，且因喪失此一關鍵性的時刻，延緩全國統一於倫理、民主、自由理想之下的時間，而將成為歷史罪人，是以，我們將會「步上天國之路」，還是「墮向地獄之路」，全在於我們是運用「智慧」，還是選擇「愚蠢」。

附註：此文原為76年秋致函國民黨秘書長李煥先生之附件。

（七十七年五月二十日聯合報刊出）

對人不對事？

——金牛亦有基本「牛」權

在日常生活中，於批評一件事的時候，往往會涉及關係人，而任何一位批評者，通常會義正詞嚴地強調，他是「對事不對人」，縱然在實際上，他是「對人不對事」，他亦不會承認。其所以如此，是因為「對事不對人」，是意謂批評者撇開個人利害，理性地、客觀地就事論事；而「對人不對事」，則是指批評者執著個人利害，情緒地、主觀地懷有成見。是以，一般人都不喜歡擔當「對人不對事」的惡名，可是，最近一件事，卻顯示社會上正有一批「對人不對事」的人——這件事就是監察院彈劾檢察官許阿桂一案所引起的反應。

這是一個自由的社會，對於任何一件涉及公眾的事情，任何人都可以予以評論或批評，但是，批評的態度，一定要秉持社會公認的原則：對事不對人，拿這次彈劾案來說，批評者可就彈劾內容加以檢討，對其不當之處加以聲討。可是，卻有一些人不從這一點出發，而是咬定提案及贊成彈劾的監委們，是和「金牛」勾結，才提出彈劾案，這是不是「莫須有」，暫時還不清楚，但卻明顯地看出，這些批評是「對人不對事」，因若「金牛」在許檢察官偵查及起訴之中，得到不當的待遇，監委怎麼能為著他是「金牛」，而不予過問？因為「金牛」亦有其基本「牛」權。

說到基本人權，法國國民會議於一七八九年通過的「人權宣言」，是一重要文獻。該宣言只有十七條，其第一條就開宗明義地提出，「人人生而自由，權利平等」等基本原則；第二條則強調「法律之前人人平等」。在此以前，傑佛遜在美國獨立宣言中，充分體現英國哲學家洛克的學說，把「人皆生而平等」原則，作為不言而喻的真理和民主政治的基礎。從而，形成美國奉行的平等主義，憲法保障在法律之前，同等的人在同等環境裡享受同等待遇，且在第十四次修憲中，禁止各州妨礙任何人「同等受到法律保護」的權利。

其實，「平等」不僅是民主政治的基礎，也且是市場經濟的支柱，因為市場經濟是以自由競爭為主體，而自由競爭是以平等基礎為前提，美國的反托辣斯法案和我國的公平交易法，都是要維持市場的公平競爭。在所得分配方面，亦力求平等（不是平均），所以，在實務上厲行同工同酬，在理論上強調功能性分配。至於消費者保護等法案，亦是以經濟平等主義為出發點。易言之，自由競爭是以平等為基礎，所以，若干年前，聯合國亞洲暨遠東經委會在論及吸引外資的投資環境時，提出十二項條件，其中第十項就是「在行政管理上，對於外國人沒有差別待遇（或歧視）」，這表示平等與否攸關投資意願。

從「法律之前人人平等」觀念看，「金牛」固然不應該享有特權，但亦不該由於其多「金」而剝奪其在法律上應有的「牛」權——難道真是「匹夫無罪，懷璧其罪」？這次，監院彈劾許阿桂的理由，是指責她蔑視自訴、違法偵查，是以，批評者應就許阿桂是否違法那一點，予以駁斥，怎麼能因為被偵查的是華隆集團，就抗議監院的彈劾，這顯然不是就事論事。抗議群中充斥國大代表候選人，這些人如此情緒化，如此地「對人不對事」，怎麼能委託他們修訂國家根本大法？

這次監院的彈劾，實際上已經為著「避嫌」，而沒有彈劾許阿桂濫用羈押權——但據若干法學專家看法，這才須監院彈劾，而違法偵查只須行政處分，這亦表示提出彈劾案的監委們，亦有「對人不對事」的傾向。尤其是參與投票使此彈劾案成立的監委們，在社會反彈後紛紛表態，暗示投反對票的竟有八人之多，而實際的反對票只有四人——這些表態的人多為執政黨籍，反不若反對黨籍的女監委林純子，敢做敢當，認為許阿桂在處理自訴程序上確有問題，公開承認投贊成票，真是愧煞其同事中不少鬚眉。無獨有偶地，同是反對黨的立委陳水扁，雖然譴責監察權行使過當，但亦認為許阿桂「翁家統統有罪，張家全不知情」雙重標準的「選擇性執法」，應予制裁。說到陳水扁，不禁想到台大校長孫震的辭職風波。孫校長是由於郝院長在立法院公開批評而辭職，台大的部分學生認為這是對台大的侮辱，感到「義憤填膺」，起而抗議。其實，郝院長當時並未指名道姓，而孫校長接受慰留後，陳立委卻在立院當面指責孫校長「沒骨氣」，並要送一串香蕉予以譏諷，可是卻未見到那一批台大師生出面抗議，難道連「義憤」亦是「對人不對事」？足見「對人不對事」的情緒，還在擴大之中。

本專欄主要是經濟性，所以，要重新談到「金牛亦有基本『牛』權」問題，那就是我們社會固然不應該出現「拜金主義」，但亦不應該懷有「反商情結」，尤其是在法律問題上，應該秉持「法律之前人人平等」。若因「老牛無罪，懷金其罪」，刻意打擊之，則可能逼使「金牛」出走，對大家都沒有好處。

（八十年十一月十八日刊出）

政治特技，政策斷層

——從取締砂石車出爾反爾說起

這個大標題中，須予解釋的，厥為「特技」與「斷層」。所謂「特技」，是衡諸常情、不可能出現的動作；所謂「斷層」，是指非柔滑地不連續情況。

近代經濟學大師馬歇爾（凱因斯之師）在其名著「經濟學原理」一書扉頁上，寫著拉丁名言：「自然不喜跳躍」。馬歇爾是當時將「政治經濟學」改稱「經濟學」的少數人士之一，所以，這句拉丁名言，不僅適用於經濟領域，而且可用於政治範疇。這句話的涵義是說，自然本身雖是動態的，但卻只是柔滑的演化，而非不連續地跳躍。

本文作者用「政治特技，政策斷層」為題，主要是用來批評有關經濟方面的決策。而且這還不是首次。第一次是應天下雜誌邀稿，而於七十六年十二月寫成，主要批評事件是當時的地價稅風波。該年之初開始，各種傳播媒體不斷報導，七十七會計年度將大幅提高公告地價，從而使地價稅大幅調高，而且亦曾有不少批評——我先後就曾發表兩篇批評文字，可是，公權力各單位（包括民意機構）都無動於衷。但到地價稅單發出後，省市議長在執政黨中央會議上強烈反彈，蔣主席即席裁示，地價稅打折扣徵收，迫使政機關將發出的幾十萬份繳稅通知單全部收回，再重新發出。這正是「急轉」的政治與「跳躍」的決策，但不幸的是，蔣主席於七十七年元月逝世，這篇拙作亦就臨時抽下。

現在，本文再以此為標題，當然是由於政治特技與政策斷層重演，這就是交通部取締砂石車的行動出爾反爾。交通部自本月一日起，全力取締違規超載砂石車，而且一直信誓旦旦地強調將會長期嚴格執行，其目的是為著維護交通安全與避免破壞路面橋樑。就在各方寄望之際，交通部突於十八日宣布，自十九日起放寬半聯結車載重量，其理由是決定取締的時候，沒有考慮到會引起砂石缺貨與漲價。

這一解釋實在是牽強得很，因為砂石車過去超載的裝載量平均約四十立方公尺，三月一日開始取締時訂的標準是十一立方公尺，加上一〇%的法定容許度，亦只有十二立方公尺強，不到取締前的三分之一。在這種情況下，若說在作決策時連這一點都沒有考慮到，則參與決策人士，豈不是連起碼常識亦沒有，又何止是決策品質粗糙！

由於取締砂石車行動的出爾反爾，至少產生下列不良後遺症。首先是公權力與公信力受到嚴重損害，一個政策只執行了十八天（實際上只有十七天），就作一八〇度的急轉彎，如此顛三倒四，自打嘴巴，豈不是使公權力蕩然無存！若說當初政策錯誤，又未看到任何人承擔責任，今後誰還會相信政府的決策？而且放寬後砂石仍然漲價，白白地損失政府威信。

其次若說原先決策粗糙，則這次放寬的決定，毋庸是更為草率，也且罔顧法令：就前者言，既是出爾反爾的放寬，理應審慎處理，可是，交通部卻只是簡單地開一次會就草草地決定了，而且開會通知單亦不明言開會，以致像省交通處這種執行單位亦只派公路局一位科長出席，這豈不是視公權力如無物，把決策改變當作兒戲；就後者言，放寬的標準，是放寬半聯結車的總載重量，而交通部本身制定的「道路安全規則」中，曾對單軸或雙軸每組載重量，以及第五輪的載重，均有明文規定，這次放寬的標準，卻有意違反之。

第三是這次出爾反爾，亦使很多砂石車業者受到損害，蓋因交部全力取締之時，若干業者為配合政府政策，自動切除車斗，現在由於放寬，又得加高，這樣一切一補，每輛車要花五萬元，至於營業損失更不在話下，同時還受到觀望的業者之嘲笑。難怪立委們抨擊交通部這種做法，是「懲罰好人，保障壞人」，亦就是「打擊守法，鼓勵違法」，今後法令推行，怎麼能叫人民遵守？更何況這批放寬載重量的對象，主要是大型車和預拌超載，這些載重量是一般車輛的若干倍，真不知道是從甚麼角度考量「交通安全」？令人難免敏感地想到，只有這些大型車主才有「通天」的本領。

最後是導致負責檢驗的各地監理及警察單位的兩頭不討好，其中還有台北市貨運公會，當初為配合政府決策，積極奔走，要求會員遵守規定，曾經受到讚揚；現在交部驟然放寬，使該公會成為會員責罵的眾矢之的。今後將導致基層人員，遇事陽奉陰違，虛晃一槍，還談甚麼行政革新。

事實上，怪事年年有，今年特別多，本月份還出現另一次「政治特技，政策斷層」，那就是去年十二月間，國代選舉之時，執政黨以總統委任直選為號召，以對抗民進黨的公民直選，結果贏得了七成以上選票，但在本月初，卻突然出現「神來之筆」，又說順應民意，要推動總統公民直選，三個月不到的時間，立場如此改變，簡直比翻書還快，而且亦不知道「民意」是如何表達的。拋開委選與直選的實質內容不說，單就形式講，如此不遵守諾言，豈能取得人民信任，而「民無信不立」，古有明訓！執政黨高層人士如此，政局又如何能穩定？當然直接影響到投資環境——以股價指數言，三月二日是五一四四點，廿一日跌到四七四五點，說不定就是受此影響。

（八十一年三月二十三日刊出）

政經合一與政經分離

本文標題中的「政經」，當然是指政治與經濟，此二者之間的「分」與「合」，就是本文所將討論的重點。

在學術分野上，政治與經濟之間的關係，正是符合三國演義一開頭所說的，「話說天下大事，合久必分，分久必合」那幾句話。在十八世紀末與十九世紀大部分時間，今天的經濟學是被稱為政治經濟學，上一世紀末才把「政治」二字拿掉。自本世紀初開始，「經濟學」變為通稱，但曾幾何時，近若干年來，有些大學卻又開設「政治經濟學」。

本文的重點，當然不是討論經濟學術上的分與合，而是側重政策面，亦就是要從經濟政策角度去探討，看看它要不要作政治考量，甚或為政治服務。所須注意的，本文所云「政治」，常是泛指非經濟面，不一定作狹義解。

從經濟發展過程看，在經濟發展之初，即使是在非共產國家，政府亦經常干預經濟事務，以便集中力量來促使經濟現代化；但當經濟發展到某一程度之時，若想經濟更上層樓，就必須倡導經濟自由化，使政治力量從經濟領域中撤退，將經濟還給經濟。政治干預經濟事務，可說是「政經合一」，經濟自由化，則可視為「政經分離」，這是政經「分」「合」的第一義。由此意涵可以看出，政經的分與合，經常取決於經濟發展程度的高與低。

政經「分」「合」的第二義，是落在對內經濟政策上。很多國家在決定其經濟政策之時，往往有其政治考慮，美國經濟中的「政治循環」，就是很明顯的例證：美國總統大選是四年一次，每當大選的前一個會計年度，執政黨為要蟬聯，通常是採取擴張性經濟政策，以爭取選票；在總統任期的前兩年，無論是蟬聯還是新任，均將採取較為緊縮的經濟政策，以便養精蓄銳；如此一來，就造成了經濟波動。一般說來，經濟政策有目標亦有手段，通常是一個政策手段只能達成一個目標，這就像多元方程式中，方程式數目與變數數目之間的關係一樣，是一對一的關係，否則不是無解就是多解。從這一意義看，即使是在經濟領域之中，一個政策手段只能達成一個政策目標，現在要在經濟政策上加上政治考慮或目標，其「無解」幾乎是必然的——此所謂「無解」，是指經濟政策無效，甚或有反效果或後遺症。

政經「分」「合」的第三義，是落在對外經濟事務上。在這方面，經常是經濟事務與與國際政治糾纏在一起，譬如在冷戰期間，美、蘇為爭取第三世界，大量提供經濟援助，連中共亦時常會湊一腳。蘇聯與中共自己一窮二白，對外卻打腫臉充胖子，越發地把她們的經濟弄得山窮水盡，就連富甲全球的美國，亦弄得債台高築，這些都是對外政經合一或政經不分的結果。

從這三重意義看，我國在前兩重意義上，可說是「政經分離」，因為自民國七十三年起，我國就推行經濟自由化，並且有其成效；在對內經濟政策上，亦逐漸減少政治考慮。但在對外經濟事務上，卻有濃厚的「政經合一」傾向，這不僅是表現在外交關係上，更在兩岸關係上表達無遺。就前者言，可以略舉二例：國內反傾銷稅與平衡稅課徵辦法自實施以來，財政部關稅稅率委員會通過三件應課徵反傾銷稅的案例（分別針對美國、印尼與南非的商品），但最後都在外交壓力下，讓外國廠商自行改善結案，使反傾銷稅真正成為「備而不用」，而讓本國業者暴露於傾銷的威脅之下；近年來，無可諱言地，我們是「金錢」外交的意味，譬如前兩年，我國在巴布亞紐幾內亞設立「中華民國商務代表團」，並允諾由海外經濟合作發展基金貸款給巴國一千五百萬美元，最近卻傳出這筆貸款的債權可能不保——這是政經不分對外經援的必然結果，但是，據說海外經濟合作發展基金將由外交部主導的國際合作發展基金會取代，更將對外扮演「散財童子」，美蘇等殷鑒，實在值得借鏡。

在兩岸關係上，中共雖曾聲言政經分離，但在表現上，卻是政經合一，尤其是在國際關係方面，中共雖然一再說給予台灣的對外經貿活動空間，可是，卻實際到處在排擠我方，連我國與若干國家的通航事宜，都遭到中共的排擠與破壞。在另一方面，我方執政當局，則更在兩岸經貿關係中強調政經合一，常以政治考慮對台商的大陸熱降溫。從以上分析得知，經濟發展到某一程度，政經應予分離，在這一點上，兩岸均須遵守。再就我方言，對外經濟事務尤須秉持政經分離，否則，傾銷橫行，使國內投資環境惡化（最近就有鋼鐵業認為政府在處理傾銷上是軟腳蝦，揚言將被逼「出走」），再不能對外投資，廠商豈不是死路一條！

（八十一年六月十五日刊出）

口號翻新與備多力分

——當前經濟困局癥結試探

從景氣對策燈號看，我國經濟是於很多工業國家中，首先脫離始自民國79年的世界性經濟衰退，而於80年5月復甦；但卻於去（82）年4月起又陷入第二次衰退，一連五個月，景氣燈號都是黃藍燈，以致對經濟成長率的預測，有關當局一連作四次向下調整。

去年我國經濟成長率，本來預定為6.8％，高於前年的6.1％，但是，情勢比人強，自2月起，有關當局即將經濟成長率預估值調降為6.6％，到11月作第四次調整，預估為6.03％，但是，最後的實際經濟成長率，卻只有5.9％，不幸得很，這種情況今年可能重演。

經歷過去年的教訓，有關當局抑壓其雄心，而將今年的經濟成長率只預定為6.2％，略高於去年實際成長率而已，但是，有關官員說，如果4月份的出口成長仍不見好轉，今年的經濟成長率預測可能要向下調整。

我國經濟為出口導向，今年因美國等國家景氣好轉，而且新台幣比去年同期貶值，所以，今年的出口應該比去年好才對，可是，今年第一季的出口成長率只有0.4％，遠低於去年同期的4.99％。在這種情況下，出超大減，第一季出超金額只有2.373億美元，僅約去年同期出超金額的六分之一（去年第一季順差為13.392億美元）。

國內情況亦不理想，拿投資來說，本來預測今年第一季的成長率為11.13％，目前雖然沒有統計出實際投資成長率，但從金融市場現象可以覺察得到。年初，銀行界估計銀根將會緊俏，利率行將上揚，結果是錢貸放不出去，銀行利率普遍下挫。一位銀行總經理說：假若六輕提早動工，國營事業的投資案做了，以及政府列管的兩億元以上重大投資案件均能按照預期進度動工，資金應該不夠用。就是由於這些「假若」並未落實，以致國內投資不振，這將嚴重影響今年經濟成長。

至於其他三小龍呢！至少其出口遠比我國出色，就其今年出口成長率而言，南韓第一季為9.79%，新加坡前兩個月為18.6%，香港一月份為27.6%，相較之下，我國的0.4%成長率，確實有「斯人獨憔悴」之感。經建會亦認為這種現象很「詭異」，而將與各財經單位探索「病因」。

真正的「病因」，也許要花一段時間才能探索出來，但據個人直覺，口號翻新與備多力分，將是病因之二。

以往的財經政策頗為樸素，只是說說「獎勵投資」「紓困」或「經濟自由化、國際化」。再不然就是「×項建設」，而這些口號已經是多年的累積，但是，近年來，有關當局卻頗為花梢，在財經走向上喊出不少口號，譬如「東移」「南向」「西進」——說不定那一天還會喊出「北上」，以及振興經濟方案，與亞太營運中心等等。

這樣在口號上打轉，給人的印象，是有關當局在挖空心思創作漂亮口號，而不注重實際作為，致有花拳繡腿之感。甚至於給人的印象，是「天橋的把戲」——光說不練。對於這一比喻，有關當局很可能不服氣，認為他們是篤實踐履，說一不二。如此，才產生兩個真正病因：一為方向模糊；一為備多力分。

前者是指口號翻新，使有關部門與工商人士眼花撩亂，無所適從。後者意謂，政府擁有的資源有限，難以支持這麼多目標，在軍事上，儘量避免兩面作戰，而從現行口號看，我國財經政策何止四面作戰——真怕陷入「四面楚歌」，眾所夙知，多目標等於沒有目標，這不僅是由於「貪多嚼不爛」，也且因為目標間資源配置上有相互抵消作用，譬如說，若不是要國營事業作南向的先鋒，則其國內投資案可能早「做了」；要不是等待東移或南向的可能優惠，則兩億元以上重大投資案件也許多「能按照預期進度動工」了！若是有關當局全力排難解紛，則六輕將會「提早動工」，再若致力於出口的輔導，亦不會出現如此尷尬的外銷實績。

（八十三年四月二十五日刊出）

「天人合一」新解
——從南部水災說起

中國哲學講求「天人合一」，是說天意與人道的吻合，亦即人與大自然的契合。可是這句話現在卻有新的解釋，成為「天（災）人（禍）合一」——這主要是有些人針對這次南部水災而言。

說這次南部大水是「天災」，一點亦不錯，因為凱特琳與道格颱風接踵而至，幾天的豪雨，就落下平均年降雨量的三分之一，當然非排水系統所能負擔，以致釀成水「災」。但是，國民黨的中常會卻把矛頭指向民進黨執政的高雄縣，認為高雄縣政府首長不願得罪當地居民，以致防洪設施沒有做好，是造成這次高雄縣災情最為嚴重的主因，是以，顯然有「人」為之「禍」的成分。

這次水災，高雄縣災情最重，確是事實，但是，是不是只有高雄縣政府不願得罪當地居民，則有商榷之餘地，因為從中央到地方，都在做「討好」人民（尤其是少數「人民」）的工作，何獨高雄縣政府為然？至於漠視環境維護工作的政府單位，亦為比比皆是，譬如對濫墾、濫伐的縱容，對盜採砂石的視若無睹，豈不都是這次水災中人禍成分的「兇手」或「幫兇」？

這種破壞生態環境的行為，中央政府似乎做得更多，至少其影響更廣，其後遺症亦將更烈。這並非危言聳聽，可以隨便舉幾個例子來看一看。前面所說的濫墾、濫伐，是指山坡地而言，由於水土保持之被破壞，以致一遇豪雨，易釀水災——或者是若干時日不下雨，則成旱災。但是，高爾夫球場多在北部山坡地，很多為非法開發與經營，且有佔據大片公有土地者，而中央有關當局竟然多予就地合法，表示認可其破壞環境之行為；尤有進者，行政院於去年下半年放領2.5萬公頃中部山坡地給農民，要求他們造林，但憑常識就可想像得到，買者受領後必將改作他用，勢將破壞水土保持與生態環境；近來，行政院還有構想，要開闢東西快速道路，須從中央山脈打通好幾十公里的隧道，如此一來，沿途的原始森林將遭浩劫。是以，若干年內，中北部若遇連日豪雨，其所釀成的水災，將尤甚於今日南部。

這些做法，對生態環境而言，已是倒行逆施，但其中在公然「洗法」。所謂「洗法」，是本文作者仿「洗錢」一詞而杜撰的名詞，即將非法「洗」成合法，譬如非法的高爾夫球場得以就地合法，就是顯例；此外，在行政院「公有山坡地放領辦法」中規定，「放領面積以申請承領人原租約面積為準，若申請承領人實際使用面積與租約面積如有不符，則可依以實際使用面積，或是依租約面積加10％辦理放領」，其所謂實際使用面積與租約面積不符，多指超限利用，也即非法佔用公有土地，本應予以懲處，至少是將被佔用之公地收回，現在卻將超限部份一併放領，顯然是在「洗法」。

破壞環境與「洗法」的結果，必將創造另一次新解的「天人合一」，這次新「天人合一」是空前水災，而去年卻出現空前的旱災，連素有雨港之稱的基隆，亦無水可喝，若說是去年因無颱風過境，但前年與大前年亦無颱風，為何未出現大旱？而今年的颱風卻又接三連四，造成嚴重水災。這在古代的陰陽五行學家心目中，將會另有說法，據「漢書」「五行志」，董仲舒將魯釐公7至11年間，魯、宋二國大水，解釋為「百姓愁怨、陰氣盛，故二國俱水」；魯釐公21年大旱，他與劉向俱釋為，「外倚強楚，炕陽失眾，又作南門，勞民具役」。

這些陰陽五行家如此詮釋，在表面上，是基於「周易」曰，「天垂象見吉凶，聖人象之」，進而認定「迅雷風祆，怪雲變氣，此皆陰陽之精，……政失於此，則變見於彼」，實則希望「明君見之而寤，飭身正事思其咎」（天文志），亦即藉災異諷君主自省。現在當然不採其迷信之言，但其動機不無可取，因此，領導階層若能反省，亦為佳事！

（八十三年八月二十一日刊出）

是風險愛好抑嫌惡？

——中共三試導彈有感

中共又「搗蛋」了，民間又是一陣驚慌，這必將影響到我方經濟成長率，本專欄曾以去年四季成長率為例，說明台灣經濟成長率與兩岸緊張關係呈反向變動，即兩岸關係愈緊張，則我經濟成長率愈低。累積到去年第四季，實際成長率不到4.8%，而有關當局卻預先估計為6.3%，由此看來，今年第一季預估的5.8%經濟成長率恐難達成。單單這一點，中共行為就該受到譴責。

就在這個當口，我領導人為「長自己志氣，滅他人威風」，公開宣稱中共打的是啞吧彈，用不著害怕。所以，執政黨亦以「李超人手攔飛彈」漫畫為宣傳，使得一般民眾亦無懼於中共的「搗蛋」，無論從民意調查還是週遭感受看，這種無懼於中共恐嚇者的比例，似乎是與時俱增，這顯示邊際反效用（marginal disutility）遞減。

從效用理論看，邊際反效用遞減是意味著邊際效用遞增，而成為風險愛好者。一般而言，經濟學是以邊際效用遞減為常態，所以假定絕大多數的人都是風險嫌惡者，只有賭徒或冒險家才是風險愛好者。風險嫌惡亦可稱為風險防避，蓋因既然嫌惡風險，就須採取行動以防止風險發生，以及研究如何分散風險以避開風險所帶來的損失。以健康為例，平時的健康檢查，就是預防風險的發生；人壽保險則是避險工具。

現在，面對中共的軍事威脅，竟使台灣社會成為風險愛好者，很多人民竟然成為賭徒。這可能是來自在上位者的誘導，所以從以上分析看，政府亦在作示範表演，否則，亦不會出現股市穩定基金這種「梭哈」性質的做法。說它是孤注一擲的「梭哈」，是因為七人小組說，2,000億元基金用光後，還有很多錢支持，這等於是把全民的命運都押在股市的賭桌上。由此可見，ROC是成為名副其實的「賭博民國」（Republic of Casino），以致ROCin Taiwan可以譯成「在台灣的賭博民國」。

再回頭來討論中共武嚇，我們固然可以「處變不驚」以加強心防，但卻不可「處驚不變」，尤以主政者為然，這是由於「驚」者乃是一種警覺，提醒吾人分析之，明辨之，即是分析其因果，明辨其利害，再採取趨吉避險措施。如此，才可驚而不慌；反之，則是麻木不仁，將會遭遇更大的危險，譬如打噴嚏雖不雅觀，但卻是一種著涼的警訊，若能及時加穿衣服，當可避免感冒，否則，就可能惹上重感冒甚至肺炎。

從中共的角度看，其對台灣文攻武嚇的效果，正合上邊際報酬遞減法則，若以經濟中名詞來看問題，這是密集邊限（intensive margin）在下降，從而必將導致他改用其他方式，以反映其粗放邊限（extensive margin），此一邊限將會相對地提高其邊際報酬。據此，當可解釋中共由去年的導彈越打越遠情形，改變為南北夾擊的現況。假若我們再是處驚不變，則中共的手段可能更變本加厲，是以，台灣當前可能面臨的真正危險時期，可能是中共導彈演習後期以及結束後的一段時日，尤其是本月16日至22日這一週的期間（完稿後得知中共已定於12日至20日在近海作海空實彈演習），不知有關當局有無警覺與對策？

李總統在競選中一再說，等他當選並就職後，一定會提出有效辦法，以建立兩岸的良好關係。這句話若是出於其他三組總統候選人之口，是合理的，因為他們目前無職無權，只有當選總統後才能實施其政策，可是李登輝先生不僅是現任總統，抑且未曾為競選而請假，其錦囊妙計為何不在前一個時候甚或現在提出而付諸實施？而一定要等到5月就職後才予揭曉？這種老神在在的做法，不知道是故弄玄虛？是吊中共的胃口？還是要折騰台灣的老百姓？這在本質上，是和他在競選中批評政府的財經政策如出一轍，都忘記他自己是執政八年的現任總統，但在效果上卻大有不同；批評財經政策是使聽眾感到「爽」，但這種故弄玄虛，則使人民受到折騰，難道認為台灣面臨的危險還不夠深，人民在經濟上的損失還不夠大？必須等到人民在生命財產上蒙受重大損失後，才會採取消弭緊張的措施。

（八十五年三月刊出）

外和兩岸　內除黑金

——為突破經濟困局進一言

今天是中華民國第九任總統、副總統就職的好日子，亦是第一屆直接民選總統、副總統就職的大日子，各方寄望甚殷，期能開創政治新局，本專欄則以突破經濟困局為禱。

這兩年經濟疲敝，成長率一直向下調整，今年若能守住6％，就是僥天之倖。其所以如此，主要是在於非經濟因子的干擾，否則我國經濟成長率將達7％。

干擾經濟或投資環境的非經濟性因子很多，此處只擬舉兩岸關係與黑金政治，蓋因此二者是當前最顯著與最重要的非經濟面干擾因子，其影響層面之廣，豈止經濟面而已。

自去年5月李總統訪美後，兩岸關係大為倒退，幾度瀕臨戰爭邊緣。由於「免於外來侵略」，是投資者評估風險的第一考慮，所以，兩岸關係緊張當然嚇走外來投資人，並導致國人推遲國內投資計畫與加速海外投資。這種對投資意願干擾的影響或效果，可能需要一段時間後才可完全顯現，但其立即效果可能是表現在對外貿易上，影響到外商對台灣的訂單，以及可能因兵險費用的提高而增加運輸成本。尤有進者，大陸（含香港）是我最大順差來源，且將於很短的未來，成為我出口第一大夥伴（四月份已如此），以致兩岸貿易因兩岸關係倒退而退化，對我經濟的影響將難以估計。再說，大陸人均所得在日益提高之中，其12億人口的大市場，為全球所矚目，很多國家都想分一杯羹，我方在血緣上與地緣上得天獨厚，若兩岸關係和諧，單是大陸市場，就可讓台灣工商人士吃穿不盡；現若兩岸關係惡化，豈不是將這大好市場拱手讓人，自己再重新到競爭激烈的國際市場討生活，這種一加一減之間的得失，豈可以道里計之，此所以最近調查顯示，工商人士所注意的前三個問題，均為兩岸關係，即㈠改善兩岸關係；㈡簽訂兩岸投保協議；㈢兩岸三通。

關於兩岸關係能否於短期內改善，各方都將焦點放在今天總統就職演說上，而有「一言興邦」的期待。本文作者雖不抱著「浪漫的憧憬」，但也希望政府能採取實際行動，從對我方經濟有利的角度上，改進兩岸關係。譬如說，我外交部可應美方要求，發表談話以支持美國續予中共最惠國待遇，如此既對大陸表示善意，又有助於美國行政部門好作決策，更何況有利於大陸台商的商品輸美，一舉三得，何不樂而為之！其次，應該明確宣示三通，因為再堅持亦撐不過明年7月1日，何不故作大方，及早宣布，而實際通航，亦可能拖到明年，再為推遲，可能時間已不我予；如此三通，，不僅降低我方交通成本，抑且有助於亞太營運中心的早日建立，是對突破經濟困局將大有裨益。

黑金政治，眾所周知，致有「金權治國，黑道治縣」之譏——其實，從中央官員與執政黨立委公然為黑道辯護情況看，若說黑道只能「治縣」，豈非太小覷其力量——黑道是採威脅手段訛財，其對社會經濟之危害，又豈止工程圍標而已，而是威脅到正當商人的生命財產，成為今日海外移民與資金外流的主因之一。黑道插手商機，業已影響到市場上的公平交易，而金融政治更將削弱市場競爭，使中小企業陷入困局甚至絕境，不得不向外發展，而若干大企業由於經由特權賺錢輕易，雅不欲大量投資於生產事業（尤其是製造業），假以時日，真將導致產業空洞化。近年來，黑金之所以猖獗，是和選舉文化有關，某些政黨為求勝選，致與黑金掛勾，今天就職的李總統將不尋求連任，還可大刀闊斧地鏟除黑金，這並不是過河拆橋；而是悟今是而昨非，語云，「過而能改，善莫大焉」。社會正在熱烈期待，但於此關頭，又盛傳反黑金的急先鋒——馬英九部長將不可能連任，豈不是讓民眾的期待變成幻影？這該不是突破困局的應有做法。

「外和兩岸，內除黑金」，是突破經濟困境的必須條件，卻亦是開創政治新局的充分條件，在未來的幾年中，李先生仍有很大機會成為一位偉大的總統，且讓我們拭目以待。

（八十五年五月二十日刊出）

「到頭終搞光」？

——堅壁清野政策的可能後果

以前有位教育部長，喜用同鄉，而其所採措施亦多有強烈的後遺症，所以，當時部內同仁曾以其姓名與籍貫的諧音撰成一聯：

「一路霉到底，到頭終搞光」

想不到這副謔而且虐的對聯，竟然很適合當前我國經濟情況；上週本專欄「對當前經濟局勢的憂慮」，擔心今年不到6%的經濟成長率，將是其後一連串的低成長之開始，真若如此，豈不是「一路霉到底」！至於「到頭終搞光」，則是本文範疇，其基本現象，乃是台灣是和香港當局類似，存有末代王朝心理。

彭定康是香港末代總督，但在政治上，卻推行英國統治香港百餘年從未實施過的全民選舉；在經濟上則大興土木，建造大嶼山新國際機場。此二者都引起中共的不滿，認為彭定康在政治上和財政上，故意給他出難題。

撇開政治問題不談，香港當局建築新機場的原因，當然是由於啟德機場不敷使用，但略往深處探索，將不難發現，香港當局未嘗不是雅不欲將充盈的財庫留給中共支配，而要出些點子，作大手筆支出，不僅要花光歷年財政剩餘，抑且最好能欠一屁股債，而讓中共來接收一個空殼子的財庫，還要處理這個爛攤子。

若是從這個角度看，台、港做法似乎是如出一轍。多年來，台灣財政甚為健全，一直有很大的經常帳剩餘，但是，近年來支出驟增，財政由黑字變為赤字，公債是以兆元為單位，即使在如此債台高築情況下，政府仍在不斷地作大手筆的支出，而且是一擲千億，毫無吝嗇。若是這些支出真是必要，倒也罷了，但在實際上，很多的支出是形同虛擲，譬如說，國內航空事業「起飛」，鐵公路將漸退出長程市場（省交通當局之語）之際，政府卻以大量經費來建築高速鐵路開闢南橫快速公路、高鐵總支出約5,000億元，即使民間參與，政府經費仍將不少於3,000億元；南橫經費預計2,600億元，費時14年。

政府的資產，有流量，也有存量；前者是歲入；後者主要是政府擁有的土地。從上述，已知政府將流量資產變成負債，現在又將「清野」政策移向存量資產，那就是國有土地；自前年起，政府就擬將五萬公頃山坡地與3.5萬公頃農地放領，但是，「耕者有其田條例」業已於年前廢止；至於國有市地，則放棄只租不售政府，大面積市地也可標售，而有出清國有非公用土地之傾向。

這種出清國有土地的做法，也有助長財政赤字效果，因為政府以低價出售土地（例如山坡地與農地是要按民國79年度公告現值放領），但遇公共建設時，卻以高價購買之。

從以上分析，可見我政府的大陸政策，至少在潛意識上，是要採取「堅壁清野」策略。堅壁者，兩岸三不通也；清野者，出清國有資產也。前者，有導致「一路霉到底」的可能；後者則類似「焦土抗戰」，必將「到頭終搞光」。

其所謂「焦土」，是指其作風，不僅在於清野，而是在破壞生態環境。以山坡地放領為例，誰會相信承領人會永續造林？何況從竹山林地放領弊案看，這些放領的山坡地很可能泰半落入大財團之手，而將作商業用途，勢將破壞水土保持與生態環境。無獨有偶地，南橫快速道路要通過大武山自然保留區，這將破壞自然生態與水源涵養區，還可能造成岩爆引發地震；最近又據說，政府擬修正實施5年的禁伐天然林政策，將為著水泥業而開放砍伐。長此以往，台灣縱不成焦土，也將有淪為沙漠之徵兆。

香港鐵定明年7月1日歸還中共，難怪其有末代王朝心理，即使如此，其清野政策亦只限於流量資產，並無「焦土」之虞；相較之下，兩岸統一，並無時間表，而且，只要我們有誠意、肯努力，還可引導兩岸統一於自由、民主、均富之下，這是民族復興契機，何來末代之感？即使未來沒有如此樂觀，亦不應有清野甚或焦土的想法，因為台灣畢竟是要永續經營的。

（八十五年七月二十九日刊出）

賀伯風災·痛定思痛

這次強烈颱風賀伯橫掃台灣，初步統計，造成39人死亡，34人失蹤，數百人輕重傷，房屋全倒26戶，半倒60戶，受停電影響的用戶一度高達279萬戶，電話不通者逾190萬戶，停水者約百萬戶，是歷年來颱風所造成的最慘重災害。

這次風災之所以慘烈，主畏是帶來水災，譬如台北縣板橋、土城一帶一片汪洋，形成30年來最大的水災；南投縣山區多，這次風災中，人命損失最為慘重。蓋因發生多起山崩與山洪暴發事件，總計有23人遭活埋或被水淹死，另有21人失蹤，4人重傷。

颱風、洪水雖說是天災，但亦不無人禍的成分在，那就是人謀不臧，其具體事實至少有二：一為漠視水土保持；一為有關人員顢頇。後者可舉這次現成之例略作說明，大台北防洪計畫耗費好幾年時間與千億元以上的經費，在這種妥善安排下，大台北地區民眾本來以為從此可以高枕無憂，誰知道竟然遭遇到30年來最大的水災，幾萬人受困，據說，在台北縣的部分，只是由於幾扇水門沒有關上，而讓大漢溪的洪流長驅直入。水門之所以未關，是因為有故障。若是追問，颱風警報與登陸之間有好幾天時間，為何不予修理？其答案更是奇怪，那就是省級單位（水利局、住都局等）做好這些防洪工程後，要移交有關鄉鎮接管，但這幾扇鐵門都因有若干問題，鄉鎮人員還未簽收，而且一拖就是很長一段時間，以致這個小漏洞就成為這次洪水的大缺口，而這種權責不清、顢頇無能，正是今日行政機構的通病。

關於前者，正是這次「人禍」的真正癥結，多年來，朝野多漠視生態環境的維護，尤其是不重視水土保持，濫墾、濫建、濫伐之事比比皆是，這雖然是主管機關失責，但主要是民間不肖之徒的「傑作」，可是，政府的若干公共建設，卻在加速水土保持的破壞，以新中橫的開發為例，據林務局調查，開發前，非巡流雨水由山區滲流到集集的濁水溪河床至少要4天，開發後，80％的雨水，只要4小時就會夾帶泥砂，出現在水里與集集的交界之處。由此看來，這次南投縣水里一帶受災慘重，很可能就是新中橫闖的禍。

可是，政府卻又要開闢國道南橫公路，由於其通過大武山自然保育區，而且可能引發峼爆，以致其開發後，新中橫的慘劇將會重演。按國道南橫公路、曾經交通部與行政院科技顧問會議兩度評估，都認為不可行，而主政者卻力排眾議而一意推行，不知是為爭取選票還是執行「清野」政策？

台灣省水土保持局前一時說，台灣因水土保持遭到破壞，每年平均災害損失高達96億元，又以洪水和土石流失災害所造成的損失最重。該局還指出，目前宜林地與加強保育地，因種植高山茶、檳榔、高冷蔬菜……形成超限利用，面積至少5.8萬公頃。其所謂「超限利用」，實即濫墾。可是，政府卻擬放領5萬公頃山坡地，豈不更增加濫墾的面積！

這些放領的山坡地，定有不少為財團所取得，而這些財團的慣用伎倆，是將山坡地與林地變為建築用地，開闢為高爾夫球場與遊樂場，這在實質上多為濫建，但卻是黑金政治的溫床，高爾夫球場的就地合法，眾所周知，甚至於最近通過的石門水庫水源區大型遊樂區開發案，從頭到尾都未讓水土保持單位參與審核，使去年公布施行的水土保持法成為具文。

森林對水資源的涵養極為重要，但於幾十年前，因國家貧困而不得不砍伐林木，以致

2,500公尺下的天然林幾乎全毀，好不容易才使政府於5年前禁伐天然林。但是，最近卻傳出，政府為著水泥業擬將解除禁令，打算砍伐天然森林，尤其是要解除日據時期訂定的區外保安林，其面積約6,000公頃，如此將助長濫伐，甚至於濫墾與濫建。這些是在加速執行「清野」政策。從這次風災與水災看，其結果真個是如本專欄上週的標題：「到頭終搞光」！有關當局豈可不因賀伯風災而痛定思痛？

（八十五年八月五日刊出）

產業空洞化行將顯著

——堅壁政策的清野效果

李總統一向標榜「務實」，但是，這次在國民大會的談話，卻並非如此。

本月12日，李總統在國民大會表示，「今年經濟成長率超過6％絕對沒問題。」這句話顯然與很多人的看法大相逕庭，就在大半個月前，中華經濟研究院預測今年我國經濟成長率將為5.88％，當時，經建會與主計處有關官員即指出此為過分樂觀，而且，就在李總統發此「豪語」後，經濟部高級官員分析，以當前的投資情況，今年經濟成長率很可能打破73年以來5.29％的新低，製造業十幾年來沒像今年這麼慘過，中小企業的處境更為艱困。

不過，李總統這句「豪語」，即使不能兌現，亦不打緊，因為這只是預測而已，誰也不能打包票，但若有關當局為著證實總統的「金口玉言」，而在統計數字上動手腳，那就會賠掉政府的公信力。

14日，李總統再作驚人之語，「以大陸為腹地，建設亞太營運中心的論調必須予以檢討。」媒體解讀為政策急轉彎，高級官員則說這是和行政院構想一致。這兩種說法都對，因為李總統去年在「李六點」中，強調「台灣經濟發展要把大陸列為腹地」，現在卻以今日之我否定昨天之我，豈不是「急轉彎」！行政院的亞太營運中心構想，從來就沒有以大陸為唯一腹地，所以，在基本上應與李總統的看法「一致」——但若如此，李總統又何必「予以檢討」？難道李總統心目中的亞太營運中心，完全將大陸排除在腹地以外？

真若如此，則此一看法距離現實太遠，因為所謂亞太營運中心，並非簡單的吸引外人來台投資，而是希望外商將其亞太地區總部置於台灣，再將觸角伸向週遭的腹地。就地理位置言，中國大陸與台灣只隔一衣帶水，來台設總部的外商，其目的當以大陸為主要腹地，因為他們若是志在東北亞，則其總部將設於日本或南韓，而不會將總部設在台灣，再將觸角伸向日韓；若是他們志在東南亞，當以新加坡為基地，而亦不會來台灣設總部。台灣若能吸引外商以此為基地，則其另一賣點，是地緣以外的血緣關係，即外商看中若干台商在大陸上的人脈，而要立足台灣，再與台商相偕登「陸」，所以，無論是從血緣抑是地緣看，均應以大陸為我亞太營運中心的主要腹地。目前兩岸三不通，以致由香港移出的外商，幾乎沒有一家將其亞太總部移來台灣。面對此一情況，主政者應有所檢討，以求改進，現在竟然要將大陸排除在腹地以外，不知是賭氣？還是昧於現實？

不過，李總統認為亞太營中心內容龐雜，未免負擔過大之批評，倒是一語中的——本專欄以前曾有類似看法，因人微言輕，未能引起有關當局注意。在這方面，李總統指示，今後應以製造研發為優先，金融為副，並配合海空運輸、交通等建設基礎，把台灣建成科技島，這倒是真能掌握輕重緩急之道。只不過，拋開大陸為腹地，能否成功卻是問題所在。

退一步想，即使不以大陸為腹地，亦不太打緊，因為頂多是亞太營運中心建不起來，讓大家打消「明天會更好」的念頭罷了！大家最不能接受的事實，厥為「明天將更糟」。

李總統在這次談話中，要求財經部門作出三項指數（應為指標）：對外投資對國內總投資的比例，個別公司對大陸投資佔其最近2或3年國內投資金額之比例；對大陸投資佔全體對外投資之比例。其基本意涵是限制對外投資，尤其是對大陸投資，這在方向上，是違反經濟自由化、國際化；在技術上，是難以執行；在意識型態上，是進一步執行堅壁政策；在效果上，將是加速產業空洞化。近年對外投資膨脹，但國內產業空洞化並不顯著，從外勞輸入即可見一斑，但是，限制對外投資後，廠商將會化明為暗，加速出走，譬如先到第三地設立子公司，再迂迴到大陸去，多了一層手續，豈不是多了不少投資金額，加深國內產業空洞化；不過國內產業空洞，倒符合「清野」政策的要求，是歟？非歟？

（八十五年八月十九日刊出）

兩岸經貿的戒急用忍

全國工業總會於日前選出去年的十大產業新聞，其中以李總統呼籲廠商投資大陸要「戒急用忍」為首。

去年9月間，台塑公司的漳洲電廠投資案正進行得如火如荼，李總統適於此時對台灣廠商發出「戒急用忍」的呼籲，幾天後，台塑公司撤回此一投資案，接著包括統一公司在內的若干大企業對大陸的大型投資案也胎死腹中，據有關官員解釋，李總統這席話主要是針對大企業，至於中小企業則不在此限。事實上，經濟部長王志剛早就看準這一點，在去年6月間上任後不久，就改變連院長原先所說的「大陸政策以經貿為主軸」原則，改為「兩岸經貿以大陸政策為主軸」，就在這種氣氛下，據經建會統計，去年1至11月，台商對大陸的投資金額雖比上年增加10.6%，但投資件數卻減少21.9%。

要是將「戒急用忍」作為官方大陸政策的指導原則，是易於瞭解的，因為「戒急」是意謂兩岸關係不可急躁，亦就是不急統，不急獨，一切只能漸進，這亦就是國統綱領當初擬訂的初、中、長期之原意——雖然這麼多年來，始終在初期原地踏步，但其原意實與「戒急」相符。至於「用忍」，則是對中共挑釁的忍耐，例如前年與去年，中共對台灣海域的飛彈試射，而且其船艦與飛機於此期間數度越過兩岸默契多年的海峽中線，我方都曾容忍而未予攔截或驅離，就是怕中對方好戰份子的「陽謀」，以避免「小不忍則亂大謀」。

要是將「戒急用忍」解釋為兩岸經貿往來中台商應秉持的原則，則就令人費解了！就本文作者個人言，由於反應遲鈍，一時還會不過意來，至多只能對其所謂「戒急」領略一二，但對所謂「用忍」，卻莫測高深，難以明瞭其「妙」處。這因為台灣商人喜歡一窩蜂，尤以中小企業為然，所以，李總統提出「戒急」二字以誡之。但是，假若李總統所說的對象是大企業，則「戒急」就有待商榷了，因為它們的投資常以億萬美元為單位，其企畫人員當然會予多方評估，而非貿然從事，現若阻止其有利可圖的投資，不僅有政治干預經濟之嫌，而且有關當局很可能有補償動作，從而擾亂原有的政經秩序與分際，去年十月間，李總統巡視台塑六輕工地時即席指示，隔離水道100公尺就可以了（原來經有關專家多方評估，決定為500公尺），雖然可能在時間上純屬巧合，但很難令人不對台塑剛於9月間撤回漳州電廠投資案的聯想。

說到「用忍」，就不禁令人想起中國企業家鼻祖——周人白圭，史記貨殖列傳描寫到「趨時、若猛獸摯鳥之發」，這是讚揚他隨時把握商機。在這種情況下，如何能「戒急用忍」！是要廠商對於良好商機的「忍」耐？還是要廠商忍」住有利可圖的投資機會之衝動？這是多麼不近人情，不切實際的看法！而且，對前者言，很多機會是稍縱即逝，如何能勸商人用忍而不予理會！就後者言，常有人言，殺頭的生意有人做，賠本的生意沒有人做，所以，縱或一時用忍，那亦是只限於短期而已，而難持續於長期，因為即使政府願以其他利益補償之，但政府的籌碼畢竟有限，而難以作長期的補償。

職此之故，很多外國專家質疑戒急用忍政策的效果，認為台商將會持續對大陸投資，譬如東京富士通研究所一位經濟學家就曾斷言：「政治因素不會改變這類（投資）活動的方向，因為雙方的經濟有高度的互賴。不論投資風險如何，台灣廠商將繼續對大陸投資」。此一看法得到很多台商及外商駐大陸主管的支持，他們認為不到大陸投資，損失反而更大，中國大陸目前雖仍貧困，但正推動產業革命，其規模及影響不亞於100年前發生在美國的工業革命，所以，大陸是全球最具潛力的市場。

所以，要台商用忍而不到大陸投資，是不合理的要求。若要說用忍，是勸告廠商不要像賭梭哈一樣全部梭下去，則稍有規模的廠商，都知道不把所有雞蛋放在一個籃子裡的道理，何勞官府饒舌！

（八十六年二月三日刊出）

公地放領與只租不售

「大學」云：「是故君子先慎乎德，有德此有人，有人此有土，有土此有財，有財此有用」。這番話原來是針對統治者或「有國者」而言，其用意主要是「先慎乎德」，但降至現代，大家卻只注意到「有土此有財」，因為這正是今日台灣的現象，寸土寸金，以致土地問題成為金權政治的核心，經濟發展的瓶頸，公共建設的障礙，財政負擔的大宗，以及財富分配惡化的根源。

不過，若將「大學」這番話中的「有德」，廣義地解釋為政策的適切性，則今日台灣土地問題及其亂象，顯然是由於土地政策失當：先是在土地改革中，將土地利用問題扭曲為所有權重分配，衍生很多後遺症；繼因強調「農地農有農用」，導致建地取得困難，從而演成投機炒作；復因公地「只售不租」，使財團藉公地標售之宣示效果，以全面哄抬地價。

上述「失當」之處須予補充說的，主要是土改政策，因為土地問題的重心是在於強化土地利用。而台灣當年的土改，卻把重點放在土地所有權上，其理由很可能是針對國共鬥爭而作政治號召，強調「扶植自耕農」，所以，一方面將公地放領給承租農民，截61年底止，累計放領125,912甲，約佔公有土地70%；另一方面，在耕者有其田政策下，在42年底前，徵收地主的土地，143,568甲，轉售給佃農。這些土地的價格，均為土地正產物年產值的兩倍半，就土地所有權轉移言，是在賤賣土地；前者等於是政府在做耶誕老人，將全民共有的土地，「餽贈」給特定農民；後者是強制剝奪地主權益。

經濟代價更是驚人，這是落在土地利用上，因為租細制度的廢除，使農場經營面積難以擴大，無法貫徹規模經濟，使台灣農產品生產成本高於國際標準很多倍。

近年，政府業已覺察「農地農有」之弊，郝內閣已在國建計畫中，釋出幾萬甲農地，現在的連內閣，在振興經濟方案下，將要釋出更多的農地，連院長在巡視農委會時指示，檢討「農地農有」政策，以及研究容許農企業擁有耕地的可行性。在公地方面，行政院於日前亦通過「公有土地經營及處理原則」，明定公有土地以不放領，不出售為原則，亦就是「只租不售」。

此「原則」立意甚佳，但卻拖了一個尾巴，那就是在民國65年以前已有租賃關係者得有條件放領。內政部表示，基於「扶植自耕農」的政策目標，放領對象只限於農民，若違規使用，則於其價款未繳清前收回其土地。

對於此一「尾巴」，作者認為頗多商榷之處，首先是公地既已確立「只租不售」原則，為何一開始就作公地放領，以自我牴觸？其次，在目前寸土寸金的情況下，政府有何權力扮演聖誕老人？這對於社會上的無殼蝸牛如何交代？

第三，作者一向將「耕者有其田」，解釋為「耕者有田耕」、強調其工作權與生存權，而非釋為「所有」，以著重其財產權——近讀三民主義理論權威已故崔書琴教授的「三民主義新論」，亦作相同解釋，足見「扶植自耕農」不應成為政策，尤其是「實施耕者有其田條例」剛為立院廢除，以致為「扶植自耕農」而放領公地，業已缺乏正確法源，若是硬予執行，則似故意在「圖利他人」，以損害全民利益。

第四，擬議中放領的地價，據說是要按公告現值計算，但若政府要徵收土地，卻須於此現值上另加三成——很多時候，因地主抗拒，還須以公告現值若干倍的價格購買之；假若放領後再徵收，這一來一往，相差將不可以道里計。

第五，擬議中放領的公地多為林地，憑常識亦可想像得到，買者受領後必將改作他用，其結果將會破壞水土保持與生態環境，再一次使全民受損。內政部或許說，若是違規使用，將收回其土地；但是，「收回」的前提，是價款未曾繳清之時，而這些土地據說多已售給財團，其價款將會很快繳清，以致此一規定形同具文，以致公地放領實在是幫助財團炒作地皮，破壞生態，危害全民。

（八十二年八月九日刊出）

道是無心若有心

——談土地政策與土地炒作

上月底傳聞，有關單位擬為汙染土地用途翻案，即在污染改善前，可先變更地目，引發環保團體指摘，「政府為利益團體護航」。套句現在流行語，這句話未免太沈重，但是，看看政府的土地政策與土地炒作間的關係，可說「道是無心若有心」——這顯然是脫胎於兩句詞，「東邊日出西邊雨，道是無晴（情）卻有情」，只是將「晴」易為「心」，且因「卻」字過於確定，故易為「若」，以示溫柔敦厚。

「道是無心若有心」，是就政府有關政策似有助長土地炒作之傾向而言。本專欄一再提及，以往的土地政策，有過與不及之處，即對農地除農用外還強調農有，影響到土地的流通與供給；在市地方面，卻將國父遺教的「自報地價」，易為「公告地價」，以致遺教精神全失，徒然助長土地投機。

前年，由於財政部擬照全國土地會議的決議，土地增值稅按市價徵稅，以抑制土地投機，終因拗不過高層的反對意見，導致財政部長下台。反對意見之一，是土地市價難以確定。但是，奇怪得很，最近卻傳出，政府今後要以市價來徵收土地，而非按土地現值加四成。按市價交易，本來就是很公平合理，但是，奇怪的是，有關當局最近才想通，不知道是否與高鐵用地有關？一般徵收對象，多是地主固有土地，按市價或公告現值徵收，只是其得款多或少而已，高鐵預定地則不然，多為財團於數年前搶先購進，其購價當然高於公告現值加四成，現若按此徵收，這些財團豈不是偷雞不著反蝕一把米，有關當局果然善解人意，而有改按市價徵收土地之議。土地市價既可確定，則土地增值稅亦應按市價課征，可是在7月間決定的土地交易所得稅，仍說增值稅按公告現值課徵，這樣雙重標準，業已令人好生納罕，而9月2日報載，在李總統的關切下，行政院將放領8.5萬公頃公有山坡地及耕地（約為現行農地總面積十分之一），並按公告現值出售；豈不更令人納悶！這樣按土地市價買地，但按公告現值賣地與征稅，真不知道政府是打的甚麼算盤！

稍早時候，還出現所謂「炒地皮條款」，那是指「都市土地使用管制規則」，原來的第14條，規定在以農業區內丁種用地（工業用地）或取土部分以外的窯業用地，經工業主管機關核准後，可申請變更編定為甲種建築用地。由於此一條款，常為有心人士用以炒地皮，所以在修正該規則時予以刪除，並自去年11月7日生效。但卻於今年6月1日又使此「炒地皮條款」復活，據說如此將使342件申請案得以通過，約可獲利**1,400**億元。對於此事，內政部的解釋，是讓新法實施前，對已提出申請者獲得補救，而且申請人還須捐出30％土地作為公共設施，言下之意，這些申請人並未獲得暴利。

不知是否巧合，就在該炒地皮條款復活後的19天，立法院財委會於6月20日審查通過「土地稅法部份條文修正草案」，將土地變更使用必須捐贈的公共設施用地，可以抵減其土地增值稅。如此一來，捐地等於沒捐，對於炒地皮的人，當然是莫大的福音——並不限於此次這批342件申請案的受益人。

上述放領的山坡地中，有一部分是盜墾，亦即非法占用國有土地，有關當局卻大方得不僅不予追究，反而以公告現值放領，並輔以10年低利貸款。前幾天，電視新聞報導，李總統到東部視察颱風災情，為建築於河床上的一家觀光旅館而憂心不已。從漢代丞相丙吉出巡，只問牛喘不問毆人致死故事的角度看，此乃顯示總統宅心仁厚與不干預行政的美德，但從管理觀點看行政系統難辭其咎，因為河床應是國有土地，豈可容許私人占用，再說河床是危險地帶，無論就旅客安全抑係排水用途言，當初如何能核發建照？若無建築許可，又如何能准該旅館開業。

儘管這些作為與不作為的措施，都助長了土地炒作之風，但仍只能說有關政策「道是無心若有心。」

（八十三年九月五日刊出）

鼓勵銀行炒地皮？

——銀行法修正草案試析

就在中央銀行公開指出，營建業貸款太多，貢獻太少之後，就傳出財政部要修改銀行法，將房地產貸款上限提高一倍的消息。果不其然，財政部於日前公布銀行法修正草案，其對營建界的利多消息，何止於貸款上限倍增。

從報載該修正草案的五個重點看，幾乎每一點都在為擴大營建業融資而作出特別條款，其中多的是赤裸的明顯幫忙，有的則是曲折地為擴大房地產投機需求而作注腳，更有的則為激勵房地產炒作而埋下伏筆。

第一個重點是取消儲蓄銀行專章，這是對營建業擴大融資的暗助，而第二個重點則是明幫，亦即容許一般銀行可以承做短中長期放款，依現行情況看，營建業融資上限可由6,000億元提高至1.2兆元。

第三個重點，是刪除現行規定銀行不得投資非自用不動產的有關條文，這顯然是為擴大房地產需求——尤其是投機性需求，作下曲折的注腳。

第四個重點，是取消銀行辦理住宅建築及企業建築放款最高不得超過儲蓄存款總額20%的規定，這是明顯地幫助對營建界的擴大融資，再配合上述第二重點，則總融資上限很可能突破1.2兆元，甚或意味著取消上限的規定。

第五個重點，是不硬性規定銀行自有資本與風險性資產比率不得低於8%的規定，改由主管機關視個別銀行財務、業務分別訂定。這在表面上是推行金融自由化、骨子裡則是埋下激勵房地產炒作的伏筆。

由此看來，對於房地產業者而言，財政部真個是「善體人意」的「可人兒」，真可說是呵護備至，體貼入微—走筆至此，恰巧翻到一份兩年多前的剪報，赫然見到其標題，××上台，「財團與地主的冬天結束？」現在，他們果然盼到春天。但卻可能會將中低收入家庭與社會大眾擠入寒冷的冬天，所以，引發營建署的異議。

營建署所反對的，主要是針對銀行法修正草案第三個重點而言。該署官員認為銀行若是把更多的資金投向不動產，而中低收入家庭就更難取得銀行貸款，所以，該署認為財政部此舉將使中低收入家庭購屋貸款遭到排擠，也可能造成銀行拿存款大眾的錢去炒地皮。

另外讓營建署心中感到不平的，乃是該署為推動中低收入住宅購屋及減少房屋預估制度，一直希望銀行能夠多配合對中低收入戶首次購屋貸款，但卻經常遭到財政部以金融自由化為理由而拒絕。好不容易爭取到首次購屋貸款可達500萬元與優惠利率。現在不但取消這500萬元最高額度的限制，也且將最高利率的限制一併取消。營建署認為500萬元的限制，是希望能保障中低收入戶購屋能夠取得貸款，現在驟予取消，表面上看像是增加貸款額度，實際上則是造成很多有錢家庭運用這筆貸款，根本就沒有照顧中低收入戶的意義。

營建署反對財政部修法的主要動機，是為購屋的中低收入家庭擔憂。其實，真正令人擔心的，乃是財政部修法的結果，將會危及存款安全與金融安定，至少會影響到財富的公平分配。這是由於該修正草案的第三與第五個重點，等於是在鼓勵銀行炒房地產。

一般說來，金融自由化固為世界趨勢，但其前提卻須健全的遊戲規則。此規則的基本作用是保障存款安全，所以，很多先進國家都限制銀行作風險性投資，我國銀行法亦有如此的設計，而財政部卻要修法以解決之。其第三個重點是鼓勵銀行投資於房地產，這將正中民營銀行背後財團的下懷，而第五個重點又取消自有資本佔風險性資產的比率，等於是慫恿這些財團利用存款大眾的血汗錢去炒地皮。其結果勢將導致泡沫經濟的出現，等泡沫稍微消散，則將引發金融風暴，不僅傷害存款大眾權益，也將影響到總體經濟的穩定，蓋因財團力量無所不在，也將迫使公營行庫被房地產套牢，從而危及整個經濟的運行。是以，期望此一草案在行政院與立法院能慎予處理，別讓該草案成為炒地皮條款。

（八十四年九月十八日刊出）

獎勵人民占用國土

財政部本來並不主管土地政策，但最近卻有幾次行動，都與土地有關，譬如其金融局修正銀行法，有鼓勵銀行炒地皮的傾向；其國有財產局准許被高爾夫球場竊佔的國有土地予以讓售。關於前者將另文分析，此處專門討論後者。

台灣全區已核准的82家高球場之中，扣除剛動工及尚未動工者，在60家已完工或接近完工的高球場內，有八成——即48家高球場，都占用國有土地，共占用503筆國土，面積約103.58公頃，其中最過份的高球場，居然超挖了較原核准面積多出七倍。

這種公然的接近集體掠奪、竊佔國土行為，當然不見容於法治社會，所以，各有關地方法院都在偵辦這些高球場負責人竊佔罪嫌，目前至少有八家高球場負責人被地方檢察機關依竊佔罪名起訴，但是就在這當兒，財政部卻核准將這些被竊佔的國土，讓售給強行占用的高球場，其價格為公告現值的七倍，每平方公尺為3,000元。這一行動，很像是法院正在審理贓車案件，而失車的車主卻將這部車子賣給那位被起訴的小偷。難怪此一消息傳出後輿論為之譁然，多位檢察官指責此舉如同「先強姦再結婚」。財政部這一行動，充滿蠻橫、詭譎的弔詭。

首先是對法律的踐踏，被竊占的國土，大多仍然在偵辦之中而尚未起訴——即使有若干件已經起訴，但多未審判，而讓售行動，不啻是行政部門對司法機關傳送一個訊息：「從輕發落」，甚或「就地合法」。這不僅是行政干預司法，其心態更為可議，因為這在根本上是藐視法律，是一種視法律為無物的行為。

其次，這是鼓勵大家竊占國土，而且是有計畫地「鼓勵」，年初，行政院通過的「公有山坡地放領辦法」與「國有耕地放領實施辦法」中，就明顯地在放領被竊占的國土，而且將被竊占的國土以79年公告土地現值賤價出售，並以年息3%的低利長期貸款予以支應，這次讓售被占國土給竊占的高球場主，有人擔心，現在國有房舍被占住者計24,000多戶，國有土地被竊占者共22萬餘筆，是否也將一律讓售？其實，據國有財產局表示，一般人民只要是在民國59年前，有占用國有土地事實者，那可以申請讓售土地。如此大規模地鼓勵人民占用國有土地，可能為中外古今政府所僅見。

第三是鼓勵濫挖、濫墾，嚴重破壞水土保持與生態環境。上述2家高球場，是指經由教育部核准者而言，但據農委會航照查驗，實際開發的有93家，其中超挖土地或佔用國土者為72家，而非上述的48家。農委會監管之目的，是為維護水土保持，所以，要求占用國有林地之高球場原地造林，現在財政部的讓售行動，必將使農委會的要求難以堅持。事實上，台中、苗栗、桃園等縣若干高球場的濫挖，業已造成附近民宅與農田的災害，現在於此鼓勵下，將會吸引更多人侵占國地（尤其是林地與山坡地），予以濫墾、濫挖，其遺禍不知伊於胡底？

第四是加深社會不公平，嘉義縣某高球場占用國土近一公頃被判無罪，但其鄰近農民裝修房屋只占用一點點土地卻被判刑，明顯表示雙重標準，如何使人心服？即使純就讓售而言，只是對竊佔者才予以「獎勵」，而合法租用或利用國有土地者（如眷村），則無法得到讓售的青睞。如此獎勵非法，薄待守法，豈是政府應有的行徑?循此，即使59年前占用國有土地，也可能只有特權人士才可以得到讓售。

最後是國有財產局在處理此事時顯有三種矛盾：①依該局表示，在59年國產法施行前占用國土者可申請讓售，而這些高球場占用事實都發生在76年以後，如何能讓售之?②該局表示，「不讓售也沒有多大用處」，這和該局於年前在汐止某建商開山造路後，要求其恢復原狀的態度大相逕庭，而且為何不能「只租不售」?③該局以為索價每坪萬元等於是處罰，殊不知這還低於黨營會在桃園購買山坡地的價格。

（八十四年九月十九日刊出）

「一人慶有，賴上兆民」

——股市穩定基金後遺症試析

行政院臨時決策小組於春節前宣布6項對股市、房市利多措施，其中最引人注目的一件事，乃是成立「股市穩定基金」。

該基金是由公營銀行、民營銀行、壽險業、產險業、郵政儲金匯業局、勞委會與退撫基金管理委員會等7個行業與機構，共同籌措2,000億元，大致上，是按有關法令規定，銀行業、保險業、郵政儲金、勞工退休基金、公務人員退休撫卹基金，可以投資有價證券之上限，再扣除已投資金額後之餘額。如此估計，公民營銀行尚可投資315億元，保險業為945億元，郵政儲金600億元，勞工退休基金130億元，公務人員退撫基金因成立不久而只有10億元。這一基金目前業已順利募集1,700億元，由這7個行業與單位各派1名代表，組成基金運作七人小組，共同協商適當的股價水準，當股價低於此一水準時，基金即行進場購買。

嚴格說來，在自由經濟體制下，這一穩定股市基金實在是妨礙市場機能的運作，違反自由放任的最高原則。所謂經濟自由化是要求政治力量退出經濟領域，想不到政府自民國73年喊出「經濟自由化」口號，十餘年後的今天，政治力量竟然進入最不宜進入的股市，真令人有時光倒流之感，而且這種干預方式，縱然在計畫性自由經濟氣氛最濃厚的時代，亦未曾使用過。

其次，股市這個市場之所以最不宜由政治力量進入，是由於股市投機氣氛濃厚，風險奇高，以政治力量打壓股市而利空固然不可，以進場干預方式來利多更不應該，因為這是引君入甕，而有誘人上當之嫌，除非此一基金一直進場，使股價節節升高，但是，此一做法勢必助長泡沫經濟，這豈是全民之福、全民之願？

第三，自由經濟體制之所以要求自由放任，是由於有競爭市場的存在，所以，政府的主要任務，是維持市場競爭，以消除獨占或聯合壟斷行為。現在，政府竟然要求七個行業及機構聯合操作，以干預股市，是明顯獨犯公平交易法中禁止的聯合行為，不知公平會如何處理？假若視而不見，豈不是「只許州官放火，不許百姓點燈」！公平交易精神又將何在？

第四，由於股市投資是投機行為，所以，各國政府都規定銀行業、保險業及退休基金，投資於股市有其上限，而且此上限極可能取低水準，以保障存款人、被保險人及退休人的基本權利，現在，政府卻反其道而行，反而鼓勵金融業及退休基金擴大投機行為，除已將勞退基金投入股市的比率由20%提高到30%外，七人小組還建議財政部，將銀行投資股市比率，由淨值的15%提高到30%，放寬民營銀行購買關係股票之限制，並重新認定這種「長期投資」不列入當年損益，一般估計，財部可望配合政策「從寬解釋」。真若如此，則多年來建立的金融制度，很可能毀於一旦，因為老成持重的金融文化將被腐蝕，隔離利益輸送的藩籬將被摧毀，讓銀行與號子沆瀣一氣。

第五，股市穩定基金本為權宜措施，是針對中共軍事威脅而設，但七人小組中有人說，並無落日條款，而從上述該小組三點建議看來，此基金很可能為利益集團所操縱，翻雲覆雨，反而將使股市起伏不定，以便用低價買進而高價賣出，那些從事內線交易的財團將大賺其錢，而一般「股民」將大失其血。

最後，台灣上市股票總值有好幾十兆元，2,000億元基金還不到其1%，是否能發揮其穩定作用，實在難說得很，而且股市亦似乎對該基金不太有信心，除2月15日該基金宣布成立之時，股價上漲90.78點，以及23日該基金進場使股價上揚55.98點外，其餘日子裡，股市都在下挫，24日成交量且創三年來最低，只有76.7億元。是以，若是股市連番重挫（去年即跌1951點），將該基金賠光，豈不是使存款人與被保險人蒙受重大損失。退休人員更將生活堪憂，這種以全民為股市背書的方式，真正是「生命共同體」，而其用意顯然是為總統選舉，語云，「一人有慶，兆民賴之」，現在則是「一人慶有，賴上兆民」。

（八十五年二月二十六日刊出）

攀登全球競爭力的巔峰？

雖然閣揆同意權使立法院與總統府鬧得不可開交，但是，行政院連院長就在李登輝總統「著毋庸議」的慰留下，豪情萬丈地在記者會上發下宏願，以「攀登全球競爭力的巔峰」，作為革新的主軸，「要在進入21世紀前，讓我們的競爭力進入全球前五名」。

此一宏願，表面上似乎很明確，但若稍加思索，則又令人感到不解。

首先是連戰所指的世界競爭力，諒係瑞士洛桑國際管理學院（IBD）所發表的「世界競爭力年報」。這在本質上，很像時下的金曲龍虎榜、歌唱排行榜……，只可作為參考，豈可認真得懸為政府施政總目標！這是不解之一。

或許以為競爭力排名，有其客觀水準，所以，我國若能提升排名，是可提高國際聲望，但是，曾與IBD合作多年的WEF（世界經濟論壇），今年分道揚鑣，各自發表競爭力排行榜；在IBD的年報中，我國名次由去年的第11名（按新基礎則為第14名），下降到第18名，而在WEF的報告裡，我國的名次，則由去年的第11名前進為第9名。評價如此懸殊，令人莫衷一是，我國竟然認真得將其作為奮鬥目標，是令人不解之二。

再說，所謂「巔峰」，是指峰頂，以致所謂「攀登全球競爭力的巔峰」，語意上應該是全球競爭力的冠軍，但是，連院長卻只說，「讓我們的競爭力進入全球前五名」，顯示其內容和標題有很大的落差，在說到「攀登……巔峰」之時，氣勢何其壯大，但提及只想進入「前五名」，欲望又何其渺小！在語意上如斯反覆，是令人不解之三。

或者有人辨護道，在「讓我們……前五名」的前面，還有一句「要在進入21世紀前」，顯示是在未來的三年半以內，讓我國「的競爭力進入全球第五名」，至於「攀登全球競爭力的巔峰」，則是我國施政的長期目標。假若連院長的原意真是如此，則又將增加一個「不解」，那就是行政院長任期最多只和總統任期共終始，而只有4年的時間，現若將攀登巔峰列為國家長期施政目標，豈不是越俎代庖，這豈是謙沖為懷的連院長所願為，此乃令人不解之四。

尤有進者，全球巔峰是指全球第一，現在還沒有那個國家領袖敢誇下如此海口（只有以「超英趕美」自詡的毛澤東之流是例外），蓋因若成畫餅（即使是第二名，亦是如此），豈非騰笑國際！即使可能達成，但於將成未成（甚或已成）之際，將可能引發國際間多方猜忌等非可料的後遺症。總而言之，要拿世界第一，是一種膨風，若說「語不驚人死不休」，這豈是篤實踐履的連院長一貫作風？所以，這是令人不解之五。

要在下一世紀前進入全球競爭力第五名，是意謂在1999年的IBD全球競爭力年報上至少使我國名列第五。亦就是說，要在3年以內提升13名，平均每年要超越4個以上的名次，這確實是件艱巨工程，而連院長卻似乎胸有成竹，這份信心也許是來自以往經驗。

在IBD的全球競爭力排行榜上，我國於1992及93年，均名列第11，但於1994年卻下降到第22名，而且還落在馬來西亞之後，消息傳來，我國朝野紛感不平，IBD亦似乎頗能體恤，於次年——亦就是去年，把我國名次提升到第11名；今年，我國排名又大為低落，而下降到第18名，於新興國家中位於智利之後，亦難令我國朝野心服，以致我國明年的排名亦說不定像去年一樣來個三級跳。

其實，去年我國名次的提升，不一定是由於國內反彈，而主要是因為我國在緊鑼密鼓地籌設亞太營運中心，兩岸關係則因江八點與李六條的次第提出而有「漸入佳境」之勢。但是，一年以來，亞太營運中心因兩岸三不通而原地踏步，李總統訪美後，兩岸關係大倒退，幾度劍拔弩張，尤其是去年7月初開始一連串的基層金融風暴——在IBD評鑑的8個項目中，我國今年在金融實力方面跌幅最大，由15名降到21名。這些負面效果能否在3年內消除，不無疑問。

（八十五年六月十七日刊出）

千萬別搗馬蜂窩

——不可對中共使用排他條款

世界貿易組織（WTO）首屆部長會議，自今日起在新加坡舉行5天，約有160個國家的部長與會，由於部長會議是WTO的最高權力機構，而且這是首次會議，所以備受各方注目。兩岸都是觀察員，有關部長可以與會，但是，中共對外經貿部長卻缺席了，改由其部長助理率隊；我方則是如臨大敵，由經濟部長率50多人的代表團於前天啟程，另有12位朝野立委聯袂飛往，宣達我入會意願。

從兩岸對這次會議的態度看，似乎頗有差異；一方似乎是漫不經心，一方則是全力以赴。據說中共之所以如此，是由於其入會案業已大勢底定；而我方表現如此積極，是否意味我入會案仍是一片混沌，以致我方擺出如此陣勢，而志在必得。

但是，若說我國對於加入WTO是志在必得，則未必盡然，因為就在上週還傳出經濟部擬在國際組織中，對中共使用排他條款。此所謂國際組織：一為我國業已參加的APEC（亞太經合會議）；一為擬將加入的WTO。前者於月前舉行的領袖會議中決定推行自由化，下月一日起，各會員國將實施個別行動計畫，其中包括降低關稅，開放服務業，撤除投資及貿易障礙，以及各會員國間簽署智慧財產權雙邊協定等。而我經濟部據說目前是傾向於中共排除適用——這就是所謂排他條款。此一自由化行動計畫，在本質上是和WTO的宗旨相同。

是以，若是在APEC使用排他條款，則在WTO就必將採取相同立場，而在一些訊息中，顯示有關當局正有此傾向。對於當局此一意向，本文作者期期以為不可，其理由至少有四：

首先，WTO是繼承以往關貿總協（GATT）的精神，是以，我若對中共實施排他條款，基本上，是明顯地違反無歧視原則，尤其是這種意向是要在入會前就要正式說明。如此一來，WTO會員國中必將有很多的衛「道」之士，起而反對我國的加入，更何況會員國中定有不少左袒中共的國家，定將推波助瀾，將我醜化為眾矢之的，讓我不得其門而入。

其次，盛傳中共入會案已大勢底定，假若其入會時間較我為早，則她將有權與我作雙邊諮商，使我排他條款將會胎死腹中，豈不是敬酒不吃吃罰酒！

第三，即使以上兩件事不會發生，我方既然可以「歧視」彼岸，而彼岸也不會是天生的素食者（或和平主義者），極可能以斯人之道治其人，以致很可能採取反制行動。目前兩岸貿易之中，我方擁有極大的順差，這是意謂此岸輸往彼岸的商品遠大於彼岸對此岸之出口，是以，在兩岸互建關稅壁壘之中，我方在貿易上的損失將遠大於中共，至少是使我方對大陸的出超大為減少，甚或化為烏有，這將使我對外的整體貿易極可能隨而轉為逆差，只要此一情況持續一段時期，則我國的外匯存底也將大減，從而產生難以解決的國際收支問題，蓋因我國並非國際貨幣基金與世界銀行會員，難以取得融資——至於亞洲開發銀行，我國之所以能保持會籍的原因之一，是由於我國是出資者而非借錢的債戶，是以，若向亞銀伸手，則可能連會籍也難保。如此這般，全由排他條款而來，是以有關當局真想採取排他條款，豈不是在搬石頭砸自己的腳！又何止得不償失。

最後，即使中共為著統戰目的，而不會對我採取反制式報復措施，則更顯得其泱泱落落，爭取到台商的好感；在另一方面，卻將使大陸同胞對台灣反感日增，如此民心向背，豈是台灣之福！何況兄弟鬩牆，已成國際笑話，再若中共犯而不校，越發地顯得我方是在無理取鬧，這將使我國在國際上更形孤立。

由此看來，對於中共採取排他條款，將是極不明智之舉，而像搗了馬蜂窩，所以，千萬不能如此。我方所能做的，只是採取個案諮商，亦即所謂特別防衛條款，就我方特別脆弱的產業，雙方磋商防護之道，而不能意氣用事，使用排他條款，除非我們不想加入WTO，或者有接受可能惡果的各種準備。

（八十五年十二月九日刊出）

國發會的弔詭

對於國發會的經濟議題，本專欄已作兩次評論，所以，這次對其結論中有關部分不擬舊話重提，而集中於若干未曾討論過的題目，並將推演到攸關經濟發展的一些非經濟主題。

國發會經濟發展組最重要的結論，即是確立政府角色，以「小而能」為目標。「小而能」是和以往標榜「大有為」，有很大的不同，這是值得肯定的目標，但卻有弔詭之處。

「小政府，大社會」，是當代先進國家發展的共同趨勢，其基本論點是著重在「小政府」可減少政府支出，以致降低人民的負擔，而這次國發會卻要逐步提高地價稅與房屋稅，還要開徵社會安全捐，這是在提高稅負，而非降低之，致與「小政府」的用意相左。在亞當·史密斯的構想中，小政府是意味著自由放任，政治力量應該退出經濟領域，而這次國發會對於經濟自由化卻未太著墨，但卻使總統權力大為擴張，此所以某報出現「強勢總統，弱勢社會」的標題，完全與「小政府、大社會」趨勢背道而馳。

稅制改革方面，只談到兩稅合一與軍公教免稅的取消，並未討論到土地與證券交易所得稅等有關問題，是忽略了賦稅公平，再加兩稅合一，是使高所得者減稅，而一般人的稅負卻在增加。前幾天，聯合報公布其年度調查，發現民眾生活滿意度，今年陷入低潮，有42%的受訪者抱怨生活不如從前，是十年來的最高，現若國發會有關結論付諸實施，則可想見民眾生活滿意度更將大幅降低，這是「弱勢社會」的悲哀！

在國發會開會期間，很多因公司關閉而拿不到工資、資遣費及退休金的勞工前去請願，而與會人員卻視若無睹，只作一些不痛不癢的結論，諸如增訂國民年金等決議，而將惡性關廠企業應盡的責任轉嫁給社會與勞工，使經濟弱者更為弱勢。

經濟上所謂均衡，是指各種力量的平衡，其境界可用三句成語形容之，即「恰到好處」、「各得其所」與「止於至善」。但從上述稅制「改革」看，顯然沒有「恰到好處」；勞工們遭受到如此打擊，勞資雙方顯然沒有「各得其所」，強勢總統與弱勢社會的對比，更是遠離於「至善」。

就上述均衡的基本定義看，政治上的制衡，亦正有均衡的意義，蓋因這是政治力量間的平衡。無論是總統制還是內閣制，都有其制衡的設計，現在改為所謂「改良混合制」，即是非驢非馬，因為行政院長只是總統指派的犧牲打，以致立法院的倒閣，猶如唐吉訶德在對風車作戰；即使立院擁有對總統的彈劾權，除非明確規定彈劾權之行使，可採簡單多數決，以及彈劾之議提出時，總統即不得解散立法院，否則，立法院之與總統，就像失去飛石的少年大衛在面對巨人。在這種情況下，政治能否清明，經濟能否發展，社會能否公平，只能訴諸總統個人的良知，使總統成為「制人而不受制於人」的帝王。在帝制時期，陰陽五行之說，還可將天災說成上蒼示警，但於現代，這一套已不管用，否則，在賀伯風災下大自然的反撲後，亦不會出現如此違反均衡的國發會結論。

在兩岸之間，我方一向要求「對等的政治實體」，現若廢省，則不啻是整個台灣變成一省，豈不更凸顯中共的中央政府地位？要是說到如此可提升競爭力，即又出現另一形式的弔詭，那就是此次結論中提到將港澳視作不同於中共的特區，言下之意，仍將利用香港作為間接經貿的中間站，如此增加運輸與時間成本，豈是提升競爭力之道？更談不上亞太營運中心的建立。尤有進者，既然決定我加入WTO後，不對中共採取排他條款，則這是意謂雙方加入WTO後，即可三通，為何還要主張成立境外航運中心？不知道這是思想混亂下的弔詭，還是不想加入WTO？

由此看來，國發會結論中是充滿弔詭，以致在憲政上將趨於混亂，在兩岸關係上是治絲益棼，在經濟上將是走下坡路。

（八十五年十二月三十日刊出）

波特旋風評價

哈佛大學管理學教授波特，於本月上旬來台，作旋風式訪問，在腦力激盪上亦形成一陣旋風。由於他是競爭力策略理論的大師級人物，他之受邀前來，當然是為倡導提升競爭力的連內閣解套或指點迷津，蓋因瑞士國際管理學院（IMD）於上月下旬公布1997年全球競爭力初估報告，我國排名大幅下挫。

誰知道波特到來，卻當頭潑了好幾瓢冷水：先是於來台前接受台灣記者訪問時就曾指出，IMD的報告取向較不嚴密，不宜被視為評估競爭力的權威指標，台灣要想達到全球前5名，可能需時10年甚或20年，這番話對於原奉IMD指標為圭臬，且希於3年內上升到前5名的連內閣，不啻是當頭棒喝；然後，是於來台後的第一場講演中，認為台灣應定位為亞太科技研究中心，至於亞太營運中心，雖然我政府投注很多心力，波特卻認為不宜當作政策主軸；且於講演中，還曾強調政府要建立穩定而有預期性的經濟環境，亦就是創造清楚的經濟前景（意即減少不確定），不是告訴百姓何者不能做，而是正面清楚的讓民眾了解，國家所要達到的目標是什麼！這番話對於近年來常創不確定與喜對工商界告誡的我政府，亦似乎是針鋒相對。

要是說波特專門和我政府唱反調，則亦不盡然，譬如他在第二次講演中，談到台商到大陸投資之時，就認為台商在出走大陸前，為何不先做好就地升級的工作，而不要先棄守台灣。這番話，是和我領導階層的「戒急用忍」意念如出一轍。不知這是「英雄所見略同」？還是經過「高人指點」而入境隨俗？

無論是那一種情形，都與當代國際企業管理中心思想相違背，因為今天的企業應具國際觀，以全球為其資源配置對象，而且波特還曾建議我國創建產業群集環境，以吸引外商投資，顯示他並不排斥廠商投資行為的國際化，為何在說到台商對大陸投資之時，卻認定他們是在棄守台灣了？何況這亦違反他於訪台前所說的，台灣政府要能放手，減少干預，讓企業負起更多責任；亦和他在來台第一次演講中對我政府的勸告「不是告訴百姓何者不能做」說法，大相逕庭。

波特言論中另一弔詭之處，則是他以亞太科技研究中心取代亞太營運中心之建議。依其「國家競爭優勢」一書，波特是將國家的經濟升級劃分為生產因素導向、投資導向、創新導向、富裕導向4個階段，他於訪問中認為「台灣正處於投資導向……（還未能）進入創新導向階段」，而創新導向是來自科技研究，現在他卻又認為台灣應定位為亞太科技研究中心，一下子又把台灣推上創新導向階段，這豈不是一大弔詭？其實，亞太營運中心的最大賣點，是利用兩岸血緣、地緣關係，吸引外商來台投資，再結合台商登「陸」，這正是投資導向階段吸引投資的有效策略，而波特卻既反對營運中心，又不贊成台商登「陸」，這不僅表示他對台灣情況的隔閡，也且違反其自己理論的運用。

雖然有人認為花約2百萬元請來這位洋人，和政府唱反調，而且其論點，國內學者幾均說過，而將波特定位為「遠來的和尚」，其實不然，波特有關言論，至少發生「他山之石」效果。

（八十六年四月二十一日刊出）

政府失靈探源

相對於市場失靈，政府亦有失靈的時候，據第二屆諾貝爾獎得主薩穆爾森（P.A. Samuelson）所云：「政府失靈（Government failure）是發生於政府未能改進經濟效率或使所得作不公平的重分配之時」。薩氏之所以作如此陳述，是因為他將改進經濟效率與使所得公平分配，看作政府四個主要功能的頭兩個（其餘兩個是經由總體經濟政策以穩定經濟與代表國家參與國際事務）。薩氏認為政府失靈的根源有二：一為官僚主義的指令；一為短期著眼。前者顯然是指政府官員意識僵化與行為顢頇，未能體察實際經濟情況而胡亂下命令；後者則指主政者眼光短淺，只顧眼前利益，甚至於只為其個人當選而採取一些行動以討好部分選民。

薩氏人在美國，可是在台灣的中國人讀到這些話，感受到這似乎是針對台海兩岸政府而發，因為就彼岸言，其國營企業效率奇差，且常有「官倒」之事發生，這不僅未能改進經濟效率，且有損所得公平分配——就後者言，個人間及區域間貧富差距日益擴大，正表示所得分配的惡化。彼岸政府失靈的主要根源，是在於「官僚主義的指令」，亦即其僵化的意識形態，是以，只要中共不真正放棄「四個堅持」，其失靈情況就不可能得到改善。

就此岸言，政府失靈情況亦在日益嚴重，單以瑞士國際管理發展研究院（IMD）所發表的世界競爭力排行榜而言，我國排名於近年來年年下挫：今年初估，則更落在第24位。國際競爭力是反映經濟效率，一連三年競爭力排名的大幅滑落，是在在顯示經濟效率在快速惡化，正表示我政府失靈。

測度所得公平分配的最簡便方法，是將全部家庭分成五等分，再以第5分位組最高所得家庭之所得佔第1分位組（最低所得家庭）所得之倍數來衡量之。我國此一倍數至少自民國59年起，就降到4．58，然後逐漸降低，而以69年的4.17倍為最低，其後9年雖略微增加，但均低於5倍；79年起增為5.18倍，除次年降為4.94外，其餘各年都在5.24以上，而以82年的5.42倍為最高。

我政府失靈的根本原因，亦不出薩氏所說的兩點，先說「官僚主義的指令」，這可分為「官僚主義」與「指令」兩項來說。官僚主義的表徵，是和政府效率成反向變動，在上述IMD的全球競爭力報告中，我國政府效率退步最多，排名第22位，正顯示我國官僚主義的方興未艾。至於「指令」，則是指政治對經濟的干預，兩岸三不通即是其具體產物。

短期著眼主要是表現在所得分配惡化上，所謂黑金政治，正可解釋執政者為著保障其政權，乃提名黑金人物投向選舉，並拉攏財團作為其政權的支持者。其回饋方式則是公共工程的圍標與綁標，貸款及金融、賦稅、土地政策上之各種優惠與放水，由於只對大財團垂青，使中小企業相對式微，成為台灣經濟長期發展的憂慮。

其實，短期著眼也對經濟效率形成不良影響，譬如說，明知我國即將加入WTO，卻要求台商對大陸投資「戒急用忍」，尤其是月初在菲律賓舉行的APEC財政部長會議，是討論對外投資自由化問題，我有關當局竟然要處罰自行到大陸投資的台商。

（八十六年四月二十八日刊出）

二、經濟

防止土地投機之道

土地投機經常發生在經濟快速成長之後，並非台灣發生的獨有現象，連地廣人稀的美國，亦曾於上一世紀下半葉，發生土地投機，使市地價格暴漲，否則，亨利喬治亦不會出版「進步與貪乏」一書，更不會主張課徵土地單一稅（其他稅捐全不要），以求「稅去地主」（即以重稅驅除地主）了！

抑制土地投機固然是重要課題，但卻不可因噎廢食，由於反投機而打擊了市場機能與影響到土地利用，而且亦不可由於反投機而使政府工作趨於繁瑣。就前者言，目前規定的農地農有農用，就有打擊土地市場機能與對土地利用有不良影響之嫌。就後者言，現行土地公告地價與公告現值的分離，以及擬議中的課稅地價均屬之—甚至有人主張，購地者要先向政府取得許可證，甚或主張所有土地或一定面積以上的土地，必須經由政府買賣……均將增加政府有關單位的莫大負擔，且將肇致很多後遺症。

其實，中山先生的平均地權主張，是真正的土地投機剋星，其四大辦法中，除「漲價歸公」不宜徹底實施（假若百分之百漲價歸公，則將妨礙土地作最佳利用）外，其餘三項若能不折不扣地奉行，則土地將無從投機。目前政府所做的，事實上只有「照價徵稅」而已，至於最能抑制投機的「自報地價」與「照價收買」，則幾乎全未實施。

為甚麼「自報地價」與「照價收買」能成為反土地投機的利器，這要從土地的投機利得與持有成本兩方面來講。先從後者來說，目前地價是採雙軌制，既可自報又可公告——但採公告者居絕大多數，由於公告地價落後市價很多，所以縱然照價徵稅，持有成本亦極有限；再因政府幾乎從未照價收買，所以自報地價亦可以大膽地盡量降低，更降低其持有成本。持有成本低，當然有鼓勵土地投機人傾向。為著降低持有成本，很多地主在政府調整公告地價之時，還時常抱怨太高，從而抗爭，經國先生逝世前不久，且曾被迫收回地價稅單，大幅將地價稅率打折。但是，到政府徵收其土地作建設之用時，卻嫌公告地價太低，即使以較高的公告現值來補償，亦拒絕接受，並且獅子大開口，以擴大其投機利得。

改進之道，在地價方面，雖仍可採取雙軌制，但卻應以「自報地價」為主，以公告地價為輔，其方式可從土地移轉著手。土地移轉必須經由地政機關，所以可在此時，規定買賣雙方必須申報地價（房地產中可扣除房屋造價或折舊後之殘值——這方面可按各種房屋型式統一規定）。如此，對於買方固可據此申報地價及土地增值稅，對於買方則亦據此徵收地價稅。賣方為減少當時增值稅的支出，買方為減少日後地價稅的負擔，雖然可能共謀低報地價，但政府可以運用「照價收買」規定，以此偏低的申報地價買入這筆土地。這麼一來，買方為維護其本身權益，將不會與賣方「共謀」，而將申報真實價格，從而政府可以獲得實際地價，此外，還至少有下列效益：

首先是可以根據實際地價課徵土地增值稅，以貫徹「漲價歸公」的精神。

其次是每筆土地交易，均按這種實際申報地價課征增值稅，而不必依公告現值課徵，將可避免現行辦法下，公告現值每年舉辦一次，以致一年內買進賣出土地，縱然賺取很高利得，亦不必繳納分文增值稅之弊端，從而可以抑制土地投機。

第三是每筆土地交易既可如此按申報地價課增值稅，則公告現值可以取消。

最後是若再持續配合自報地價的宣傳，則於政府徵收土地之時，按當時地主所報地價收購，使地主缺乏抗爭的藉口，而且即使不能持續自報地價，則以其原先地價為依據，從收購地價中扣除，據以課徵土地增值稅，將使其投機利得大為減少，亦將降低土地投機風氣。

對於暫無買賣的土地，政府仍然可以公告地價，除宣導人民不服公告可以自行申報地價外，還可在課徵地價稅的通知單中，再次給予重行申報地價的期限，逾期則須照章納稅，而且亦等於承認公告地價的正確性，嗣後政府如有用途而照價收買，地主亦應無異議。同樣地，若是自報地價偏低，則政府可以照價收買——近來據說，照價收買工作將由中央政府統籌辦理，若再確定經費來源，將會大有可為。至於有人因預知或預見公共建設之即將進行，而事先故意提高申報地價，將亦沒有甚麼關係，因為即使政府照此價收買，但仍可按原價與買價間差額課徵土地增值稅，使政府損失有限——若嫌現行土地增值稅稅率偏低，不妨將累進的最高邊際稅率，由目前的六〇%再提高。

實在說來，真正的土地投機者，乃是預知公共建設用地或都市計畫內容的內線交易者。對於這種投機行為，若是相關法規中缺乏規定，似應修訂公平交易法，予以嚴懲。

（八十年十二月七日刊出）

勞力爲何缺少？如何解決？

本專欄於二月廿七日以「供給面的憂慮」為題，指出這些憂慮，主要是來自勞力的不足，其次為電力與水力的不足，這些將會嚴重地影響到短期內工業生產的正常運作。其中水力不足現象，已因連月雨量充沛而消失，而電力不足問題，卻不幸而言中：「現在運轉的各機組任何一組發生故障，台灣供電立即陷入危機，即使僥倖無事，到了夏季用電尖峰時期，電力顯然供不應求，隨而必然影響到工業生產」。

至於勞力不足問題，現在越來越為嚴重，日前產業界在某一集會中，普遍認為這是當前最嚴重的問題，而且最近一次調查，亦證明了這一看法。台灣勞工處與教育廳合作籌辦，對應屆國中及高職畢業生進行就業意願調查，發現應屆國中畢業生志願就業者僅二萬七千九百廿六人，約佔其總數一〇·七三%，高職方面，志願就業者六萬四千七百零四人，約佔其總數六三·六五%，兩項志願就業人數合計九萬二千六百三十人。但據勞工處統計，各區國民就業輔導中心掌握的就業機會，合計需要國中畢業程度者五萬八千三百六十九人，高職程度七萬四千三百五十人，兩者合計十三萬二千七百一十九人，供需差距約為四萬人，約佔所需勞工的三〇%。若再加上工作地點、工作條件、待遇、工作性質不合等因子，則供不應求的情況更為嚴重。但是，假若下半年起，真如預測，國內外經濟出現衰退跡象，則這種供不應求的情況將告緩和。

不過，從長期看，勞力不足問題，卻不容忽視，因為人口成長率業已降到百分之一左右，若干年後（有人估計是卅年後，但或許會提前），人口成長率將為零，甚至出現負數。即使從近年看，勞力供需亦已呈現重大變化，目前勞力不足的原因，似可從結構、技術、經濟三方面分析之。

從結構面看，由於產業結構有所改變，服務業就業人數迅速增加，隨而導致若干其他產業中就業人數外移，以民國七十六年言，勞力淨移轉率為正的產業，計有金融保險不動產及工商服務業的二．八%，商業的一．六%，公共行政社會服務及個人服務業的一．二%，勞力淨移轉率為負的，計有礦業及土石採取業的六．九%，農林漁牧業的一．四%，製造業的○．九%。就淨移轉率為負的三個產業來說，前二者是沒落的行業，其勞力是有些被動性離開，而製造業仍是成長中的行業，其勞力的淨移出，是主動性多於被動性，這是為服務業勃興而誘發，隨而導致製造業出現勞力不足現象。

從技術面看，國內產業升級速度不如預期，亦即以資本代替勞力的速度，不如預期那麼快，以致製造業與營造業對於基層勞力之需求不減，而且隨著產出增加，對於這一類勞力的需求反而跟著增加，以致供需之間的差距亦越拉越大，上述對於國中暨高職畢業生的需求，亦以這一類的勞力為主。這類勞力供不應求，或供需間差距拉大的情況，亦可從職業別的勞工移轉率之統計資料看出。這類勞力的職業別，是為「生產作業人員」，他們的淨移轉率在民國七十五年為負○．一%，七十六年則升為負一．○%。

關於經濟面的解釋，有現成的經濟理論可資利用。據此理論，工資上升，對於勞動供給量的影響，是經由代替效果與所得效果。前者是指工資上升，使休閑的機會成本增加，隨而迫使勞工以工作「代替」休閑，使勞動供給量增加；後者是指工資上升使勞工所得增加，增加的所得，可以增強對很多財貨的購買，其中亦包括休閑在內，以致所得效果將減少勞動供給量。職此之故，若是代替效果大於所得效果，則勞動供給量將因工資上升而增加；反之，則勞動供給量將因工資上升而減少。一般說來，在工資處於低水準之時，代替效果常大於所得效果。廣而言之，工資上升的所得效果，不僅減少勞工本身的勞動供給量，而且延長其子女教育期間，隨而減少未來的勞動供給量。目前有人認為國民就業意願轉弱，注重休閑，不再汲汲於工作，正是這種所得效果在發揮作用。

既然找出勞力短缺的原因，有關當局即應對症下藥，以解決勞力不足問題，譬如：㈠停止或檢討家庭計畫，不能再鼓勵「兩個孩子恰恰好」；㈡鼓勵業者作資本或技術密集的生產方式，以減少勞力需求；㈢確立對外投資政策，鼓勵業者將勞動密集產業移轉國外，但需促使本土產業升級；㈣重大工程開國際標，並規定國外得標者須自備勞工；㈤必要時須有計畫開放外地（注意，此處是指「外地」，而非狹義的「外國」）勞工進口；㈥確立半日專職制度，俾使很多年輕母親就業；㈦確立工作倫理，激勵工作意願。

（七十八年八月二十一日刊出）

「新市地公有」的意義

本專欄曾先後以「房租管制的商榷」「雙殼重稅不可行」「廣建國宅不足恃」為題，駁斥病急亂投醫情況下，朝野為「住者有其屋」提出的若干擬議。在這三篇文章中，雖然亦都提出一些解決之道，但均屬於短期治標方法，至於長期治本措施，實則已於六月廿六日本專欄中提出。

在該篇「住者有其屋達成之道」專欄中，曾經提到要實踐中山先生所提倡的「另闢新埠……至於地皮衹可由公家購買」之「新市地公有」理想；並建議政府在大都市附近建立衛星城鎮，使人民（包括工商業者）只擁有建築物的所有權，而租來土地之使用權至少有半個世紀，隨而類似恆產；為著實踐此一理想，還須修訂有關法律，規定任何土地若變更地目而改為建築使用（住宅用地或工商用地），只有政府有權購買，再由有關人民租來作為住宅、工廠或商業用途之建築用地。

採取這種方式的「新市地公有」，對於整個經濟社會，至少有下列六種效益。首先是在長期裡，真正達成「住者有其屋」目標，這是由於在這種情況下，房價將約略等於建築費用，其價格將遠低於現在，因以今日台北市的房價言，其中土地價值約佔六至九成，現若土地只有使用權，則房價將只有目前房價的四成甚至一成，以致很多無殼蝸牛均將買得起住宅。由於住宅本身有所有權，照樣可以繼承抵押與轉售。仍可滿足「住者有其屋」的多方需欲。

其次是徹底消除土地投機。根據以往經驗，土地投機者通常的伎倆，乃是先以賤價買下山林地甚或農地，再設法變更地目——其中亦常涉及地政人員受賄而同流合污，等到地目變為建築用地後，則地價將暴漲千百倍，甚至萬倍，隨而獲取暴利。現若規定任何土地變更地目而改為建築用途時，只有政府才可購買，將可杜絕一切土地投機行為，因為即使這些投機者事先設法以低價取得農林土地，但到最後變更為建築用地時，仍須以公告地價（最多加若干成）賣給政府，隨而消除其投機心理。如此，且將有利於政府官員形象之維持。

第三是促進工業投資。目前地價高漲，業已阻止不少中小企業的投資行動，以桃園縣觀音鄉為例，其農地原來價格為每甲兩百萬元，後來由於工業局打算在那裡設工業區，地價暴漲到八百萬元一甲，等到工業區計畫快定案之時，地價已經漲到每甲七千萬元，迫使工業局宣布取消在該處設工業區的計畫。農地價格如此高漲，當然阻礙了很多企業的投資，或將其投資移向海外。所以，為促進投資，政府應以土地徵收方式建立工業區，對於區內土地只租不賣，以減少投資設廠的負擔。這一措施且將進一步地促進工業投資，因為現有很多工廠原在郊區，現因都市擴大而使它們變為市地，幾乎寸土寸金，導致這些企業家想要出售廠址，改為商業或住宅用地，至於其企業則收攤了事；若是其廠地是租用，當然會持續投資，一以貫之。

第四是促進農業發展。目前我國農業仍然約佔總人口的一九%，但大多數農家的土地只有幾分地，以致成為兼業農或副業農，其所以固守小面積的農地，雖有很多原因，但是，最主要理由之一，乃是期冀變更地目後，每坪能賣若干萬元，而可立即致富。在這種心理取向下，不僅使農業人口在總人口中所佔比例難以降低，更重要的，乃是有志於農業的專業農難以擴大其農場規模，蓋因在這種期冀心理下，農地價格必然是獅子大開口，以這種高價位購入農地，別說專業農無力負擔，即使政府提供大量貸款，該農地產出亦難以支付貸款利息，更別說還本了！現若規定農地改變地目而為建築用途，即須賣給政府，則將消除兼、副業農上述期冀心理，不再蹉跎歲月，而及早按實際價格出售其狹小的農地。如此，將可有助於專業農陸續收購農地以擴大其農場規模——目前我國面臨的農業難題，主要是在於農場面積過小，現在若能有效擴大農場規模，當然可以改進我國農業體質，有助於面對進口農產品的競爭。尤有進者，兼、副業農出售這些農地後，亦可使不少資金與勞力由農業釋出，而投向非農業。

第五是降低商業成本，有助物價穩定。目前台北市忠孝東路店面房屋的租金，已達每坪萬元以上，在水漲船高的情況下，這些高昂的房租，必將轉嫁到商品價格上。台北市物價水準在全球名列前茅，現若房價大為降低，亦將使房租下降，從而降低商業成本，並有助於物價穩定，以降低消費者負擔。

最後則是市容整齊與易於管理。新市地公有，人民須向政府租地建築，所以有關當局不僅可以確切地劃分工、商業區與住宅區，甚至可以規定其建築物型式、高度與顏色，使市容得以整齊，尤其可以嚴格執行區域分隔，因若在住宅區經營工廠或色情行業，有關當局可依合約收回其所租市地。

假若有關當局真要解決住者有其屋問題，並注意長期經濟發展，就應該早日將國父「新市地公有」主張付諸實施。

（七十八年十月三十日刊出）

切實貫徹「平均地權」遺教

土地是最原始的生產手段，亦是最重要的財產，孟子所謂「無恆產者無恆心」中的「恆產」，即指土地。所以，世界各國歷代政府都將土地利用及分配問題，視為重要政策的核心，在農業社會裡，其重點是置於農地，但在工業社會，此重點則移至都市用地上。中山先生「平均地權」的主張則包括此二者，即對農地主張「耕者有其田」；對於都市用地則主張「自報地價、照價徵稅、照價收買、漲價歸公」。

我中央政府遷台後，在農地方面，連續實施三七五減租，公地放領及耕者有其田等措施；在市地方面，先於重要都市地區實施平均地權，再自民國六十六年起全面推行，但為方便計，將「自報地價」改為「規定地價」，由有關單位每年公告土地現值，作為課徵土地增值稅的憑藉，再定期公告地價，作為課徵地價稅的基礎。檢討起來，我們在農地方面所實施的遺教，似乎做得有些過火，因為中山先生原意只是要「讓民眾自己可以多得收成」或「耕田所得的糧食，完全歸到農民」，以致「大家都高興去耕田，便可以多得生產」（民生主義第三講），而現行法令卻限定只有自耕農才可以購買農地，厲行「農地農有農用」制度；在另一方面，在市地方面，關於遺教的實施，卻在大打折扣，因為平均地權的重心，是放在「自報地價」上，中山先生還曾嚴厲批評英國實施的類似「規定地價」之估價制度（三民主義手著本）。

就是由於這種「過與不及」，使我國土地政策產生問題，那是在「農地農有農用」制度下，影響土地的正常移轉，影響市地供給，但卻出現了很多假自耕農，再運用「關係」以變更地目，達成土地投機，而「規定地價」下的地價與現值，因與市價有很大差距，更助長投機風氣，此所以近年來房地產價格得以暴漲。

針對房地產狂飆，有關當局提出兩個對策或擬議：一為區段徵收；一為優先購買權。前者是徵收土地建立新都市，容許地主以補償的地價購回其原有土地的半數；後者是於人民在出售其私有土地之時，政府有優先購買權。這兩種方法均有其作用，但均將無法遏抑土地投機，先拿區段徵收來說，就世代居住該地的地主而言，自有土地突然減少一半，心理上當然有些不適應，但對投機者來說，卻正中下懷，譬如說，他原以三百萬元購入一甲農地，徵收完成後，地價變為十萬元一坪，以致其能購回的五分地（約一千五百坪），可值一億五千萬元，照樣達成其投機目的。再說優先購買權，若是無法建立公正且具公信心的估價師制度及其他相關措施，則這一方法將會導致很多土地假買賣，以虛抬地價，而將浪費很多公帑，讓土地投機者轉而大賺政府的錢。

由此看來，還是作者近年所倡言的，實施「新市地公有」遺教，足稱上策，益因中山先生主張「另闢新埠……至於地皮祇可由公家購買」，以致政府可於土地法中規定，任何地目若變更為「建築用地」時，只限政府購買，按公告地價加成給付，再由人民長期租用，建築住宅、商店或工廠。這一辦法之所以可稱上策，是因為可以不太變更現行「規定地價」制度，且可遏抑土地投機，並產生多方面效益（詳見去年十月卅日本專欄）。只是目前民意代表常為利益集團左右，立法時可能遭到抗拒，是以，也許應該採取較易為各方接受的中策。

此一中策，是要奉行另一　國父遺教，那就是政府要切實貫徹「平均地權」的遺教，亦即恢復「自報地價」，而將現行的公告地價及現值辦法廢除，然後按此地價「照價徵稅」與「照價收買」——在現行辦法下，地主常有兩極化的反應；調整公告地價時，地主在繳稅時嫌地價偏高，以致七十七會計年度地價稅大打折扣，使公信力大損；但當政府徵收作為公共建設用地時，又嫌地價偏低，引發很多抗爭。現若恢復「自報地價」，不僅可以解決徵稅與徵收之紛爭，更可抑制投機，益因此時土地買賣，須按實價課徵增值稅（可對謊報售價者處以地價若干倍之罰金），投機者將無利可圖。再說，自報地價後亦可避免公告地價與公告現值間的背離，因為二價業已合一了！

「自報地價」的構想，是要地主在「照價徵收」與「照價購買」之間「自訟」，終將按市價申報。若是地主得知某一公共建設將徵用其土地，而須將其地價驟然報高，則地政機關可以會同專家組成委員會予以調查（凡每年自報地價較上年增加五成以上者，即為調查對象），若發現是虛抬地價，則將其斥回，改以歷年平均增值率定其地價。若因土地糾紛或其他原因而故意低報地價，仍可照價收買，但可作「現狀拍賣」。至於農地，亦須農民每年自報地價，其地價稅可採特優稅率，譬如特定農業區、一般農業區與山坡地保護區為千分之一（現行地價稅基本稅率為千分之十），都市計畫農業區為千分之二。或者是稅率依現行規定，但暫不課徵，而於改變用途時追繳，惟追繳有一定年限，譬如說，三十年——稅款不妨分期繳納，但出售時須一次繳清。

關於農地實施遺教「過」火之處，農委會正在研擬「農地利用法」予以匡正；市地方面奉行遺教「不及」之處，亦須設法彌補，回歸遺教。

（七十九年三月五日刊出）

何不早日開放大陸勞工！

立法院目前正在審查「就業服務法」草案，並將外籍勞工納入，俟該法全案通過，並經總統公布，外籍勞工就可合法輸入了！為著不使大陸勞工向隅，該法第六十七條規定：「本法關係外國人之規定，於無國籍人、中國人取得外國國籍而持外國護照入境或持中華民國護照未在國內設籍，或大陸地區人民，受聘雇從事工作者，準用之。大陸地區人民準用實施之時間由行政院報立法院同意後訂之。」

將大陸同胞視為外國人，當然有些不倫不類——行政院原來有意將大陸勞工來台就業一事，置於兩岸人民關係條例之中，但為引進外籍勞工之同時能顧及大陸勞工，此條規定不妨視為暫時性引進大陸勞工的母法，再徐圖納入兩岸人民關係條例，亦未嘗不是權宜之計。

無論是引入外籍勞工還是大陸勞工，其原因都是由於台灣勞工不足。關於勞力不足原因，據月前某大學社會系對產業界的調查，認為主要是工作意願低落，其次是轉入非製造業。在這方面，是與另一調查結果吻合，那是中國生產力中心與日本生產性本部合作所作的調查，發現㈠國人年齡愈高者愈強調工作，愈年輕者愈重視休閒，尤以二十至二十九歲的年齡層為然；㈡四十歲以下的員工，比起四十歲以上者，「不願意常常加班」或「完全不願意加班」的情況，明顯地多得多。但就長期者，生育率的降低，才是勞動不足的主因，而且，工資愈高時，其所產生的代替效果（以休閒代替工作）亦愈大，所以，只要台灣經濟持續發展，勞力不足將是永存現象。

據該大學調查，目前業者所採取的因應方式有三：一為調整工時與人力；一是減產；一是外包。他們亦知道這不是長遠之計，認為理想的方式，是採用外籍勞工，採用大陸勞工，自動化三種解決辦法。在比較外籍勞工與大陸勞工方面，該調查有下列發現（均可複選）：贊成引進大陸勞工者為六六．四%，贊成引進外籍勞工者為五八．一%。

無論是聘雇大陸勞工還是外籍勞工，在公司管理上都比本地勞工麻煩，但是，受訪的業者們，認為外籍勞工遠比大陸勞工麻煩，所以，認為公司管理有問題，在大陸勞工方面，答案為「有」的只有二八．九%，而在外籍勞工方面，認為有問題的則高達五五．二%

從以上結果，可以明顯看出業者們對於大陸勞工的偏愛，所以，在調查到缺少勞工的企業時，願意聘雇大陸勞工的高達七一．二%，而願雇外籍勞工的只有一一．九%，相形之下，簡直不成比例。

其實，這種調查結果，是在意料之中，因為大陸勞工，是我同胞，不僅在情感上有血濃於水的感覺，更重要的是語言文字相同，生活習慣接近，文化背景一致，使大陸勞工易於學習，易於管理，以致大陸勞工在效率上將遠高於外籍勞工。亦就是由於這些原因，大陸勞工在社會上易於相處，以致社會成本要比外籍勞工來得低。在相同的工資水準之下，大陸勞工生產效率高，社會成本低，難怪業者較為偏愛了！

除開經濟因子，雇用大陸勞工還可以產生很多效益，那就是在消極方面，經由大陸勞工的引進，可以增進兩岸人民的瞭解，藉以緩和兩岸緊張關係。在積極方面，若是經由良好的策劃，譬如說對大陸各地區給予勞工配額，在台工作期滿後返回大陸原居地，以其在台的積蓄與所學生產及管理技術，可以成為個體戶，有助大陸民營企業的發展，再經由他們在台灣經歷過的生活方式之傳播，可以縮小兩岸在意識型態上的差距——這些效果，都是我朝野所期盼的，現若經由大陸勞工的引進而達成，豈不是一舉數得。

此處所說，希望引進大陸勞工，並不意味著排斥外籍勞工，蓋因有些業者也許對外籍勞工有所偏愛，何況外籍勞工之輸入，亦產生一些外部經濟，那就是有助於我國和東南亞國家實質外交關係的開展。至於大陸與外籍勞工的湧入，是否會阻礙台灣產業升級工作，則不須過慮，蓋因他們既然是合法輸入，則必將是同工同酬，而非雇用廉價勞工，以致勞力密集產業仍須致力於升級工作，否則仍將遭到淘汰。職此之故，外地勞工應可早日開放，尤其是大陸勞工。

（八十一年一月十三日刊出）

土地問題與土地稅

儘管政府首長否認有「二次土改」的名稱，但是，成立約兩年而由政務委員主持的「行政院當前重要土地問題專案小組」，其所研討的範圍，卻相當全面，真若能研議出合理的政策，並順利付諸實施，則真有「改革」之實——真不知道領導階層為甚麼要害怕改革？

該專案小組的工作重點有四：㈠加強公共建設用地取得；㈡貫徹土地漲價歸公；㈢防止土地投機；㈣促使土地合理有效利用。這四個重點，可說是籠罩了當前全面的土地問題，亦可說是切中時弊。只不過「貫徹土地漲價歸公」，可能會滋生社會疑慮，蓋因目前土地增值稅的最高邊際稅率已達六〇%，現在還強調「貫徹」，是不是要使「漲價」完全「歸公」？這亦就是社會上有產階級對增值稅按土地實際交易價格課徵表示疑慮的原因之一。事實上，土地漲價若是完全歸公，絕對會影響到土地有效利用——這一點，李登輝總統於數週前對縣市長的談話中，已經說得很明白。所以，為避免疑慮，應可改為「貫徹平均地權」。

說到平均地權，國父孫中山先生的遺教，大家都耳熟能詳，那就是「自報地價」「照價徵稅」「照價收買」與「漲價歸公」，後者是現行土地增值稅課徵的依據，但為顧及土地有效利用，而可作彈性處理外，其餘三項，是頗符合近年來「公平分割競局論」（**Theory of the Game of Fair Division**）精神，蓋因「照價徵稅」，是指地價稅，中山先生主張「以後照（地）價年約百分之一或百分之二」「新主則照新地價而納稅」，很像美國現行的財產稅（現為一%）；若是地主想逃稅，而將地價以多報少，則政府可照價收買，使地主損失；若地主希望政府收買而將地價以少報多，則政府不買，使地主每年負擔高額地價稅。是以，在兩相權衡之下，所報地價將建於合理，亦即中山先生所說的，「地主當必先自訟而後報其價值，則其價值必為時下當然之價矣」（三民主義手著本）。

照中山先生原意，土地在轉手以前，地價稅是一定的，但是，現行制度卻非如此，每三年公告一次地價，即使未轉手，亦使地價稅每三年調高一次；再為課徵增值稅，每年公告土地現值一次。以前，公告地價與公告現值，每三年還重疊一次，即公告地價那一年，以公告地價作為公告現值，後來，卻因「體恤民情」、減少土地持有者地價稅負擔，而使兩價分離，亦就是刻意地降低公告地價上升的幅度，使一塊土地的公告價格，同時出現有兩種不同的標準。

這種做法，顯然是背離了平均地權遺教，蓋因這是扭曲了「自報地價」原意，也使「照價徵稅」成為政府增加稅收的手段，更使「照價收買」成為具文，因若買者照公告現值申報地價，政府怎麼能否定自己公告的現值，而認定此地報價過低，進而予以照價收買？現在，行政院專案小組還擬訂罰則，重罰那些以多報少的土地持有人，同樣的道理，亦將使此罰則成為具文。

解決這些問題的基本之道，就是廢除現行的公告地價與現值的辦法，讓地價稅與增值稅，均按土地實際交易價格課徵。改制後的地價稅，將與美國財產稅類似，在土地未轉手前，每年稅額不變；轉手後，則新地主按新的地價納稅。由於房地產中，地價與房屋價值難分，不如合併地價稅與房屋稅，而稱為財產稅或其他名稱（例如不動產稅）。對於土地增值稅，固然可以仿效很多國家，將土地增值部分，看作土地交易所得，納入綜合所得稅計算，但從理論上看，所得是流量，財產（房地不動產）是存量，現若將存量併入流量計算，在邏輯上有其礙難之處。所以，土地增值稅仍以單獨課徵為是，且為一貫計，不妨改稱不動產增值稅—即使將「增值」視為「交易所得」，這亦可以看作是一種分離課稅。事實上，主張將增值稅併入所得稅課徵的看法，其主要動機，不外是所得稅稅率較低，最高稅率為四〇%，遠低於增值稅的六〇%，是以，增值稅若按實價課徵，就必須將增值稅率大幅降低，甚至可採單一稅率，並使此一稅率接近甚或低於所得稅最高稅率，至於自用住宅亦均按實價課徵，但可在稅率上予以優惠。

不動產稅與其增值稅既按實價課徵，必將引發一個老話題，那就是實際地價難以掌握。其實不難，只要掌握中山先生所說的「自訟」原則，就可以掌握實價。這在基本上是公平競局；一方面，是稅率合理下誠實報價，可以心安理得；另一方面，謊報被查到後，政府不僅會照價收買這塊不動產，也且要課以謊報的罰金。由於絕大多數人民是風險逃避者，所以，將會誠實地自報地價。即使如此，對於大筆交易，有關單位仍須密切注視，甚或追查；對於其他交易，則可採取抽查方式；若發現謊報，當予照價收買並予重罰。如此一來，實價何難掌握？

（八十一年十月二十六日刊出）

水資源與市場機能

在「水資源的『三不』」一文中，主要是點出當前台灣的三大癥結，是

水量「不」足；

水質「不」淨；

水權「不」均。

由於篇幅所限，所以只是指出問題，並未提供答案——雖在該文結尾之處提到，「其實這『三不』問題，都可經由市場機能予以解決，亦即貫徹受益者付費原則」，但因語焉不詳，只提示一個方向，並未說明具體解決之道，本文則是補充說明。

從市場機能觀點看，「不足」與「不均」，在本質上有相似之處，可以合併處理，而「不淨」則完全是另一範疇，須予另案處理。

所謂市場機能，就是價格機能，其最基本的動機，是要解決資源或財貨的分配。舉個例來說，假定一個社會只有100人，現在出現一件高級衣料，若是免費，則大家都想要，如何處理呢？其解決方式不外兩種：一為平均分配，將這件衣料剪成100塊小片，每人分一片；一為抽籤，大家碰運氣。二者均有後遺症：前者是平白地浪費了一件好衣料；後者則使大家都患得患失。尤有進者，無論採用那一種，都將引發更多的疑難：首先是蔑視個人偏好，益因按平均分配的方法，不論對該衣料喜愛的程度有何不同。其結果都是一樣。而於抽籤方式下，極可能是將對衣料偏好最多的人排除在外：其次，無論是平均還是抽籤，都要另有局外人主

持，依現代觀點，此主持人常為政府，真若如此，則任何財貨的分配，均須勞動政府，政府豈不是不勝其煩？何況這只涉及需求面的處理而已，完全沒有考慮到供給面，蓋因免費的結果，將是無以為繼。

在這種情形下，價格制度就脫穎而出，因為在這個事例中，很可能是由可以創造最高附加價值的成衣業者，以最高價格取得這件衣料，這顯示在資源配置上，是應該將資源分派給效率最高的生產者。至於這件成衣的買者，在購買力相等下，亦將是對該成衣偏好程度最高者。且因市場競爭，將使衣料與成衣價格趨於合理，使買賣雙方各得其所，而達到均衡境界。

當然，市場機能亦非萬無一失，而有其失靈之處，此即在壟斷性、外部性與公共財等場合，價格機能難以發揮作用，而須政府出面干預。

將市場機能應用到水資源的處理上，很多問題將迎刃而解。首就水量不足而言，若是受益者或使用者付費，讓水費充分反映成本，則水利單位將有充足經費以興建水庫與壩堰。在這方面，農業用水在原則上亦應一視同仁，按量收費。從此觀點看，各地農田水利會仍然維持其私法人本質，是有利的，因若成為公法人，則不論水費之有無高低，政府均將成為各方的箭靶。

既然所有給水，均須付費，則水權不均問題也將隨而一併解決，因若水權登記時即預收一筆費用視為定金，則水權分配愈多者，所繳定金也將愈多；再若規定每年清查使用實績，若使用量與分配量使用不成比例，則減水其水權分配量如此，將使很多農田水利會在水權爭取上，不致像以往那樣激烈。

或者有人認為如此付費，農民將難以負擔，殊不知價格有指導生產的作用，如此，將使農民生產耐旱及高經濟價值作物。但在目前時空情況下，要將水權不均問題完全付諸市場機能，亦非完全可行，以致可能要動用市場失靈論。

就市場失靈情況看，萬年水權觀念的本身就是壟斷性，所以，政府應有以突破之。在外部性方面，農業若仍取得7成以上用水，勢必擠出工商及民生用水，降低國民生產，以致產生外部不經濟——勉強可說的外部經濟，乃是農業用水有灌注地下水和維護生態的功能，由於此二者，或可稱農業用水有一些公共財性質，以致在水量使用上，可仿工業用電之例，予以特別折扣。

至於在水質不淨方面價格機能之應用，無論是使用拍賣汙染權還是罰款的方式，都是要使汙染者感受到，就長期言，防治汙染比製造汙染划得來。

（八十四年十二月十一日刊出）

失業析因暨對策

國內失業率自去年起就居高不下，其原因至少有四：

首先是經濟景氣衰退，去年1至11月，歇業廠商達21,878家，以致12月因場所歇業或業務緊縮而失業者高達81,000人，比前年同月增加42,000人，佔去年12月失業人口的三分之一。

其次是由於產業結構的改變，是整個產業移向資本密集與技術密集，導致企業就業人數規模出現下降的趨勢，全體企業平均規模由民國80年的9.92人下降為84年的8.94人。

第三是中小企業式微，家數減少，以致就業人數跟著下降。

最後是攸關求職者心態，他們之中很多不喜歡體力及工廠操作等工作，而較偏向於服務業，行政院主計處去年8月所作的一項調查，正顯示此一傾向，那就是對29歲以下的失業者調查，發現在生產操作工及體力工的工作上，事求人比人求事多出23%以上，但在服務業及事務性工作方面，人求事比事求人高出5倍多。

這四個原因中的一、三兩項，表面上看起來，是自然形成的，但若稍加探索，將可發現，其根本原因是來自政經政策的偏差。

先說景氣衰退問題，去年一年世界景氣並不算差，先進國家中美、日、德等國經濟成長率都高於前年，鄰近國家亦多如此，而我國卻有「斯人獨憔悴」之寂寥，這主要是與前年起，領導階層處理兩岸關係不慎所致，所以，自前年5月李總統訪美後，兩岸關係就大為倒退，導致經濟成長率節節走低，去年初，本專欄曾撰文分析而指出，前年的季成長率和兩岸關係成反向變動；去年實際經濟成長遠低於預定成長率。當然是與中共「搗蛋」及兩岸關係僵化有關。

說到中小企業式微，本專欄曾經多次揭示，是由於在金權政治下，大財團幾乎是「三千寵愛集一身」，中小企業則相對地受到冷落與漠視，從而，導致就業機會大減。即使在產業結構大為改變情況下，所有企業就業人數平均規模雖在下降，但是，中小企業的下降速度要比大企業緩和得多，以80年至84年為例，中小企業的平均規模由7.92人降為7.27人，減幅為8.20%，而大企業卻由137.55人大幅減少為88.93人，減幅達35.35%。因此可說，若是中小企業得到應有重視而不致式微，則失業率就不會如此居高不下。

職此之故，為著解決失業問題，政府就必須矯正政策上的偏差，簡言之，針對這兩個原因，政府在解決失業問題上，必須要採取兩個對策：一為改進兩岸關係；一為激勵中小企業。

尤有進者，針對其他兩個原因所須採取的對策，也與矯正偏差的政策密切有關，因從上述第二個原因看，產業結構的改變，雖使企業平均就業人數減少，從而增加失業，以致只有增加廠商數目以擴大就業，這就需要吸引投資，隨而要改進投資環境。政府對投資環境的主要責任至少有二：一為消極地降低不確定；一為積極地創造商機。否則，「皮之不存，毛將焉附」，縱有最優厚的租稅減免，亦難以誘發很多的投資。不幸得很，我們的政府卻像是不確定的製造者，遠的不說，但說去年底的國發會，其在政治方面要凍省、廢除鄉鎮選舉，中央採取所謂改良式雙首長混合制……對於國內政治生態、權力制衡，甚至兩岸關係，不啻投下多顆重磅炸彈，平添很多不確定。

說到創造商機，原先構想的亞太營運中心，本來就朝此方向規劃，但是，卻於去年下半年突然出現「不以大陸為腹地」的說法，再加以兩岸三不通，以致注定亞太營運中心的難以實現。如此，將會連帶地使針對上述第四個原因所須採取的對策，很可能也成為泡影，這是由於亞太營運中心下的6個中心，除製造中心外，幾乎都是屬於服務業，現若亞太營運中心難以成立，又如何能解決求職者偏愛服務業的傾向？

是以，要想解決失業問題，政府高官必須自省，勇敢地改正以往的偏差政策。

（八十六年四月十四日刊出）

汽車工業政策的檢討與改進

去年十二月，政府有關單位突然以迅雷不及掩耳的方式，通過中鋼公司與日本豐田公司合組大汽車廠。可是，一年過去了，廠址還沒有決定，而且最近又傳出，豐田對於百分之五十的外銷比率，不肯認帳，使大汽車廠計劃有趨於難產甚至流產之虞。在此關口，個人覺得有對汽車工業政策痛加檢討的必要，蓋因我國汽車工業一直是在保護政策卵翼之下倖存，其歷程宛若貿易政策書籍中所討論的零碎性生產（Fragmentation of Production）。

所謂零碎性生產，是指保護政策引起多於國內市場所需之廠商數目；這些廠商都以小於最適規模長期平均成本最低點的產能，生產類似的產品，一開始，就因為國內市場有限，無法建立最適規模的廠商，而不應該生產；假若硬要生產，就必須靠高額關稅保護了，好保護一家廠商生產，並保護它享有壟斷性利潤，若干年後，國內需求增加，此一廠商規模隨而擴大，而有趨向最適規模之可能，但因關稅稅率不變，使其壟斷利潤增加，如果該廠商沒有力量構成加入上的障礙，勢必吸引新廠商的參加；而且有些廠商看中未來美景，提早加入以佔領陣地。本來由於保護，使外國廠商隔絕於外，但是它們一直躍躍欲試，想到當地投資，以分享一杯之羹；如果政府為要保護國內消費者，而歡迎外資，則外資正可長驅直入，惟因分享壟斷性利潤，亦應以當地市場為目的，故以低於最適規模之小規模來生產。但外國廠商格於法令，亦不能打擊本國廠商，以致在遞增規模報酬的產業裏，好多個本國與外國廠商，以遠低於最適規模之內部不經濟階段來生產，以分享國內市場。照說，最後均衡是應該只存在一個大規模廠商，而現在造成零碎性生產的不經濟現象，完全歸因於固定的關稅稅率。

現在回過頭來看看我國汽車工業的歷程，真和上述情況若合符節。根據先進國家經驗看汽車工業發展，至少須具備下列四個條件：㈠國內具有相當規模的市場；㈡主要零組件的生產及汽車的裝配，須具有最小的經濟規模；㈢須有合格的衛星工廠及相關產業以資配合；㈣須有相當數目的專業人才。其中所謂市場，主要不是在於人口，而是在於所得，車價與所得在五比一時，是汽車需求大幅成長的時期。我國大約是在民國六十年代中期以後才約略具備這些條件，可是，卻早在民國四十年代初期，就容許裕隆公司建立汽車工業，一面對進口汽車課以高額關稅，一面又對汽車管制進口。對於轎車的稅率經常維持在百分之五十與七十五之間（一度提高到百分之百），現在還是百分之六十五與七十五。再因我國關稅是按到岸價格加兩成計算，故有效稅率常在百分之百以上。

照道理說，民國六十五年以前，我國不應該在國內建立汽車工業，可是，卻不按牌理出牌地建立了，使用了一連串保護措施，使國內消費者付出很大代價，卻毫無成績，例如四十七年起，裕隆與日產合作，擬每年增加自製率百分之二十，於五年內達成完全自製，換得政府批准而保護之，但是，後來卻修改為每年增加百分之十自製率，最高以百分之六十為限。因而可以說，當初於四十年代建立汽車工業，就是根本錯誤。但這只是「錯誤的第一步」。嗣後，卻又接二連三的出錯，以致造成目前汽車工業「卡」「嬲」現象——上下不得，左右為「難」。

第一個錯誤，是很多後進國家常犯的誤失，但若亡羊補牢，亦未嘗不可以使汽車工業漸成氣候，那就是視國內需求增加與汽車生產廠商規模擴大，而逐漸降低其進口稅率，使該廠商在合理利潤下逐漸成長，而漸漸達到最適規模。可是，有關單位卻在這個時候踏出「錯誤的第二步」，那就是自五十六年起，先後核准了三富、三陽、六和（以後改為福特六和）等另外五家汽車製造廠商，打散了裕隆本可成氣候的機會。政府這樣做，當然是想增加國內汽車製造市場的競爭性，但不知道參加的新廠商，其目的是在分享過高的壟斷利潤，並不想大規模生產，好在國際市場上一顯身手，甚至於汽車王國鉅子的福特公司在台分號開始每年只生產幾千輛各型汽車，使台灣汽車工業成為典型的零碎性生產。

要想收拾這種殘局，應該還是降低保護，亦就是要降低關稅率，促使國內汽車廠商來提高產出規模。可是，我國有關單位不但沒有這樣做，反而把稅率提高。民國五十四年九月起，政府將轎車稅率比原先的百分之六十降為百分之五十，其他車輛則調整為百分之卅五，但於六十年九月，卻把轎車的進口稅率提高到百分之七十五，大卡車為百分之四十六，其他車輛為百分之六十五，結果，使國內汽車製造商的壟斷性利潤更進一步地增加，它們不朝規模擴大的途徑前進，反而多增加車型，以致六家汽車製造商生產了廿四個車型，有的車型一年在國內只能賣出一兩千輛，造成資源分派上的極大浪費。這種因提高關稅稅率所造成的惡果，是踏出「錯誤的第三步」。

不幸得很，居然還踏出了「錯誤的第四步」，那就是在裕隆投資興建可年產二三十萬輛的三義工廠之際，中鋼公司卻為其產品找出路，要和外商合作建立年產二十萬輛的大汽車工廠。我們本來希望以「有他無我」的犧牲打，換取「有我無他」的未來美夢，誰知道合作伙伴豐田，只看中高度關稅保護下國內市場這塊肥肉，而想輕描淡寫地抹掉百分之五十外銷的承諾，致使有關單位「卡」在那裏。由於豐田志在我國國內市場，所以，即使大汽車廠成立了，其規模亦不會怎麼大，仍然將是零碎性生產的局面。另外聽說，我國選定作為華同重型汽車廠合作對象的日野公司，與豐田關係密切，假若日野真的像是豐田關係企業，那也許是我們踏出的「錯誤的第五步」，因若如此，再加它們不承諾外銷，則我國輕重型車輛的生產，都將落在豐田掌握之中。

檢討到這裏，我們可以冷靜地看出，如果大汽車廠由於豐田缺乏誠意而胎死腹中，未嘗不是一件好事。再進一步要探討的問題，乃是如何重新建立我國汽車工業改革。

首先要詢問的，從消費面看，我們應不應該鼓勵大家多用小轎車？據一份研究說，在民國六十八年，以單向停車言，台北的馬路及巷道都已擺滿；過不了多久，雙向都已擠塞，豈不是「行不得也」！所以，姑不論空氣污染或節約能源，即使就停車與行車言，亦不宜鼓勵小汽車的普及，而應發展大眾捷運系統。

其次就生產面看，若是認為汽車工業是關鍵性產業，以致認定發展汽車工業就會帶動工業升級，就過份忽視了晚近對連鎖效果的研究。汽車工業是火車頭工業的說法，已漸成過去式，因為目前很多研究指出，電子工業的連鎖效果遠非汽車工業可比，而且，我國正發展資訊工業，而今年電子電器亦已躍登出口第一位，是以，更應進一步擴展，而不須汽車工業代庖。再若就中鋼產品的利用言，發展機器工業，也許更勝於發展汽車工業。

最後就現行汽車工業本身言，亦可以失之東隅，收之桑榆，其方法應是雙管齊下。一方面，對現有的六家汽車製造商宣布，將現行各型汽車進口稅率，每年降低十分之一，預定十年內使稅率為零，如此，將可促使這些廠商在十年之內，致力於規模的擴大，否則，就將在未來勁敵的競爭壓力下而面臨淘汰。另一方面，政府可將中鋼原擬投資到大汽車廠的五十多億元，設為汽車發展基金，以其每年利息五六億元，補貼現行各汽車製造商研究發展工作，以提高其效率，以降低其成本；甚或運用這些基金，以及配合一些財稅減免措施，促進汽車製造商合併或分工合作，當更可使汽車工業現行的零碎性生產現象趨於結束，而朝新的方向發展。

Bastable說：「光是為著克服歷史缺點，是不足以要求保護，還須有最終成本上的節省，足以補償此社會在保護的學習期間之偏高成本。」我們已經付了約卅年的高昂「學費」，在汽車工業上，我們該要「畢業」了。以後的錯誤，也許是由於若干其他原或不足為外人道的苦衷，以致不必埋怨任何有關的製策者，但是，展望未來，我們必須要打破困局。

（七十二年十二月十二日聯合報刊出）

供給面的憂慮

本專欄於日前發表的幾篇中，提到國內投資環境的惡化，對於投資意願有不良影響。投資意願不彰，在短期內是會影響總需求，在長期裡卻將影響到總供給，所以，這些文字亦可稱為「供給面的隱憂」。但本文所說，則是著重短期供給面的憂慮。這些憂慮主要是來自勞力的不足，其次為電力與水力的不足，這些將會嚴重地影響到短期內工業生產的正常運作。

關於國內勞力短缺情況，有關當局曾予調查：先是行政院主計處於民國七十六年十月，以製造與營造二產業中各業為調查對象；後來是經濟部物價督導會報於七十七年十二月，以二十個製造業與營造業同業公會為對象所作的調查。

主計處調查指出，製造業方面，約有六六%的廠家勞力不足，其中尤以成衣、金屬、電器及電子、精密機械等業為甚，有八成以上的廠家勞力不足，共缺勞工約二十萬人，佔勞工總數七·七五%，其中以成衣及服飾品製造業方面，情況更為嚴重，約有七七%的廠家短缺勞力，其中又以一般土木工程業與房屋建築業缺少最多，均有八成以上廠家勞力不足，共缺勞工十萬四千餘人，佔勞工總數二五·三八%，其中以房屋建築業最高，此比率高達二八·六二%。

物價督導會報所調查的二十個同業公會，除人造纖維業與日用化學衛生品業無勞力缺乏現象外，其餘各業均有勞力不足情形，短缺人數佔其各別勞工總人數平均約在二〇—三〇%，其中以製鞋業與營造業四〇%，針織業三〇—四〇%，玩具業二〇—五〇%的缺工比率為最高。各業勞力短缺現象，大多屬於基層作業勞工，其中尤以對女性作業員之需求最為殷切，所需教育程度則以國中及高中（職）程度者居多。

從這兩個調查報告看，去年勞力不足情況又遠比前年嚴重，難怪去年在四小龍中，我國經濟成長是敬陪末座（南韓成長率為一二．一%，新加坡為一一．四%，香港為七．一%，我國為七．〇六%），而且南韓出口首次超越我國。

今年若是總需求不變，則勞力短缺問題仍然存在，而且還將出現另外兩個供給不足現象：一為普遍性電力不足；一為區域性水力短缺。我國電力將有不足之虞，以往也許給人以危言聳聽的印象，現在卻可能惡夢成真，一月間有幾天，台電供電系統的備轉容量低到只有五十萬瓩，本月份雖又回升到一百萬瓩多一點，但是最近，核三廠有一機組因有故障而停修，使發電量驟減九十萬瓩，以致現在運轉的各機組任何一組發生故障，台灣供電立刻陷入危機，即使僥倖無事，到了夏季用電尖峰時期，電力顯然供不應求，隨而必然影響到工業生產。

台灣省自來水公司擬從屏東縣東港溪引水，但其導水幹管埋設工程為新園鄉民阻擋，這不但妨礙高雄地區兩百多萬民眾一般用水，更會使所有工業區因缺水而必須停止生產，影響最為嚴重的，乃是中鋼與中油林園廠：前者因是一貫作業，若分區供水，則根本不能生產，以致其上、下游工業也受到連鎖衝擊；中油林園廠亦會因分區供水，完全無法操作，該廠供應的石化原料佔總供給量的三分之二以上，石化業佔國民生產毛額比率甚高，影響深遠。

前天，新園鄉埋管風波得到暫時協議，得以埋下臨時水管，暫以三、四、五月為限；在電力方面，台電公司則寄望六月底前，通霄電廠的一部卅萬瓩及大林電廠的一部五十萬瓩機組能夠完成，以稍解供電不足的燃眉之急。

水電不足問題尚未徹底得到解決，而勞力不足問題之解決更須假以時日，隨而形成供給面的憂慮，以致今年的經濟成長將更不樂觀，有關當局必須正視之；自來水公司必把握這三個月時間解決風波，並徹底解決南部供水問題；台電公司則不必把訴求放在民眾不歡迎的核四廠之興建上，而要著手興建火力等發電廠；至於勞力不足問題，涉及甚廣，有關部會必須同時採取長期及短期措施以解決之。

關於勞力不足之解決，將另撰專文討論之，此處只討論電力供應問題。作者雖然不是反核人士，但卻認為台灣地狹人稠，已有三個核能電廠，其密度可能是世界之冠，實在沒有必要再續建核能電廠，徒增人民之恐懼。事實上，核能發電成本雖低，但其建廠成本奇昂，以致純從比較成本觀點來說，亦不見得非常合算。在世界反核電浪潮下，今後世界除開闢水力發電外，可能因國際油價處於低水準而趨向火力發電，我國當然亦不例外，因為即使核電平均總成本較廉，我國亦沒有理由違反世界趨勢，置公眾危險於不顧，而去享受這種「便宜」的電力。

（八十二年二月二十七日刊出）

生產與所得政策分開

——農業結構政策必經之途徑

在開放經濟中，由於進口貿易的日益增加，若干傳統部門備受威脅，農業常是其中之一，尤以我國為然，這是因為我國是小農制，農場面積很小，平均只有一公頃左右，遠較歐美等國為低。針對貿易的威脅，這些部門必須調整，才可以救亡圖存，重新出發

關於這些部門的調整之道，大致上有三種論調：一為市場自由化；一為市場擴大化；一為市場更替化。前後兩者代表兩個極端的看法：市場自由化論調是認為完全競爭下調整速度最快，所以主張政府完全不予干預；市場更替化論調卻認為沒有政府干預，就不可能有產業調整。至於市場擴大化論調，態度卻甚中庸，認為政府協助，可以縮短調整過程與減少調整帶來的苦痛。

在市場擴大化的調整原則下，政府當然要參與農業結構調整工作，其所要調整的，在基本上，是要將生產政策與所得政策分開；生產政策是基於比較利益法則，期能達成市場擴大化目標；所得政策則以社會福利為著眼點，俾可緩和調整過程的摩擦。這樣區分，亦符合經濟政策法則，因為在理論上，一個政策目標最好只配備一種政策手段，如此，才不會使政策目標混淆，或政策功用抵消。以稻米保證價收購為例，據主管當局說，是屬於所得政策，但卻抵觸了稻田轉作產業政策目標；而且，從收購數量之規定看，農場面積愈大者受惠愈多，

這亦與照顧經濟弱者為目標的福利政策相抵觸。

職此之故，農業所得政策應以農民為對象，而不是以農產品為對象，以免與生產政策混淆，免蹈稻米保價數購辦法之覆轍，其方式是直接所得給付，即直接給予現金，而非其他物品，用無異曲線圖來分析。可以立即發現：若是金額相同，則現金給付比涉及物品能給予接受者更多的效用或福利，或在一定效用或福利水準下，現金給付的支出卻小於涉及物品的支出。據陳希煌教授分析，在台灣稻米收購措施中，於民國七十四年及七十五年，農民所獲利益分別只佔政府收購支出的1／5與1／4左右，可為明證。所以，今後應該改以現金直接給付，其方式可以列出每人基本生活費，譬如農民夫婦二人一年生活費至少為十二萬元，若其一年淨所得包括非農場所得只有九萬元，則政府直接給予三萬元以作為生活補貼—當然，此一所得政策最好能與社會福利政策同時進行。

關於生產政策，內容則較為廣泛，但其基本原則，是以農產品為對象，這些被視為策略性的產業，應該具有競爭力，所以至少要符合下列四大準則：㈠比較利益，亦即相對成本較低；㈡技術密集，須使用相當水準的技術，如此才可在後進地區勞動密集及先進國家土地密集的農業中獨樹一幟；㈢地區色彩，不僅發揮熱帶與亞熱帶產品特色，也且注意到中國文化色彩，而將大陸上若干農產品予以改良移植；㈣生活品質，這些農產品應有助於生活品質之提高，這在消極意義上是低污染，其積極意義是提昇生活水準與情趣，譬如高級花卉、樹木之培養，以及高級食品作物之栽植等等。

為著降低生產成本，農場經營規模必須擴大，這就涉及農業資源自由化了。農業資源主要包括人力與土地：農業勞動　雖可自由向外移動，但外在勞力想變為自耕農卻非易事，所以要予自由化，以增加行業間的流動性；農業土地則在耕者有其田條例下，幾乎動彈不得，所以必須予以自由化。

總括言之，只要維持「農地農用」原則，就不需硬性規定土地所有人的身分。在這種自由化下，耕者有其田條例應予廢止並對農業發展條例作重大修正，容許租佃制度的重生，因為租佃制度本身是合理的，有助市場機能作更柔滑的運行，其所遭人詬病的乃是其租佃條件，所以，只要以法律對租佃條件予以規範，則租佃制度的重建應有重大裨益。

新的租佃制度，是要實現「小地主，大佃農」的理想，使擁有幾分地到一兩甲地的兼業農及副業農，願意以合理租金將其田地出租給附近專業農經營（其租金若不足生活，另有所得政策予以照應），如此，專業農場可能擴大為十幾甲甚或幾十甲地，則場主所得當然可在規模擴大、成本降低情況下大為提高。假若小地主仍有存疑，則不妨將其田地出租給政府，再由政府轉租給專業農經營。再進一步說，這種大佃農不限於自然人，亦可能是法人，意即容許企業農場的出現，這些企業農場可以自購土地，也可租人土地予以經營，如此，可使企業將其財力及經營觀念投向農業，而讓這種企業農場在技術、經營、行銷上之創新，造福附近農民甚至整個農業。若是怕土地投機，則不妨通過立法，規定凡農業土地改為建築用地之時，均須以農業土地價格賣給政府，再由政府租給使用者作建築之用，以貫徹中山先生「新市地公有」之理想。

在生產面，除上述制度革新外，有關當局應該致力於資訊、技術與資金的提供，以協助這些專業擴大農場與市場之目的。

（七十八年七月十日刊出）

經濟倫理與企業家精神

語曰：「慈不掌兵，義不理財」，後半句是意謂，主張仁義的人，可能成為散財童子，而不適於成為生財與理財的企業家。再廣而言之，似乎是說企業人士不必遵守倫理道德，為著爭取利潤而可不擇手段。這一觀點當然是錯誤的，因為「盜亦有道」，何況是正派經營的企業家。

一般說來，企業家是資本主義社會產物，而韋伯卻以新教徒倫理解釋歐洲資本主義的勃興，可見企業家精神一開始就與倫理息息相關。將倫理應用於企業面，可稱為經濟倫理或工作倫理，說到經濟倫理的建立，我中華民族可說是鼻祖，在時間上領先西方約兩千多年，因為創建我國經濟倫理的白圭，是戰國之初甚或更早時候的人。

〔史記〕「貨殖列傳」形容白圭在經營過程中，「能薄飲食、忍嗜欲、節衣服，與用事僮僕同苦樂，趨時，若猛獸摯鳥之發」。白圭自己亦很自豪地說，「吾治生產，猶伊尹、呂尚之謀，孫、吳用兵，商鞅行法是也。是故其智不足與權變，勇不足以決斷，仁不能以取予，強不能有所守，雖欲學吾術，終不告之矣」。

綜觀白圭言行，大致可以分為經營之道與經濟倫理兩類。就前者言，又可析分為對外與對內，對內則是企業管理，著重信賞必罰，但亦注意對外的一諾千金，這就是「商鞅行法」；對外則是「商場如戰場」，必須按照兵法，使用謀略，更要把握時機以擴張戰果，這就是「趨時，若猛獸摯鳥之發」，講求「穩、準、狠」。在經濟倫理方面，白圭自己的談話中，已經出現「智」「勇」「仁」「強」四個德目，而其行為中，「能薄飲食，忍嗜欲，節衣服」，當然可以當得上一個「儉」字，而他「與用事僮僕同苦樂」，顯然是「勤」——廣而言之，「趨時」行為亦必基於「勤」，由此看來，經濟倫理與經營之道，實在難以分開。

在孔子心目中，「智仁勇」是三達德，白圭將此三達德納入經濟倫理之中，是把企業家地位努力向上提昇，其意思是說，凡能實踐經濟倫理的企業人士，亦等於是在實踐聖賢之道。說到這理，不禁想到杜蘭的話：在人類史上，有兩次巨大的經濟基礎轉變，道德標準亦隨之變化。一是由狩獵時代轉為農業時代，另一是農業時代轉為工業時代。這是說，經濟基礎有所改變，經濟倫理亦將必然隨著變化，此所以日前在一場提倡社會倫理的講演中，有人認為「不須孔子」。其實這句話有些似是而非，因為這種變化，並非全盤否定以前的倫理，而只是要予以修正，亦就是放棄絕對不合時宜的舊德目，保留其精神萬古彌新的德目並予以時代性詮釋，甚或增加符合時代所需的新標準。根據這些原則，可從白圭言行，建立當代所需的經濟倫理。

就任何倫理言，可以分為兩方面：一為個人美德；一為社會美德。前者著重自我要求，後者用於人際關係。白圭言行中的六德目中，只有「仁」是社會美德，其餘均屬於個人美德範圍。所以，要對社會美德補充當代企業界所需的一些德目，並對這些個人與社會美德中的德目賦予新的詮釋。

經濟倫理中的智、勇、強、勤、儉，是企業人士的自我要求，但後四者須予分辨與闡釋。勇與強在表面上似為同義字，但二者頗為不同；勇是外向的，是對外在挑戰的回應；強是內守的，是「自強不息」。就企業言，勇是對競爭與橫逆的反應，是百折不回，但是，具有勇氣的人，往往會在順境中消磨銳氣；至於強者則有所不同，即使在順境中亦會力爭上游。勤是進取，但非竭己之力，而是盡己之知，其具體表現是創造需求的創新活動。儉是樸實，其具體表現是降低成本的創新活動。這些個人美德之中，實以「智」為中心，因為若是缺乏智慧，則「勇」將成為魯莽，「強」變為頑固，「勤」是缺乏效率，「儉」則成為吝嗇。

經濟倫理中的社會美德，除仁外，還需補充忠、信、公與導。仁的本質是愛，能愛人的企業人士，必須能尊重同仁，並將利潤與其員工共享；而且具有仁愛的企業家，會使其生產對社會不致構成污染，使其產品對消費者不致構成傷害。忠是盡己之能，這不僅是在本身崗位上盡忠職守，以對企業效忠，還將企業投進整個經濟活動，促進經濟成長，提高生活素質，使企業對社會效忠。信是誠實不欺，企業人士要信任其員工，亦以行動使員工、顧客與社會信任企業人士，而誠信更是經濟交易中心必須秉持的原則。公是廓然大度，物來順應，故可對周圍問題形成客觀意見。「導」是新增的德目，具有領導、引導、教導與疏導等意義。這些個人美德之中，實以「仁」為中心，如果沒有仁愛內涵，則「忠」將成個人崇拜，「信」變成一廂情願，「公」成為徒託空言，「導」變為官腔官調。

具有智、勇、強、勤、儉、仁、忠、信、公、導等經濟倫理的企業人士，才真正具有企業家精神。

（七十九年六月十八日刊出）

水泥應否外銷？

日前報載，在經建會委員會議上，於討論「水泥工業長期發展方案」修正草案時，環保署署長與經濟部次長曾經發生激烈爭論。

他們爭辯的論點主要有二：一為國產水泥應否外銷？一為水泥工廠能否設於專業區外？關於前者，是因方案中有一條文說，「水泥生產目標以供應內銷為主，外銷僅用以平衡產銷」。趙署長認為水泥是聯合壟斷產業，這一條文可能為業者利用，假「平衡產銷」之名，而將部分產量外銷，以維持內銷的高價位─在座的財政部王次長證實，水泥外銷價格遠低於進口價格；而且，水泥又是高污染的產業，現在竟以低價外銷，非常不合理；所以，他認為政策上應該禁止水泥外銷。李次長則表示，自由經濟制度下，政府不能管制產品的進出口，而且從來亦沒有制訂過何者可以外銷的準則。

關於後者，是方案中有所規定，由經濟部在花蓮設立水泥專業區，如設在區外須經專案核准。趙署長認為花東地區是國內最後的淨土，水泥工廠應限於專業區以內設立。李次長則以為現在的和平水泥專業區只能年產一千三百萬噸，產量不敷國內所需。

對於趙、李二人爭論的誰是誰非，本文不擬驟作評論，而須先作簡單分析。

誠如趙署長所言，我國的水泥業，在生產上是高污染，在行銷上是聯合壟斷，除此之外，它還是高環境破壞與高能源耗用產業。

說它是高環境破壞產業，是因為水泥業和其他產業對於自然資源利用方式頗有不同：一般工商業只利用土地的負載力；農業則利用土地的養育力；即使礦業，亦多限於利用地內蘊藏物，對地表損壞不大；水泥業則是連地表一道破壞。這是由於水泥係由石灰石、黏土、矽砂、鐵渣、煤與天然石膏等組合而成，其中對石灰岩的採取，是對大自然的全面破壞，左營的半屏山與高雄的壽山，經過水泥業的數十年開採，已經弄得面目全非，怎麼能讓花蓮的秀麗山林步上半屏山等處後塵？在這種情形下，大量外銷水泥，說得誇張一點，是有些像在「出賣國土」。

說水泥業是高能源耗用產業，是有數據可稽的；目前水泥業一年耗用能源約兩百幾十萬公秉油當量，占製造業總能源消費量百分之十以上，而其產值占製造業總產值的比重卻僅約三・六%左右。據估計，若是水泥業者能採用廢熱回收發電方法，則每年可以節省五%到一〇%的能源消耗量，以致每噸水泥生產成本可以降低兩、三百元。國內業者遲遲不採這些節用能源方法，原因可能很多，但是其為聯合壟斷產業，定是主因之一，蓋因反正是羊毛出在羊身上。

水泥生產既是高污染，又是高能源耗用，更是高環境破壞，足見其社會成本之高。在這樣高社會成本之下，將其產品全部用於內銷，已使大家有「難以消受」之感。更何況要低價外銷，平白地便宜外國人，而將苦痛留給自己同胞，尤其是低價外銷的目的，是在於維持內銷的高價位，又使國人的權利遭到第二次剝奪。

發展方案中說，「外銷僅用以平衡產銷」，似乎意謂水泥出口只是偶爾為之，但在事實上並非如此，亦就是說，我國每年都有大量水泥出口，據手頭資料，最近三年每年都出口幾百萬噸水泥：民國七十六年出口三〇三萬噸，七十七年出口三四〇萬噸，七十八年出口二二三萬噸；分占各別年度水泥總產量的一九．三六％，一九．六八％與一二．三六％。這麼高的外銷比率，怎麼能說「僅用以平衡產銷」？尤其是目前水泥業產能只使用到八〇％左右，若是產能利用率提高，則外銷比率亦將提高。職此之故，個人認為為該項條文應該修正為「水泥生產以供應內銷為目的，並以進口調節其供需」。

進口水泥，並不是意謂將我們的社會成本轉嫁給他人，而是由於水泥生產的社會成本，是與經濟發展程度成同向變動，但與國土面積成反向變動。所以，有關當局可以鼓勵水泥業者到國土面積較大的後進地區設廠，再將其產品回銷台灣，事實上，國內已有不少水泥公司正在躍躍欲試，策劃對外投資。

此外，有關當局還至少應該做另外兩件事：一為協助業者節用能源，如此既可減少污染，又可降低水泥價格；一為注意其聯合壟斷行為—這方面，希望公平交易委員會能發揮其「初生之犢」的銳氣。

至於政府能否管制進出口這一問題，從社會成本觀點出發，亦為自由貿易主張者所認可。

（八十一年二月二十四刊出）

高鐵可以休矣！

——高速鐵路益本分析

高速鐵路的興建，最近成為熱門話題，在六天之內，本報就將此問題作成兩次頭條新聞：一為二月廿五日，其標題是，「高速鐵路用地無法一次取得，將暫緩興建，郝揆裁示侯交部完成土地取得規劃後才編列預算」；一為三月一日，其標題是，「孫震指出，高速鐵路中南二高不必同時興建，擔心加稅爭議轉化為政治問題，擬聯合其他大學校長陳情」。

後者內容大致可從標題中看出，前者則須略加說明，那是指郝院長只同意高鐵編列十七億元的規劃設計費，原編列的土地購買費及工程費三百多億元，全數遭刪除，以致總經費達四二六六億元的高鐵計畫，將無法如預定計畫在今年七月一日全面動工。

關於高速鐵路的興建，本文作者自前年下半年剛聽到此一計畫之時起，就一直持置疑態度，並曾不斷在有關會議及文字中，提出反對興建高鐵的意見。只不過這些意見是散見於個別有關主題之中，本文則以反對高鐵興建為題，臚陳各種理由—這些理由之中，有不少已經表達過，但亦有一些新的看法，甚至還有一些他人的觀點。

高鐵是公共工程，要評鑑它是否應該興建，當然要從益本分析著手。

在效益方面，主張興建的主要理由，是高速鐵路速度快，由台北到高雄只須九十分鐘，比起現在最快速的自強號，所費時間只約三分之一強，或者只比航空飛行時間多一倍而已，至於比起高速公路的汽車，其所節省的時間亦和自強號火車相似。在時間就是金錢的現代觀念下，如此節約時間，當然產生很多效益。

第二個效益，乃是交通主管單位估計到下一世紀初，台灣小汽車將會增加到五、六百萬輛，屆時，兩條高速公路將擁擠不堪，現在的鐵路亦難以負擔紓解交通的任務，而一條高速鐵路在載運量上，抵得上一條高速公路，可以為未來交通解決重大問題。所以，今天不做，明天將會後悔。

這兩種效益似乎言之成理，但若略加思索，就將發現大有問題。首就高鐵的速率來說，高速火車時速四百公里，而台灣南北長度不過三百多公里，實在用不著高鐵；假若要興建，則中間根本不應設站，以免還未達到全速又要減速靠站，現在卻要於中間設六個站，豈不是用竹刀宰雞？把摩托車當自行車踏？再說，高速鐵路如此速度，將會吸引鐵公路客運旅客，甚至於亦吸引航空旅客，因為飛機雖然速度較快，但是機場多在郊區，旅客往返費時，還須登機檢查，反不若搭乘高鐵省時省事，是以，高鐵興建後將會擠出現行的航空、鐵公路事業。因此，純從速率看，現行規劃是自我抵銷其應有速度，且對其他交通事業產生排擠效果，以致其效益大打折扣。

次就高鐵所將解決未來的交通擁擠問題一事來說，其本身就有很多疑問：第一、屆時縱然台灣有五六百萬輛小汽車，那只是增加市區的擁擠，絕對不會大家都用汽車來從事長途駕駛，在這種情況下，高鐵能發揮甚麼紓解作用？若說春節等連續假期中鐵公路的擁擠，總不能為一年幾次的連續假期而要建一條成本高昂的高鐵吧？第二，高鐵既然規劃走海線，偏離都市，人民要搭高鐵多須開車前往，反而造成車站一帶的交通擁擠。第三，只要將現在的鐵路全線鋪設雙軌，提高行車速率，增加自強號班次，就可以解決交通擁擠問題，何必再設一條鐵路！

在成本方面，可分私人成本與社會成本來討論。所謂私人成本，是屬財務問題，前述高鐵經費四二六六億元，是一年多前的估計，據說現在重估，已經膨脹到五六〇〇億元，再據興建中的北二高速公路與台北大眾捷運系統經驗，尚未完工，其經費已是原列的三倍多，則高鐵完工時的費用很可能超過一兆元；即使能按原預算完成，其利息負擔即達每天一億元，高鐵本身如何負擔？

說到社會成本，首須考慮的乃是對土地資源的過度榨取，蓋因台灣西部狹長地帶上，將有兩條高速公路，一條縱貫線公路，還有一條鐵路，可用土地原已有限，現若再建高鐵，豈不是把寶貴的土地資源多用在交通上？其次，為遷就高鐵設立新站，則未來所要配合的都市規劃、人口遷移與交通運輸等社會成本，將難以估計。從以上分析，足見高鐵效益低、成本高，實在不值得興建，所以，誠摯地呼籲決策階層能取消高鐵興建計畫。假若經過審核評估後，認為非興建高鐵不可，則應緩建，亦就是不要和中南二高同時興建，而且乘此緩衝期間，完成獎助民間興建公共工程立法，俾可交由民間興建高鐵並經營之，以減輕財政負擔與不必要之浪費。

（八十一年三月九日刊出）

是產業空洞抑係經濟調適

香港一家週刊，最近訪問三位人士談大陸經濟問題，除本文作者外，還有美國的傅高義與大陸的千家駒二氏。於訪問本文作者時，提出九個問題，均為兩岸經貿往來及其衍生的疑問，其第一個問題就是：

「兩岸交流密切，台商赴大陸投資持續擴大，是否會引發台灣的產業空洞問題，如何有妥適方案？」

此一問題亦實為今天台灣朝野所關切，因為大陸熱後，引發台商到大陸趨之若鶩，去年5月間在經濟部登記的大陸台商，只有2,500多家，但到現在，據說在大陸投資的台商已逾1萬家，以致引起朝野的關切，擔心台灣廠商轉移陣地到彼岸投資，導致台灣產業空洞化。

「產業空洞化」，是一個通俗的名詞，其學術性的術語，應為「降低工業化」（de-industrialigation），其表徵則是工業人口在就業人口中比重降低，或者是工業生產對國內生產毛額（GDP）的貢獻減少。這些情況的發生，主要是兩個原因：一為內部變化；一為外在影響。前者是因為經濟本身是動態的，在經濟發展過程中，農業、工業與服務業，依次輪流擔任主導力量，而當服務業取代工業而主領風騷之時，就稱為「降低工業化」；後者是因為工業產品對外競爭力低落，迫使工業部門中很多廠商外移，以致該部門的就業與產值的比重，均將大為降低，所以，亦是「降低工業化」，且被視為「產業空洞化」。

嚴格說來，「降低工業化」是個中性名詞，因為這是一個國家在後工業化時期必然面對的現象，至於其對整個經濟的影響，究係正面抑係負面，全憑結果而定——而這些結果實在可從過程中看出一些線索。是以，作者本人將降低工業化區分為兩種型態：一為正面的經濟調適；一為負面的產業空洞。後者是一種經濟病態，工業部門中製造業萎縮或外移，其流出的勞工，難以為服務業或其他部門吸收，導致整體失業率顯著上升，經濟成長大為遲緩，這就是產業空洞化。至於前者，又可再區分為兩種子型態：一為產業內調適，即產業升級，主要是指產業轉型，即指製造業重心由輕工業移向重工業，或由勞力密集移向資本或技術密集；一為產業間調適，即服務業比重大幅增加，有人認定當服務業在GDP中的比重，是農業與工業比重之和的時候，這就是經濟先進化，亦即經濟升級；無論是那一種型態，製造業勞動生產力都在快速增加，以致其就業（與產值）比重縱然降低，但其產出卻在增加，而且其所釋出的勞工，可為服務業或其他部門吸收，以致失業率不增，而經濟卻能持續成長。

現在且根據這些類型，看看台灣的經濟情況，到底是屬於那一種：是產業空洞還是經濟調適？

首先是我國近年出口情況尚屬正常，且仍保持出超，所以，不能視為製造部門缺乏效率，而且，製造業每年多有成長，當然不能視為萎縮；台商對大陸雖有大量投資，但台灣很多行業卻普遍缺乏勞工，足見製造業並未過度外移，所以，談不上產業空洞化。

其次，若往深處觀察，我國目前的經濟情況，是正面的經濟調適，亦可以說，是經濟趨向成熟的良性調整。先就產業內調適言，在民國75年至80年間，高資本與高技術密集的產業，分別成長32.5%與45.2%；在此一期間，重化工業產品與高科技產品佔出口的比重，分別由35.6%與27.5%，增加為46.7%與36.2%；於此期間，製造業產品除79年略為減少外，每年均在增加，而且在75至79年間，製造業自動化共節省54萬人，比該業流出的人數（31.1萬人）多得多；從這些證據看，我國產業是在顯著升級。

再就產業間調適言，我國國民生產毛額中，服務業所佔比重，是在快速增加，於民國78年，就已突破50%，超過農工業比重之和，去年，此一比重，已達55%，足見我國經濟已在升級。

（八十二年九月六日刊出）

注意中小企業式微跡象

上月下旬，亞太經濟合作會議（APEC）部長級會議在大阪舉行兩天，這次主題是發展中小企業。由於此主題是由我國推動，所以我國經濟部江丙坤部長在會中擔任引言人，並提出「APEC中小企業調查」初步報告。會後發表共同聲明，指出各會員國一致確認中小企業是支撐亞太地區經濟發展的原動力，為了促進亞太地區經濟持續繁繁發展，有賴中小企業持續扮演應有的角色，未來應超越國界、發揮境內互補的效果；並要求APEC召開更高層次的中小企業會議——明年將在台北舉辦以中小企業財務為主題的研討會。

我國之所以倡議以中小企業為主題的APEC部長級會議，還要在明年接辦中小企業財務研討會，主要是由於國內有強大的中小企業做後盾。事實上，和很多國家比起來，我國的中小企業是發展較佳，而且真正成為我國經濟發展的「原動力」。不過，此一情況行將成為明日黃花，蓋因國內中小企業的地位業已今非昔比，單就出口而言，民國71年，中小企業外銷金額佔出口總額的比重為69.68％，81年降為55.92％，去年更下降為54.77％；在製造業的出口比重中，中小企業更為出色，71年，中小企業外銷金額佔製造業出口總額的73.53％，到81年，此一比重下降為59.02％。無論是那一種比重，11年之間，都降低14個百分點左右，而且還有持續下降之趨勢。

即使是有關方面引以為傲的產業結構改善績效，亦可能透露著中小企業式微的訊息。這些績效，是分別顯示，重工業產品在製造業總產值與出口總額中所佔比重的提高：前者於76

年為50.2％；後者於77年僅為41.3％，去年則達到51.9％。由於中小企業主要是從事輕工業，以致上述重工業在製造業與出口中比重的增加，很可能是意味著國內中小企業在走下坡路或衰退。

國內中小企業地位式微的主要原因，厥為它們的對外投資，尤以大陸為然，據統計，前往中國大陸投資者佔64.1％，這種「出走」，實在是由於拉力和推力同時發生而造成。所謂「拉力」，是中共為蓄意吸引台商到大陸投資，特別制訂了若干較外商為優惠的辦法，所謂「推力」，是由於國內工資上漲，土地取得不易，所以，中小企業被「推」往大陸，利用當地低廉而充沛的勞力、土地與原料。這些拉力與推力之中，雖有自然趨勢在，但亦有不少是人為的成分，譬如拉力中的對外資提供優惠條件，是新興國家一致的行為，可以視為一種趨勢，但對台商的格外垂青，則有其人為成分；推力中的工資高漲是自然趨勢，但限制大陸勞工與原料的進口，則是人為的障礙，而土地問題亦是由於農地農有及縱容土地炒作等政策扭曲所造成的。

由此看來，中小企業的出走，雖與中共的統戰不無關係，但主要還是由於我政府有關政策的扭曲效果，而將中小企業推出去。近年來由於金權政治的日益猖獗，這種人為推力更形狀大，一位社會學家說，中小企業式微，是和政商關係惡質化有互為因果的惡性循環關係。目前國內大財團，除少數外，均有其金融事業輸送資金，而那些未發展金融事業的大財團，亦由政府特別安排，利用外匯存底融通，或由公營銀行聯貸予以低利融資，再由政府補貼利息。政府協助大企業低利融資，動輒千百億元，以致產生排擠效果，迫使很多中小企業求貸無門而不得不乞靈於地下錢莊。這種差別待遇，不僅出現於資金市場，而且出現於其他方面，例如在振興經濟方案下，有關當局所協助的，乃是兩億元以上的重大投資案，除為他們安排融資外，還代為解決土地、外勞等其他問題。中小企業在國內遭到忽視的情況，是與日俱增，以致把中小企業往外推的力量亦越來越大。

江部長將於下週在APEC長會議中，提出會員國中小企業調查的正式報告，並將提供台灣經濟分享與會各國，若是國內中小企業再集體出走，豈非絕大諷刺！

（八十三年十一月七日刊出）

千萬留春住

——談輔導中小企業之道

本專欄於月初發表「注意中小企業式微跡象」（簡稱上文）的動機，是要提醒當政者，不要把眼睛只盯住大財團，而忽略了中小企業的重要性，因為中小企業才是我國經濟的真正支柱。

據我國最近在APEC部長會議上提出的，17個會員國中小企業調查報告，指出在產值上，各國的中小企業是和大企業分庭抗禮，各佔總產值的5成；但在外銷比重上，我國中小企業最為突出，歷年平均約達6成，日本則為3成，美國只有2成，南韓更僅約1.5成。由此可見，我國這種出口導向的經濟，實以中小企業為主力。

我國中小企業之所以能成為經濟主力，全憑著衝勁與韌性。所謂「衝勁」，是指我國中小企業具有冒險犯難精神，故能在海外衝鋒陷陣以開拓市場；所謂「韌性」，是指我國中小企業具有堅忍不拔的特質，能屹立於驚濤駭浪之中。這正是中國企業家祖師爺白圭所說的「勇」與「強」（史記貨殖列傳）。這種勇與強就造成白圭的敏捷行動，「趨時，若猛獸摯鳥之發」，也就形成今日台灣中小企業的應變能力。

台灣之所以有快速的應變能力，基本上是私有財產，這一點是與大企業是共同的，但另外兩點則有所不同：一為中小企業老闆出身於員工，親身在第一線，以致感應與反應過程均短；一為中小企業裝備少，宛若輕騎，所以，移動與轉向均甚快速——這兩點容或與其他國家中小企業類似，但我國另有一特色，那就是我國特殊環境塑造力，蓋因以往40年來的困境，很多俊彥之士在政治、軍事、外交上難以有出路，只好自我創業，而這也正符合政府的均富政策，故能蔚然成風，成為經濟主力。

而今，國內中小企業在走下坡路，假若由此一蹶不振，則我國經濟將日趨脆弱，可能不堪一擊，或許有人認為中小企業式微，正意謂大企業將成為經濟主力，豈不是正顯示我國經濟在脫胎換骨！其實不然，大企業像是重裝備軍隊，火力雖強，但行動遲緩，平時固將有所表現，但遇風吹草動，其應變能力薄弱，若是有所閃失，其對社會的衝擊，將難以承受。是以，有關當局必須設法輔導中小企業，尤其要將上文所提到的推力，轉化為拉力，至少要拉住國內中小企業以減少其出走。記得有句宋詞，「若到江南趕上春，千萬留春住」，而中小企業是我國經濟的「春天」。

目前正是施展拉力的良機，一方面是中共為要加入關貿總協，必須遵守無歧視原則，而將減少對台商的優惠，從而降低其對台商的吸引力。事實上，中小企業已有回流的趨向，據經濟部調查，83年度計畫在國內投資與不投資的中小企業，分別比上年度上升7個百分點與下降6.4個百分點，創下7年來最高比例。是以，乘此良機，順勢利導，予以輔導，將可事半功倍。

當前有關中小企業的輔導，在經濟部有中小企業處，在財政部有中小企業信用保證基金，茲就此二單位業務性質作下列建議。

中小企業目前感到困難的，至少有土地、勞力、資金、研發與資訊等問題，除融資可由信保基金承辦外，其餘均屬於中小企業處工作。

在土地方面，應該廣設專業性工業區，以容納分門別類的中小企業，且對此各工業區將准引進外勞，提供食宿設施，統一管理。

在產銷方面，可以經濟部剛通過的「提升中小企業品質五年方案」為主體，將有關的大中小型企業結合為生產聯盟（避免使用中心衛星字眼）；並針對各別產業特性，推行聯合發展策略，儘可能使其中間產品或零件統一規格。

在科技開發上，應吸引海外華人來台工作，並引進大陸科技人才，本身再有計畫地作人才培訓，中小企業發展基金主要應該用於此處。

中小企業信用保證基金所做工作，不只是消極地或被動地做擔保工作，更要積極地輔導中小企業財務健全。其首要工作，應該是協助中小企業建立正確的會計制度，如果她們因會計報表完備，她們自己就可以向金融機構直接融資，而毋須該基金作保。俟其會計制度健全後，再協助其股票上店頭市場，以取得所需資金。

（八十三年十一月七日刊出）

對高速鐵路的看法

在執政黨的強力動員下，立法院通過了獎參條例。該條例內容是獎勵民間參與公共建設，這本來是件好事，既可減少政府支出，亦即減少納稅人的負擔，且將公共投資可能產生對私人投資的擠出效果轉變為擠入效果，為何在野黨強烈反對，以致執政黨要強力動員？其中關鍵主要是在於該條例原為高鐵的回命金丹，可使高鐵起死回生，蓋因立法院於上一會期通過決議，只有在民間參與下，高鐵預算才有編製的可能，所以，這次獎參條例一通過，交通部就急著為高鐵編製下年度的預算一千多億元；而在野黨反對獎參條例的基本動機，則是在於反對高鐵之建立。

在野黨反對高鐵的主要理由大致有三：一為不必要（留待下述）；一為財政上的無底洞；一為增加財團炒作機會。就後者言，高鐵沿線土地已為財團收購，俟政府徵收時，將會獅子大開口，狠敲納稅人一筆──按政府徵收土地，是按公告現值加若干成，但有關高級官員最近改口，將改以市價徵收，這顯然是「善體人意」，為未來徵收高鐵用地作張本。在財政上，政府負債已約2兆元，約為國民生產毛額的30％，現若加上幾千億元的高鐵建築費用，豈非雪上加霜，何況這項龐大支出並非那麼必要。

根據高鐵處為高速鐵路所下的定義，營運時速在200公里以上的火車才稱為「高速鐵路」。高速鐵路在兩站之間一定要有相當距離，才能發揮其高速能力，否則，剛加速不久就要減速緩行，以便煞車，那豈不是以牛刀割雞，大才小用，在行車時浪費能源，就整體言，更是虛擲社會資源，且使「高」鐵浪得虛名！這些批評並非空穴來風，而是由於高鐵原就決定在台北、桃田、新竹、台中、嘉義、台南、高雄等地設站，每站都停，平時只有175公里，已經不能稱為「高速」；何況現在又要加設苗栗、彰化、雲林三站，即使此三站只停兩站，平均時速卻降到150公里，而目前台鐵時速為120公里，有沒有必要為增加30公里時速花那麼多鈔票，以增加財政上的沉重負擔？

本專欄於年底前曾經提及，據專家估計，就現有鐵路，加鋪雙軌，以及在某些地方截彎取直，則台鐵火車時速可提高到180公里，但費用只要幾百億元，由此益證高鐵之不必要。

高鐵是以減省旅客時間自詡，從上述，已知其節省時間有限，但高鐵當局或許説可用跳蛙式發車方式，以提高時速，其本身已對若干被跳越之站的居民構成不便，何況除台北站是和台鐵共站外，台中站是在烏日、高雄站是在左營，已增旅客不便，而桃園站在青埔，新竹站在六家，嘉義站在太保，台南站在沙崙（雲林站鐵定不會在斗六），均距市區很遠，以致節省時間性也大打折扣，從而再次顯示高鐵之不必要。

「不必要」只是「緣木求魚」而已，並「無後災」，可是高鐵的建造，卻帶來不少後遺症，除上述不必要地增加財政負擔與提供財團炒作機會外，還有排擠效果，擠出航空、台鐵與高速公路客運等營業，其中最為嚴重的厥為台鐵，尤其是當高鐵站數增多之時，勢將給予原已經營困難的台鐵以嚴重打擊。

職此之故，上策是不建高鐵，只將現有台鐵予以改良，使其時速提高到180公里——日前報載，日商為爭取我國高鐵工程，所擬計畫中是將台北、高雄等若干主要站保持不變，只是要在新竹與彰化之間新建與台鐵的連絡線，如此，將會減少成本30%至50%。假若新竹與彰化間新建工程，是指鋪設雙軌與取直，則與上述改良工程同義，亦為上策。若指此段新建工程，是另建高鐵，而新竹以北與彰化以南部分仍用台鐵路綫（當然可予改良），是為中策，但有一前提，即須將高鐵與台鐵合併，其理由有二：一為其路線既以台鐵為主幹，故須合併經營；一為外部性的內部化，蓋因台鐵既受高鐵排擠而產生外部不經濟，則將此二鐵合併為一經營體，俾使其自我調適，作長短程或高慢速的最適調配，以消除排擠效果。

（八十四年一月十六日刊出）

所得分配與中小企業

對於農曆除夕本專欄發表的「國貧官富民不平」一文，有位讀者發出「不平」之鳴，其理由是：

「財富與收入方面之差距，不可全看比率，其基數更為重要。歐美貧富差距50倍之窮人，生活得並不壞。」

這番話是有其道理，人民生活雖和所得分配有關，但生活水準又與所得及物價水準有密切關係。是以，美國所得上貧富差距8.9倍，雖比我國的5.42倍為高，但美國平均所得約為我國的2.5倍，而且物價與房價均比我國低，以致其窮人的生活基準應高於台灣窮人。

就貧富差距的國際比較言，我國於民國82年的5.42倍並不算高，但若自我比較，則令人不能掉以輕心，我國貧富差距在79年以前的好長一段時間都低於5倍，而以69年的4.17倍為最低，然後逐年提高，至79年增為4.94倍，次年，驟升為5.18倍，再增為81年的5.24倍，至82年，達到5.42倍，足見所得分配情況的惡化，只是最近幾年的事，惡化的原因很多，但中小企業地位式微，定是原因之一。

台灣中小企業負責人，多出身於受雇人員，其中有不少低層職員，甚至於是黑手工人。他們創業成功，是將其所得地位由五等分的所得分配低層邁向高層，其過程正代表所得分配的平均化，是以，中小企業的發展及其地位的提高，有助於所得的合理分配。近年來中小企業地位式微，亦正可說明所得分配惡化的原因於一二。例如，月前，本專欄提到中小企業報告書中，有關歷年融資的圖形，在以往，中小企業融資額與總融資額二曲線的斜率幾乎相同，但自77年起，總融資額曲線突然升高，顯示大企業在融資上相對地比中小企業佔很多優勢，從而可能於79年使貧富比突破5倍。這一點，中小企業當然感受最深，就在中共與美國將要發生貿易戰之際，有人估計大陸台商可能受到牽累而將損失2.7億美元，大家都為他們擔心，可是，有位台商在此間某報投書道，「該可以撐過去」，但卻把話題轉到國內中小企業政策上：

「其實，讓我中、小企業最感難過，最不滿的是，政府以往的台商政策多是『管大不管小』、『看高不看低』，對於大型台商的要求（例如融資）大多是有求必應，而我們這些『不夠力』的小商人只得靠自己奔走兩岸，向台灣的銀行磕頭來籌錢，這是種『大小眼』的措施其實比美國的貿易報復更讓我們難過！」

尤有進者，台灣的中小企業不僅受到政府的差別待遇，而且似乎受到大企業的不公平待遇。最近接到一位「小小企業之負責人」自高雄發出的一封信，信中訴説其與台塑公司往來已滿五年，「深以為台塑公司採購方式並非合情合理」，這是因為台塑採購經辦人員，「對最低標及次標進行一次殺價」，亦就是要這兩家再比價，「假如最低標廠商的降價低於次低標的降價額度，那雖然是第一次比價的最低價，仍然不能「得標」，所以，他認為是「大企業吃定小企業」，而且這一採購方式也為國營的中鋼公司所採用，因而，他詢問，「就交易法言是否合法」？

其所謂「交易法」，諒指「公平交易法」，可惜我並非法律專家，難以回答，但據常識，公開招標應以報價最低者得標殆無疑問，只不過來函中又提到「比價」，在比價之中，是否仍可由最低價與次低價再降價相比，就不得而知？

儘管比價後再殺價可能並不違法，但是該函有段話也許說得很對，「由於採購人員的採購宗旨是只顧價位不顧品質，因此所購得的各種機械零件勢必有品質低劣者，經由現場使用後，發覺品質不良，……爾後現場使用人員就改以外購方式（購買外國貨）……，頓使國內優良廠商錯失良機」。是以，在此要奉勸大企業在商言商，不可讓中小企業因無利可圖而衰落，因為它們至少是陪襯的綠葉，而與大企業是命運共同體，有關當局亦應正視此問題而須出面協調。

（八十四年三月六日刊出）

中小企業與政治氣候

聯合國拉丁美洲經濟委員會月前完成一項研究報告，其題目是「台灣中小企業發展經驗——對拉丁美洲可能之啟示」，在這篇報告裡，該委員會將台灣中小企業發展成功的因素歸納為三點：

一、政府提供成長所需之總體經濟環境，包括整體成長方案，適當之出口規劃與誘因及均等之教育機會。

二、中小企業在以「小」為優勢之產業得以發揮，而且企業間區域、家庭、社會及文化各層面之關係網路緊密聯繫。

三、政府機構及政策工具之協助——但在三者之中影響較小。

該報告認為台灣中小企業經濟發展對拉丁美洲的啟示有12項之多，諸如中小企業處、生產力中心、工研院等有關單位之成立，以及工業區與信保基金之設置——這些都是屬於政府輔導措施。

該研究報告中，屢次提到「台灣中小企業經濟」，其意思是說，台灣經濟是中小企業形態，其所以能在世界經濟中佔有一席之地，全靠著輕小短薄的中小企業，憑著彈性好，轉換性強，充滿活力，才可在世界市場打拚，而得以嶄露頭角。這種說法是寫實的，但已成為過去式，就我國出口貿易言，在以往，中小企業佔其比重約70%；惟此一比重，自民國70年度中葉後逐年在降低，降到前年，已成53%，這顯示中小企業風光不再，甚至於可說是台灣經濟形態可能有所改變——這種改變是好是壞，雖然尚待觀察，但卻可明顯地顯示，曾為我國經濟中堅的中小企業似乎是在式微了！

中小企業之所以式微，可從上述成功三因素作逆向探索。首就總體經濟環境言，以往的政府規劃，多側重軟體方面，譬如前述的成長方案，出口規劃及教育機會均等，均屬之；近年來，卻多注重硬體建設，養肥很多財團與黑道，形成黑金政治，這不僅使中小企業「斯人獨憔悴」，抑且讓台灣總體經濟環境惡質化，使很多中小企業水土不服，不是黯然遷往他鄉，就是奄奄一息地滯留本土。

其次，由於近年來上下交征利及投機風氣日熾，使攸關中小企業的社會文化各層面，亦產生質變；原來和基層及區域金融機構關係密切的中小企業，卻因金權的介入而被逐漸擠出，甚至於若干中小企業見獵心喜，亦投身於土地及股市投機而不務正業。

最後的因子——政府機構及政策工具之協助，雖被該報告視為「三者中影響較小者」，但這是指其正面貢獻，若是政府機構及政策工具在幫倒忙，其影響就可能不是較小，蓋因報酬是遞減性，失去的將大於獲得的。其幫倒忙的具體事實，主要是反映在租稅與融資上。

在租稅方面，能享受到產業升級條例等租稅優惠的中小企業，就家數言，共佔其總數0.83％；而適用的大企業家數卻佔總數的16.08％。尤其是在稅負上，中小企業的稅負比率（稅額與全年所得額之比）普遍高於大企業，在農產加工部門，中小企業的比率為9.23％，大企業為11.14％；在工業部門，中小企業的比率為11.14％，大企業為10.13％。

在融資方面，且不說大企業得到低利巨額貸款，只舉中小企業信用保證基金一例，即可知其概略：該基金在民國71年是100億元，當時金融機構放款總額約1.3兆元；目前放款總額已經高達11.3兆元左右，約增八倍，但中小企業信保基金只增加半倍，而為150億元，即此一端，就可看出有關當局對中小企業的照顧，是處於相對遞減狀態。在一般融資上，中小企業往往飽受刁難，中小企業生產佔生產總值50%，但融資比率只有40%，可見中小企業在在受到歧視。

總括說來，台灣中小企業是在以往政治氣候中成長、茁壯，成為經濟部發展與社會均富的中堅，形成所謂的中小企業體制的經濟與社會，今天的式微，是不是表示國內政治氣候出了甚麼問題？

（八十五年一月二十九日刊出）

急就章，問題一籮筐！

——外匯自由化的省思與因應

七月十五日起的外匯自由化，給我的印象，可用五句寶塔詩以形容之，那就是：爽／開放／急就章／外弛內張／問題一籮筐。

這次外匯管制解除得很「爽」快，令人精神一「爽」，因為這次的「解禁」，不僅使經常帳完全自由化，也且使資本帳作大幅度的「開放」。這種開放使我國成為名副其實的開放經濟，所以至少具有下列效益：

一、促進經濟自由化：外匯自由化將使資源分派達到最大效率，亦就是使企業與個人平添不少選擇與獲利機會。

二、貫徹經濟國際化：由於資本可以自由流動，乃使經濟國際化更為落實，甚至可使台灣在未來取代香港而成為亞洲重要國際金融中心之一。

三、導致匯率合理化：在浮動匯率制度下，匯率是同時決定於經常帳和資本帳，現在資本帳開放，使我國匯率不再是跛行制度，以致匯率易臻合理水準。

四、提昇國際形象：真正使經濟自由化、國際化的國家，幾乎都是先進的民主國家，我國能如此，當然亦可漸躋先進之林，而且由於經濟自由化與匯率合理化，也將減少對外貿易上的摩擦。

兩年前，作者曾經一再大聲疾呼地呼籲適度開放資本帳——包括在經革會中建議，但卻遭有關當局峻拒，可是，兩年後，其態度卻作一百八十度的轉變。一般說來，外匯自由化並非一蹴可就，通常是要經過三個階段：首先是經常帳完全自由化；其次是國內資金市場自由化；最後才是資本帳自由化。

所謂經常帳自由化，必須配合貿易自由化，俾使進出口趨於平衡，否則，若有大量貿易順差，則經常帳自由化就幾乎等於是資本帳自由化；國內資金市場自由化，實在就是金融自由化，而金融自由化實以金融市場的自由競爭為先決條件，由於自由競爭一詞中的「自由」實指「自由加入」，所以，金融事業設立的開放是其必需條件；只有在金融市場真正自由化以後，才可有效地建立各種對外金融性投資的管道，以迎接資本帳自由化的來臨。就是，由於這三個階段要循序漸進，所以，很多國家要花一、二十年時間來完成外匯自由化，而我國甫於五月廿一日行政院院會通過外匯管理條例修正草案，卻於七月十五日正式實施外匯自由化，這種一步登天的急就章以及「全無或全有」（none or all）做法，可說是史無前例的。

就是由於這種「急就章」，在現階段，將外匯自由化的工作形成「外弛內張」的局面：外匯管制的急遽鬆「弛」，使金融界在作業上顯得慌「張」，有識之士感到緊「張」。此處的「張」，當然是「弛」的反面，是以，「外弛內張」的真正解釋，乃是在表面上，外匯是大幅開放了，但實際上並非如此，有些地方比以前管制更多，例如七月十五日前，小額匯出款是隨到隨辦，事後申報即可，現在卻須事前申報（或查證），曠廢時日；以前，遠期外匯可以拋補給中央銀行，現在，遠期外匯不計算部位，使外匯銀行無法自由採取海京（Headging）買賣，導致遠期外匯名存實亡，使貿易商平白地喪失逃避匯兌風險的有效工具。

急就章式的躁進，引發了很多問題，首先是在缺乏貿易自由化配合的經常帳完全自由化情況下，對於貿易商而言，資本帳是完全自由化了，以致他們也將步入日本廠商的後塵，作「金錢遊戲」。不過，日本廠商的金錢遊戲，是經由國際金融性投資而獲利，而我國由於金融沒有自由化，缺乏有效管道，再加我國外匯市場規模小，以致我國業者可能將其握有的外匯，投向國內外匯市場，以炒股票的方式來操縱匯率，好從中取利。假若如此，則我國匯率將會經常有顯著地波動；而且，我國貿易的主力為中小企業，這些企業的主持人多半是事必躬親，現若外匯市場的「炒」作易於獲利，則將吸引主持人躬親炒作，由於精力與時間有限，隨而可能導致我國對外貿易的衰退。

其次，外匯自由化後，將使國內企業幾乎完全裸露在國際競爭之下，那些跨國公司可以經由多種管道獲得低廉的融資，而我國由於金融未能真正自由化，中小企業卻常須乞靈於地下金融的高利貸，兩相比較，不可同日而語，其勝負不經競爭就可預卜。

第三，由於缺乏正式對外金融性投資管道，在短期內將有地下投資公司出現，其中定有若干不肖的中國人勾結不良的外國人，騙取國人外匯資產。而且由於金融未能自由化，國內金融機構仍以公營為主體，公營事業在效率上有其先天缺陷，以致今後有關國際金融的操作，可能將是外商銀行的天下，蓋因未來的中美貿易談判中，美方一定力促擴張在台美商銀行的營業範圍，其他外商銀行將援例，我國公營銀行豈是它們的對手！到那時候再開放民營，可能已難有生存空間。

第四、由於外匯管理條例修正草案，未曾言及恢復管制的時機與程序，，立法院在新增的第二十六條之一，增列一項：「行政院恢復前項全部或部分條文之適用時，應送請立法院審議。」這將增添很多煩擾，因在情況緊急時期，行政門不能立即恢復管制，而立法院審議必然拖延時日——若是碰到休會期間，更可能拖延兩三個月，於此期間，外匯資產將會有大量逃避性流出，尤其是經常帳方面。

最後，還出現很多小問題例如：㈠由於外匯管理條例第六條之一條文全部停止使用，使進出口金額都不需申報，已有數十年歷史的中央銀行結匯統計勢將中斷，不知如何能編製出正確的國際收支表？㈡第六條之一的取消，是表示進出口不須結匯，以致很多依附於結匯而來的捐款，將會化為烏有，而將影響到有些機構（如外匯協會）的運作；㈢外匯既已自由化，原來涉及管制而產生的許多法規，必須廢止或修訂，若由各機關自行決定，可能發生互相牴觸情事；㈣外匯管制下的若干機關和人員，勢將成為「呆人」「呆事」「呆組織」，亦須全盤重新調整。

從以上分析，可以得一個結論：外匯自由化的方向絕對正確，但因步驟混亂，做法躁進，以致孳生很多問題，當前的任務，就是要採取各種配合或補救措施，以解決或預防這些問題，就個人看，這些措施應如下述：

一、貫徹貿易自由化：主要是解除關稅障礙與非關稅障礙，關稅方面應該打出明確的時間表，預示在一定期間後，使我國關稅稅率接近先進國家水準，如此既可對外表示自由化的誠意，又可使國內業者有所遵循。在非關稅障礙方面，應將管制進口（或出口）的物品減為最少，除此以外，一律開放，並廢除許可證制，因為許可證的存在，就是貿易不自由的表徵。

二、厲行金融自由化：首先是金融市場的開放，准許民間設立各式各樣的中介機構，以滿足社會多方需要，三家商銀不妨改為民營，或者最少能仿中國商銀模式開放，以提高其效率，並在國外廣設分行，俾在國際金融舞台一顯身手。金融自由化的基本原則，乃是機構多元化與業務多樣化。在這個原則下，即使是標會公司與三點半公司亦不妨設立。

三、落實資本帳自由化：首要工作是讓外匯指定銀行與國際著名機構，在台灣合組國際投資公司，直接經營對外金融性投資，以培養國際金融操作人員，並容許私人經營這一類金融機構，網羅香港這方面的人才。這一類的投資，除共同基金方式外，應該規定在一定金額以上，可以指定代購某種國外證券，並分為普通價格與附買回價格。同時要在匯率訂定上，放棄以美元為基準，以減少美方之藉口。

四、統一調整法令組織：目前亟應成立一個超部會的臨時機構（或由經建會主其事），統一調整有關法令與組織。該機構還應對外匯自由化工作做全面評估，並向有關單位提出改進議，譬如：㈠設立於下一會期，函請立法院修訂第廿六條之一有關文字，授權行政部門及時恢復外匯管制；㈡將遠期外匯計算在外匯之內，俾使遠期外匯得以有效操作；㈢進出口金額雖不必結匯，但仍須申報，如此，不僅有利於統計，也可使必要之捐款時續；㈣匯出入款須貫徹事後申報精神。

（七十六年七月二十八日聯合報刊出）

匯率狂飆的原因及對策

六月初，我對匯率問題，曾經說過，未來三至六個月，新台幣匯率將以三十元兌一美元為極限，當時的依據主要有二：一為新台幣若升到三十比一，相對於日圓升值情況來說，已經相當足夠；一為政府正擬外匯自由化，將可在有步驟的穩健步伐下，建立對外金融性投資管道，以紓解外匯游資，甚至減少外匯存底。

第一個依據是客觀的，據日本東洋經濟週刊統計，若以一九八五年為基礎，到今年六月底，日圓升值百分之廿七，新台幣升值百分之廿二，韓圜只升值百分之九。而今年六月底（廿五日至廿九日之資料），此三國通貨兌一美元的匯率，日圓是一四六點三〇，新台幣是三一點〇七，韓圜為八一二點五；到了九月三十日，此匯率分別是，日圓一四六點三五，新台幣三〇點〇五，韓圜八〇五點七；可見這三個月內，日圓與韓圜匯率幾乎未變，而新台幣卻升值了百分之三點三，以致以一九八五年為基礎，新台幣升到三十比一時，升值已達百分之廿五強，比起日圓升值幅度來，我們升值業已夠多夠快了！

第二個依據則是主觀的預期，以為有關當局的外匯自由化行動「一定會遵照先進國家前例」，循「貿易自由化」「金融自由化」到「外匯自由化」三部曲來進行；而且，在「外匯管理條例」修正案中所增列的第二十六條之一，只說原條例中若干條文「全部或部分」停止適用。誰知道主管機關卻抱著「全無或全有」的態度，一下子將這些有關條文「全部」停止適用，一夜之間，使外匯由完全管制變為幾乎完全自由，在很多國家須化一、二十年時間完成的工作，我國卻以不到兩個月的時間（五月廿一日行政院院會通過上述修正草案，七月十五日正式實施）就完成了。外匯自由化是何等重要的大事，竟然如此草率從事，真是令人難以置信，所以，曾以「急就章，問題一籮筐——外匯自由化的省思與因應」為題，於七月廿八日在聯合報發表拙文，提出個人的憂慮。

該文中曾經提到，「急就章式的躁進，引發了很多問題，首先是在缺乏貿易自由化配合的經常帳完全自由化情況下，對於貿易商而言，資本帳是完全自由化了，以致他們也將步入日本廠商的後塵，作『金錢遊戲』。不過，日本廠商的金錢遊戲，是經由國際金融性投資而獲利，而我國由於金融沒有自由化，缺乏有效管道，再加我國外匯市場規模小，以致我國業者可能將其握有的外匯，投向國內外匯市場，以炒股票的方式來操縱匯率，好從中取利。假若如此，則我國匯率將會經常有顯著地波動。」

這番話竟然於短短的兩個多月後不幸而言中，十月一日、二日兩天，新台幣匯率曾經連續漲停板，首開外匯市場建立以來之紀錄，中央銀行每天進場購入十多億美元，但仍使十月三日的新台幣中心匯率突破三十元大關。這樣強大的美元抛售，當然有很大的投機成分存在，亦就是拙文所云，若干業者想「以炒股票的方式來操縱匯率」。不過，這幾天新台幣匯率暴漲，亦有其導火線，記得九月下旬有位新聞界朋友對我透露，央行將於十月一日起，將外匯指定銀行對外負債之限制解凍，並將匯銀持有之遠期外匯計算於外匯部位以內。當時，我的立即反應，認為後一措施是正確的，因為這可使遠期外匯恢復操作，使貿易商增添一種逃避匯率風險的工具；至於前一措施則值得商榷，因為這將導使「熱錢」加速流入（據估計，一、二兩日流入的熱錢高達卅五億美元）——當然，凍結對外負債亦不是辦法，譬如說凍結於五月底對外負債水準就顯得不公平，蓋因有些銀行的換匯工作才剛剛起步，是以，解凍雖可，但仍須對各匯銀給予合理之上限，並經常調整之。

亦就是這兩項新措施——尤其是匯銀對外負債之解凍，對外匯市場產生震憾性衝擊，迫使央行於二日緊急決定，再度凍結外匯銀行的對外負債，使解凍措施成為最短命的措施。

綜觀這次匯率狂飆，實在暴露了我國有關當局的人謀不臧；先是犯了戰略錯誤，將外匯自由化變為躁進的急就章，導使國內業者對外匯市場投機；後來則犯戰術錯誤，只看到全體匯銀的負債減少了十來億美元，就以為熱錢在流出，而輕易地將原先限制解除。當然，我們的業者之中不識大體者亦大有人在，他們只為個人暫時利益，而想故意促使新台幣升值，好從中取利，殊不知新台幣升值後，亦將打擊到他們自己今後的出口貿易。

國內業者須認清一個事實，新台幣升值幅度和日圓比較，應已相當足夠。若說只要貿易有順差，匯率就一定要升值，則值得商榷，因為在浮動匯率下，經常帳並非決定匯率的唯一因子，以日本為例，今年前八個月，出口成長率為百分之三〇點一，順差為五二二點二億美元，而今年年初到九月底，日圓只升值百分之七點五弱；我國於此期間，出口成長率亦僅略高，而為百分之三六點五，順差只有一二七點三億美元，但今年年初到九月底，新台幣卻升值百分之十五強，是以，退一步說，我國新台幣縱然比照日圓升值幅度，而比一九八五年上升百分之廿七，亦只能升到二九點二元兑一美元。由此可見，若干業者預期新台幣大幅升值的看法，是不正確的，而犯不著去投機。至於一些業者真正利用遠期外匯以逃避匯率風險，當然無可厚非，但若大家都如此做，勢必對匯率發生沉重壓力，以致遠期美元匯率可能過低，反而使自己蒙受損失，是以，應該考慮到遠期外匯不是唯一逃避風的途徑，而可交互使用其他方法。

就在上述「急就章」拙文引文之下，緊接著曾云，「而且，我國貿易的主力為中小企業，這些企業的主持人多半是事必躬親，現若外匯市場的『炒』作易於獲利，則吸引主持人躬親炒作，由於精力與時間有限，隨而可能導致我國對外貿易的衰退。」假若這番話再不幸而言中，則我國經濟將會受到嚴重打擊，是以，希望有關當局要注意此一問題，並防範其可能發展。防範之道，主要是那篇拙文中的建議：「貫徹貿易自由化」「厲行金融自由化」「落實資本帳自由化」。真正的貿易自由化，進出口貿易將接近平衡，使投機的業者難以興風作浪；真正的金融自由化，中小企業可能經由正當管道融資，而無懼於國際競爭；落實資本帳自由化的首要工作，是讓外匯指定銀行國際著名機構在台灣合組投資公司，直接而有效地經營對外金融性投資，而可將過剩外匯納入正確用途。

至於匯率調整方式，我並不贊成央行每天進場干預，使新台幣每天只升值幾分，徒增預期升值心理。正確的做法應是階梯性干預，先讓市場力量操作，但升到一元左右，則不妨干預，俾使業者適應，並漸漸趨向均衡匯率。

（七十六年十月四日聯合報刊出）

國際收支出現逆差的省思

我國國際收支，去年出現逆差，這是十二年來的第一次，難怪引起社會上的震驚，因為大眾一向習慣於國際收支順差，突然面臨逆差情況，縱然不至於驚慌失措，也會感到非常不習慣，心裡有說不出的彆扭。

國際收支出現逆差，原因雖然很多，但其主因厥為我國貿易順差的減少，去年我國出超為九十五億美元，比前年減少卅八億美元，減幅約二九％。尤其令若干敏感人士擔心的，乃是上個月幾乎出現「零出超」，而且今年一至二月的累積出超只有四億八千萬美元，比去年同期減少約六成。國人一向習慣於巨額貿易順差，現在卻看到如此「微小」的金額，當然缺乏安全感，所以，很多人認為今年國際收支仍將出現逆差，而且金額將比去年大。因而有人為怕國際收出一再出現逆差，而要擴大貿易順差，甚至於有人主張，應該恢復獎勵出口的措施。

這種主張，表面上似乎很有說服力，但是，這種說服力，至少在現階段，是難以通過檢驗，蓋因貿易順差不僅顯示資源分派不當，而且顯示儲蓄大於投資——這可從凱因斯的總供需模式看出：

總需求=消費＋投資＋政府支出＋出口

即AD=C＋I＋G＋X

總供給=消費＋儲蓄＋財稅收入＋進口

即$AS=C+S+T+M$

由於$AS=AD$也即$S+T+M=I+G+X$

所以，在平衡預算下（$G=T$），出超（$X>M$）必然意謂投資小於儲蓄（即$I<S$）。這正是我國在以往若干年中擁有巨額貿易順差下的情況。這種情況的持續，將會妨礙長期經濟發展與生活素質的提高，所以，有關當局一直在努力縮減出超，俾使對外貿易趨於平衡，而且預計於國建六年計畫完成之時，約略可以達成此一目標。去年是國建計畫實施的第二年，果然投資率大增—但在另一方面，儲蓄率卻低於預期很多，以致整個情況在控制之下而向目標趨近。這一貿易順差大為縮減的現象，正符合理性上的可欲，怎麼能背道而馳，恢復出口獎勵措施，再創巨額出超，使歷史重演？

不過，目前的情況發展得亦並不像上述那麼理想，因為根據上述恆等式，當出超（$X>M$）時，其結果不一定是投資小於儲蓄（$I<S$），亦可能是政府支出小於財稅收入（$G<T$），或者是兼而有之—這正是若干年前我國情況，投資遠落在儲蓄之後，財政有大量剩餘，針對此一情況，理想的改進之道，是使政府收支平衡，並使投資等於儲蓄，其結果必然是進出口趨於相等，但是，去年我國情況並非完全循此途徑前進，民間投資固然大幅增加（惟仍低於儲蓄），但卻因出現巨大財政赤字（$G>T$），從而導致貿易順差大幅縮小。易言之，去年貿易順差的減縮，甚至於國際收支出現逆差，財政赤字是其主要因子—社會上雖有很多人驚見國際收支與財政「雙赤字」，但卻未太注意到此二赤字間的相互或因果關係。

說到財政赤字導致收支赤字，就去年情況言，是經由兩種途徑：一為經常帳；一為資本帳。前者是指國建六年計畫的龐大支出，有不少部分是用於支付資本財與勞務的輸入，因而縮減了出超金額。在資本帳方面，近年來由於資金大量外流，一向出現逆差，俾可抵消一部分經常帳的出超，去年第四季付出購買F—一六戰鬥機的預付款，被作為短期資本處理，以致資本帳逆差突然擴大，再碰上國建計畫外匯支出使貿易順差縮小，從而，導致國際收支逆差的出現。

國際收支偶然出現逆差，並不足為慮，因為外匯存底就是準備作這方面的挹注，但若這種赤字是由財政赤字引起，則問題就不是那麼簡單，美國雙赤字所造成的嚴重後果可為殷鑑。職此之故，政府支出必須加以控制，但從上述兩種影響國際收支的政府支出看，新式戰鬥機為國家安全所必需，當然不能删除或限制，以致政府所能而應予控制的支出厥為國建六年計畫，這並不意謂該計畫要大幅修正，只是要予檢討，除剔開少數不太必要的項目外，須排列優先次序，並拉長計畫時間，秉持「有多少錢辦多少事」原則，使整個計畫在健全的財政下進行。

再純從國際收支觀點看，我國既然要追求對外貿易的平衡，就必須要注意到資本帳的平衡，如此，才可趨向平衡國際收支的目標。在此目標下，必須改進國內投資環境，俾可一面減少國人對外投資，另一方面，又可多吸引外人來台投資。

（八十二年十一月二十二日刊出）

國稅國徵，何錯之有？

報載，行政院先是指示財政部，要重新檢討台灣省北中南三區國稅局的制度，暗示檢討其存廢；不久，行政院又指示，此三區國稅局要裁員1,200人；後來是要財部於一個月內提出檢討報告。

按此三區國稅局的設立，是收回地方代徵的國稅，這原來是應當時台灣省主席邱創煥的要求，所以在郭婉容擔任財長之時，就推動設立台灣省國稅局的工作，當時立法院亦做成決議，收回台灣省的國稅稽徵權。王建煊擔任財長時堅持設立，此三區國稅局乃於去年九月一日正式運作。當時，立法院決議，此三國稅局於最初三年內，正式職員限於3,900人，加上工友等及約聘雇人員不得超過5,013人；目前，正式職員為3,700人，加上其他人等，共約4,200人。可是，行政院卻於上月初發函財政部，要求其總人數於下一會計年內限為3,900人；一個多月後，又傳出要求其裁員1,200人，甚至於要撤除這三個國稅局。

就常情看，多是立法機關對行政權挑剔，現在，卻是行政權中上級找下級的碴，真是有悖常「情」。而且，此三國稅局是經由立法而成立的，其人員亦遠在立院規定之下，現在行政院要一再減少其名額，甚至要裁撤之，豈不是目無「法」度。尤有進者，行政院這麼做，根本無道「理」可言，先拿裁員來說，行政院本來只說幾年內要裁員5％，且有「但書」，那就是真有需要者還可多用，現在即使按國稅局的最高名額，亦只能裁252人，為何一下子要裁掉其現有名額1／4強？這是擺明要國稅局不能運作。再說，政院精簡人事的目的，是為著財政出現巨大赤字，故要節流，而國稅局的設立不僅可以節流，抑且能夠開源；拿這一年來說，若委託地方稽徵國稅，代繳費為57.4億元，而此三局的決算只有33.2億元，成本約減少42％，這豈不是大大地「節稅」。上一年度，地方代繳的國稅為1,632億元，比年度國稅局自徵，增為1,905億元，增幅約17％，這正是「開源」。現在，政府為擴大公共建設與福利支出，正須廣籌財源，現在卻要對既可節流，又可開源的國稅局下手，廢除其武功，真不知是何邏輯？是何居心？

從以上分析，可見無論是從情、理、法那一觀點，都不能使台灣省國稅局癱瘓，行政院為何甘冒天下之大韙？其答案是為著選舉而尊重「民意」。其實，此所謂「民意」，只是地方利益集團的私見，因為在以往國稅由地方代徵，地方稅捐機構預算要受地方議會審核，很多稅捐就在有力人士「關切」下不了了之，而加重沒有背景廠商的稅負。循此，在租稅上形成一國兩制：院轄市緊，台灣省鬆。而「鬆」的一面，是在被迫放水，在竊取國庫。現在國稅國徵，地方有力人士難以得逞，所以，反對在台灣省設國稅局。

由此反對理由看來，國稅局更是非設不可，因為只有設立國稅局，才可堵塞國庫漏卮與促進租稅公平，何況國稅國徵乃是世界潮流所趨。尤有進者，租稅原則除公平外，還至少有效率與便利。就課徵成本言，此三國稅局為1.03％弱，代徵為2.93％強，足見國稅局的效率。是以，為促進公平與效率以及增加稅收言，稅政系統最好能由上而下一條鞭，即將地方稅捐機關併入國稅局（應正名為國內稅捐局），由該局代徵地方稅捐，不收代徵費用。如此，地方稅收將可大幅增加，但卻不負擔任何費用，既可開源，又可節流，應為地方政府所接受——但別有用心者除外。

說到便利，正是當前此三國稅局的短處，地方工商界認為以前可以過的案子，現在都被推翻，有人稅負增加二、三倍；還有一些陳年老帳也被推翻。此點可分兩部分：前一部分並非真正不便，亦正是國稅局效率所在；後一部分中有一些，是真正的不便利，尤其是在過去代徵時代已經結掉的案子，實在不應該重新翻案，但這不應包括未曾處理過的逃漏稅。財政部長林振國說，願意改進稽徵技巧，應該是指「便利」原則，而所謂「檢討」亦應朝此方向處理。

（八十二年十一月二十二日刊出）

「雙赤字」成因試解

中央銀行於日前宣布，今年第二季，我國國際收支出現6.72億美元逆差，累計結果，使今年上半年國際收支出現了1.39億美元赤字。這是十多年來，繼去年第四季之後，國際收支呈現第二度逆差。

去年第四季出現國際收支逆差，導致去年有六億多美元的赤字，當時以為這只是暫時性的失常，認為今年起仍將維持順差情況、而和以往一樣，但卻事與願違，其間只有今年第一季維持小康局面，第二季又在國際收支上出現赤字，使人不敢再以等閒視之，從而引起各界對國際收支是否持續惡化的疑慮。

尤有進者，我國近年由於推動國建六年計畫，使財政不僅出現赤字，而且累計金額已逾一兆元新台幣，現在又在國際收支上出現赤字，更使人感到不安，因為這將可能陷入「雙赤字」的困境。

美國國力於二次大戰後如日中天，但因這種雙赤字的出現，於1960年代後期即已感到力不從心，後來於1972年由於難以支撐，不得不宣布美元大幅貶值，從此，美國經濟實力大打折扣，而且成為全球最大負債國家，對外負債約五千億美元。

「雙赤字」是指財政赤字與國際收支赤字同時出現，二者之間有無因果關係，實在值得推敲。現在姑且使用凱因斯總供需模式來探索：

總需求$=AD=C+I+G+X$

$$總供給=AS=C+S+T+M$$

所謂總需求，是包括消費（C）、投資（I）、政府（G）與外國（X）需求；總供給則為消費、儲蓄（S）、稅收（T）與進口（M）之和。

由於總供需相等，雙方的C可以抵消，再若投資與儲蓄相等，則$G>T$，必然導致$X<M$（反之亦然，但在邏輯上與實證上，此一說法較為合理），意謂財政赤字出現，將可能導致國際收支赤字（此處$X<M$實在只能代表商品帳逆差）發生。這一推論亦相當符合事實，以美國為例，其國際收支發生巨幅逆差，是來自於大量援外與全球駐軍，而這些援款與軍費，當然是增加政府支出，以致財政上出現大額赤字。究其實際，財政赤字才是國際收支發生的原因。我國情況亦復如此，在中央政府遷台之初，財政赤字不平衡，連年有赤字，而當時的國際收支亦是連年有逆差；其後，財政收支平衡，且時有剩餘，而國際收支亦由虧轉盈，連年呈現順差；近年，由於國建計畫的推行，政府大量投資於公共工程，使財政出現巨額赤字，以致去年第四季與今年第二期的國際收支都出現逆差。

就我國言，由財政赤字導致國際收支赤字，是有其邏輯關聯，蓋因政府投資的公共工程，須要進口大量資本財，甚至大幅增加國際勞務支出，從而肇致貿易順差以及經常帳順差大減，難以挹注大量的資本外流（亦即資本帳逆差）。目前，我國對外貿易仍有順差，而與上述情況（以X與M之差代表國際收支差額）不盡相同，那是由於我國儲蓄仍大於投資，所以，在財政有巨額赤字之時，貿易仍能保持若干順差。易言之，從以上兩式看，由於$I<S$，所以，在$G>T$的情況下，可以緩和$X<M$的差額，甚至使其符號逆轉（只要$I<S$的差額夠

大）。美國儲蓄經常小於投資，所以，在其財政連年出現赤字的情況下，不僅發生國際收支赤字，也且有貿易逆差。

從以上分析，足見我國對外收支呈現赤字的根本原因，是來自財政赤字，而財政發生赤字的理由，則是國建計畫過於龐大。現在，國建計畫規模既已縮小，再若政府各部門能大量節流，國際收支赤字將因財政赤字的消除而可能根絕，其他措施（諸如提高觀光規費），不是無濟於事，就是細枝末節，勉強實施，可能於事無補，且將產生負作用

（八十二年九月二十日刊出）

信用社的羊頭與狗肉

前幾天，媒體上出現一則新聞，是說銀行員工會全國聯合會代表數十人，前往財政部，抗議信用合作社免提準備金與免繳營業税及印花税，致其營業成本比一般商業銀行低10%至15%，形成對銀行的不公平競爭，並使國庫每年約減少50億元税收。所以，他們要求把現行信合社優惠規定，轉變為「畢業條款」，即只能享受一定年限的免税優惠，而且在其營業單位超過10個時，即應強制改商業銀行。易言之，他們是要求將出柙的「金融怪獸」還柙。

説它是「金融怪獸」，並不為過，因據可靠消息，這次縣市議員、議長賄選所用金錢，很大部分是來自信合社，這是由於很多信合社是由民代主導，以致信合社與地方派系發生密切的關係。

台灣的信用合作社是始於日據時代，到現在已有80多年的歷史，目前共有74家，存款總額約1.6兆元，放款總額約一兆元，而股金總額不過350多億元，且由社員出款，而非主事者自己的資金，但因是合作社，每股股金多僅數百元，而召開社員大會時，每年所取得的禮品經常大於此數，以致社員對社務多不關心，任由主事者上下其手。

就在這種情況下，啟發地方派系覬覦之心，因為只要用人頭社員方式掌握社員代表，再以社員代表控制理監事席位，再進而取得經營權，從而運用信合社的廣大資金，在政治上翻雲覆雨。合作社是一人一票，本來是具有濃厚的民主意味，竟然為政客所「強暴」；在金融上則成為出柙怪獸，不僅造成不公平競爭，也且可能演成金融風暴——台北十信事件可為殷鑑。

合作社是源自合作主義，在歐文、傅利葉等先驅時代，他們是雄心萬丈，要取代資本主義；即使到上一世紀中葉左右，羅虛戴爾先鋒社以及雷發巽與許爾志式信用合作社各領風騷之時，亦是要以合作方式與資本主義分庭抗禮；但是降至上世紀末本世紀初，美、日等國所推行的合作社，則已降格為資本主義下的分配工具；今日台灣，若干合作社更等而下之，掛羊頭賣狗肉，而為政客所把持，將合作社的原來宗旨，只實行一半，那就是「人人為我」，而「我」不「為人人」——這絕非當初主張將獎勵合作納入憲法條文的人士始料所及。

奇怪的是現今立院諸公，似乎對合作精神漠然不知，而於今年初頒布的信用合作社法中，擴大其業務區域，放寬業務項目與對象。其目的是要提升其競爭力，但卻形成對其他金融機構的不公平競爭。按合作社是經濟弱者的互助組織，強調「人的結合」，社員間因彼此瞭解而信任，所以，其營運的基本原則至少有三：一人一票；只對社員交易；按交易額分紅。

現在信合法將業務單位擴大，而以縣市為單位，社員彼此如何瞭解？現若仍強調人的結合，豈非自欺欺人！再若放寬交易對象與營業項目，則顯然由互助變為營利，以致合作精神蕩然無存，而為一般金融機構，若是如此，則應照章提取準備與納稅，否則就要嚴格遵守合作社上述三原則——若真如此，亦就沒有甚麼「畢業條款」，因為這是羊頭羊肉。

按信合法第13條規定，信合社可採社員代表制，代表人數應為社員10%，最多151人。循此，社員人數應該不逾1,510人，而現在各社社員人數均遠逾於此。所以，有關當局應嚴格執法，將不合此項規定者打散或改制為銀行。

若是要賣狗肉，乾脆就掛出狗頭，放棄「人的結合」，改為「錢的結合」，俾使名實相副，權責分明，蓋因財產權代表權利，亦代表責任，出資的股東為珍惜其財產權，必將慎選其董監事，而董監事也必各自握有相當的股權，本來為珍惜其自己財產就要好好地經營，再加股東監督，故其內部可在均衡下運作，而不致有「用別人的錢辦自己的事」之弊。

（八十三年六月六日刊出）

論中央地方財政收支劃分

日前，本專欄的「鄉鎮課稅權之商榷」，主要是從中央與地方財政收支劃分觀點出發，此次就要專門討論此一問題。

在政府組織上，可以區分為中央集權與地方分權兩種制度，前者可稱為單一政府，如我國；後者則是聯邦制政府，如美國。從理論上看，單一制下的中央政府稅收佔稅收總額的比重，應該高於聯邦制下的中央政府，其實並不盡然，以聯邦制的美國言，此一比重高達71％左右，而我國則僅約59％——須予說明者，我國中央政府向有公賣利益與國營事業盈餘為挹注；但於公賣制度取消與公營事業民營化後，中央政府的稅收比重勢必增加，惟將可能難逾70％。因於各級政府支出中，中央比重從未逾此數。

中美的比較或為特例，一般說來，各級政府在稅收中所佔比重，在聯邦國家，澳洲的地方政府（相當於我國的縣市）稅收比重最低，僅約4％，瑞士最高，在15％以上；就州（邦或省）政府言，加拿大比重最高，約為35％，奧地利最低，只有10％；聯邦政府之比重恆在50％以上，平均數接近70％。在單一制國家，希臘等國最低，不到4％，日本、瑞典等最高，在25％以上，中央政府比重則平均在85％以上。就我國言，根據民國76年資料，各級政府間稅源分配，中央為58.82％，台北市12.63％，高雄市4.14％，台灣省9.66％，地方政府（縣市暨鄉鎮）14.75％；依此看來，我國雖為中央集權，但在稅源分配上，卻接近地方分權國家。

儘管如此，台灣省版財政收支劃分法，卻希望將省縣鄉鎮的自有財源大為提高，即省要提高到7成，地方提高到4成。目前省府自有財源為35.42%，縣市為53.25%，鄉鎮為36.73%，所以，在提高比例上，除縣市外，省與鄉鎮均須很大氣力。其所以要提高自有財源，當然是加強其財政自主性，減少上級補助，但究其實際，有些地方，即使將國稅與省稅全部給予地方，亦不足其開支，以致「補助」在所難免，以1981年的美國為例，聯邦及州政府補助，佔地方歲入的76.5%，而在民國76年，我國的補助只佔地方歲入的37.4%，由此看來，我國地方政府的財政自主性高出美國很多。

不過，中央與地方財政收支劃分問題，仍然值得重視，而須加以探討。探討財政收支問題，必然涉及中央與地方權限之劃分，其劃分標準，通常以公共財性質、地區偏好差異性、人口移動程度與執行效率為依歸。凡是地區偏好差異性高與人口移動程度低之國家，其地方權限與財政自主性應該較高，反之則降低，以台灣言，幅員狹小，交通便利，以致偏好差異性低與人口流動性高。執行效率是就中央與地方政府比較而言，但以從前的12與14項建設為例，我國地方政府在執行效率上，實在令人不敢恭維，以致其財政自主權之提高，有無浪費之虞，實在值得推敲，易言之，若要提高其自有財源，地方政府的行政效率必須提高。

在公共財性質方面，一般是視其產生利益所及之範圍，而區分為國家公共財與地方公共財，前者如國防、外交；以及經濟發展，宜由中央政府提供，後者則如公園、停車場，屬於地方權限。但為教育普及，與考慮到國人的共同偏好，各級學校經費似可由中央負擔，俾可保證偏遠地區人民子弟，也可接受良好教育。國防是保障國家安全，而治安則保障社會安寧，以致警政費用亦可由中央負擔。

這些支出若是改由中央政府全額承擔，則各級地方政府的財政負擔將大為減輕，從而亦不急於課徵新稅。假若須要課徵，其納稅義務人應以其轄區內居民為主體，若是涉及外來者，則該項新稅必須上級政府甚或中央政府核准，因為即使在聯邦國家，凡涉及二州（邦）之事務，即須聯邦政府處理，而台灣如此之小，某鄉鎮對外人課稅，其所涉及的人等，不僅是外鄉鎮外縣市，甚至要牽涉到外省市，，可能要中央主管機關的核准，才臻完備。

（八十三年八月一日刊出）

金融風暴處理之檢討

彰化四信與國際票券形成的金融風暴，其基本問題都是出在制度上，這個制度是歸結到經濟學中歷久彌新的一個觀念：財產權（以下簡稱產權）。

產權、稀少性和理性，一向被視為經濟理論的基礎，若因沒有稀少性，就沒有經濟問題；若是缺乏理性，則何來經濟規律——產權的重要性卻沒有如此為人瞭解。此所謂「產權」，其基本意義是指私有財產權，因為這才是市場經濟的基石。彰化四信與國票公司就是由於缺乏明確的產權關係，以致發生弊端；若是信合社真正遵循合作原則，或可「人人為我，我為人人」，但四信變成金融怪獸，主事者是用他人的錢辦自己的事；國票表面上是民營，但其主要股東幾乎都是公營行庫，以致金檢人員屢次告誡其內部管控不周，因主事者無切膚之痛，而未能迅予改善。是以，與其今後在金檢上鑽牛角尖，還不如作產權的重大調整，至少應雙管齊下。

這次金融風暴的處理，有關方面頗為自詡，認為處理明快。其實，「快」則快矣，卻並不高「明」。尤其是命令合庫概括承受四信之舉，實在是相當莽撞，蓋因這和國際上處理類似案件的方式相差甚遠。基本上，這是要經由市場機能來處理，金融當局只是從旁協助，以促成其他金融機構購併之，1992年，加拿大中央保證信託公司（CGT）財務出問題，請求存保公司（CDIC）無息長期貸款列為法定資本，但被拒絕；惟CDIC協助其清算，並尋找買主，選擇了多倫多道明銀行（TD）出價方案，並考慮給予財務援助（主要為保證與貸款）。

我國卻以政治方式解決四信事件，或許有人說，十年前，亦是要求合庫概括承受台北十信。十信的處理方式本來就不足為訓，何況當時是先清算，後承受，此次則未經清算，就等於要納稅人為彌補四信虧損而背書，並且背負不確定的風險。或許有人說，這是合庫自負盈虧，並未花納稅人的錢。其實不然，合庫盈餘本須繳交公庫，現因承受四信虧損，必將減少繳庫盈餘，從而使公債增加，而公債之本息，勢必落在納稅人雙肩。四信虧損扣除其資本淨值後，仍然不足19億餘元，以該社去年盈餘為1.6億元計算，則合庫承受後須花10年以上時間才可以軋平。若是有關當局以「概括承受」為傑作，而基層金融又是千瘡百孔，則怕的是歷史重演，致將合庫搞垮，那才是難以承受的風暴。

在體制上，合庫是省營事業，且是獨立的經營體。既是省營，在地方自治展開新頁的今天，中央政府怎麼能不先問一問省府的意見？既是獨立企業，金融當局怎麼能蔑視企業自作決策的能力與權利而越俎代庖？易言之，命令合庫概括承受四信的舉動，在政治上，是與地方自治有牴觸；在經濟上，則是違反企業決策的獨立性。

此外，在這次處理行動的周邊，似乎又至少出現兩件不妥之事：一為暫停基層金融的檢查工作，以免發生骨牌效應；一為要求存保公司儘可能接受前來投保的基層金融機構，而有來者不拒之勢。前者是諱疾忌醫，後者是良莠不分。這樣做，表面上是粉飾太平，實際上則是藏污納垢，等於是在埋下更大金融風暴的種子，因就一般道理言，若是某一地區發現某些人受到輻射汙染，則應儘快對這一帶人民作體檢，以便儘早發現，及早治療，金檢工作亦是如此，怎麼能公開宣布「金檢假期」，好讓不肖的金融人員上下其手？存保公司對於投保者的體質當然有檢驗之責與拒絕之權，否則來者不善，豈不要把存保公司拖垮！

金融風暴中，雖然出現擠提與解約事件，迫使四信與國票被提走好幾百億元，但是，這些錢仍然留在金融市場之內，而央行於這幾天之內，至少釋出800億元，亦就是說，由於這次風暴，市場驟增800億元，經由乘數效果，會增加好幾千億元貨幣供給量，對於物價將有很大壓力，所以，於風暴平息後，應該設法抽緊銀根才是，但卻因中共又作導彈試射，央行為刺激股市，而不得不作逆勢操作，宣布降低法定存款準備率，又釋出600多億元。真可說是一波未平，一波又起。

（八十三年八月十四日刊出）

財政收支劃分平議

最近，台灣省長宋楚瑜說了重話，使中央與地方財政收支劃分問題突然白熱化。宋省長之「忍無可忍」，是因為省府自有財源太少，以84年度情況看，各級政府自有財源佔歲入比重，以鄉鎮最低，只有38.05％，其次是省府，此比重為41.28％——比起同一等級的台北市（92.24％）與高雄市（76.55％），更是不成比率。

此所謂「自有財源」，主要是稅源的分配，亦就是所謂的垂直分配制度，是指各級政府都有其專屬的稅收。從這個觀點看，省的稅收顯然不如院轄市，以國稅中的遺產及贈與稅來說，市可分得半數，省只得10％；營業稅分成比率，省市雖然相同，但因總公司多設於院轄市，以致很多工廠雖然設於台灣省，而營業稅卻交給院轄市。至於鄉鎮自有財源如此之低的主因，是由於田賦的停徵，蓋因田賦收入原來是全部劃歸鄉鎮所有，而田賦停徵，並未分配到另一稅目以代替之，以致地方財政大為空乏。

這種垂直分配，是包括各級政府在內，另有一種中央政府除外的水平分配，是上級政府對下級政府的財政支援，主要為稅的統籌分配與補助款兩類。就稅款的統籌分配言，中央對省市，省對縣市，縣市對鄉鎮，都是在於平衡其預算，但省府卻保留其總額的10％，以供支援緊急支出之用，致被譏為「省主席的私房錢」。在這一水平分配中、省比北、高二市分配的多得多，而宋省長這次發難，則是要提高垂直分配，從而，勢必擠出水平分配，若是貫徹下去，則必將貧者益貧，富者益富，宜蘭、南投、雲林、嘉義、屏東、台東、花蓮、澎湖、基隆九個縣市將難以自存。

由此看來，在其他事物不變情況下重新劃分稅源，必將是「零和」。所以，要打破「零和」就必須雙管齊下，改變很多事物。首須注意的，不要把焦點只放在收入面大餅的爭奪上，同時亦要著眼於支出面的劃分；其次，是要設法將這個大餅加大，如此，將不會出現你多拿一點，我就會少分一些；最後，則是水平分配制度必須持續保持，但可修正。

從第一個原則的角度看，減少地方財政支出，等於是增加其收入，亦等於是增加其自有財源，而這種支出的負擔者厥為中央政府，支出內容則以追求一致的公共財為優先。循此，各級公立學校的經費，以及地方警政支出，應該完全由中央政府負擔。目前在教育方面，是中央辦高等教育，省市辦中等教育，縣市縣國民教育，但因各縣市財政狀況不一，以致國中與國小的設施及品質參差不齊。是以，從立足點平等的觀點看，這些國中、小的全部經費，理應由中央負擔；連帶地為著減輕省市的財政負擔，高中與高職亦應由中央接辦。同樣道理，警政支出亦應由中央負擔，如此，才可以真正貫徹警政一元化，俾可確保全台的治安，從而亦可以避免超勤津貼「一國四制」與人事主導權之爭執等憾事。

第二個原則，是要廣開稅源，但這不一定要增加稅目或提高稅率，其主要途徑有三：一為取消若干免稅規定，以擴大稅基；一為加強稽徵，有效查緝逃漏稅，以增加稅收，財政部日前公布其超徵績效，令人印象深刻，究其原因，可能是在台灣省分設國稅局有關，因為這可避免地方勢力或民意代表的干擾，是以，稅政一元化也許該是思考的方向，以擴大課徵範圍，並採分成制，按一定比率分配給中央與工廠所在地的省（市）、縣（市）、鄉（鎮、市），在分配的比率上，後者應為最高，俾對其所受到的汙染有所補償。

衡著第三個原則，在稅源的大餅中，中央應該取得較大的份額，因為只有如此，才可保證水平分配的進行，但水平分配必須透明化；在我國加入WTO後後，關稅收入將銳減，公賣勢將改制，再加公營事業民營化，中央自有財源行將日蹙，所以，在稅源分配上，必須要未雨綢繆地考慮到這幾點；更何況財政集權化是全球趨勢。

（八十四年七月十七日刊出）

基層金融應重新組合

——從彰化四信事件說起

彰化市第四信用合作社，自上月29日傳出財務不穩的消息，立即引發擠提風潮，由於適逢週六，半天擠提三億餘元。31日，金融局長還公開表示，四信存放款比例約60％，財務相當健全，呼籲存款人安心，但31日與8月1日，仍被提走70多億元，以致兩個工作天內，一共擠提79億餘元，創下國內最高紀錄。有關當局發現四信總經理挪用公款**28.42**億元，遠超過四信9億的資本淨值，有關當局不得不勒令四信自2日起停業，並由政府接管，但於次日，卻又急轉而下，改由合庫概括承受，並解散四信理監事會。

四信這次遭劫，主要是其總經理利用假存單而借款，再流入地下金融，作股市丙種墊款業務，越陷越深，以致一發而不可收拾。此事件至少揭示下列弊端：

一、缺乏內部稽核機能，因若四信體制健全，怎麼可能讓總經理一手遮天。

二、金檢單位難辭其咎，雖然四信報表做得漂亮，可是該總經理已作丙種多年，在股市大大有名，為何合庫檢查人員沒有聽到風聲？而且上次檢查時間，是在82年底與83年初，為何間隔一年半以上還未檢查？

三、存款人本身也有疏失，若是明知四信沒有參加存款保險，而仍然將大筆金錢存入，則似乎是「明知山有虎，偏向虎山行」。

四、有關官員既失察於前，又懵然不知「無風不起浪」之理於後，話說得太快、太滿，以致聽信官方言語而未去擠提的存款人幾乎吃了大虧。

合庫承受四信後，一定有其處理之道，但卻希望能不再使用十信模式，至少要先按有關法令，要求四信有關人等盡其應負的責任。按規定，信合社的監理事與經理人是負無限責任，社員則負10倍股金的保證責任。如此一來，將使信合社的理監事與經理人，負起應負的責任，而有助於內部控制與監督體系之建立；也將使一般人不會為貪小便宜而淪為人頭社員。

可是，真正解決之道，厥為乘此機會，大刀闊斧地整頓現有的基層金融體系。所謂基層金融，除信用合作社外，還有農漁會信用部。其中，信用部多以鄉鎮為單位，信合社則以縣市為營業範圍，以致和地方派系關係至深，從而發展為金權政治。以信合社為例，很多地方政客使用人頭社員方式以掌握社員代表，再以社員代表控制理監事席位，進而取得經營權，從而運用存款人的錢，去營造本身政治地位與利益，所以，每逢地方選舉或中央公職人員選舉之時，基層金融機構的業務就分外熱絡。

地方派系與基層金融結合，導致政治惡質化以及金融失序。是眾所週知的事，而彰化四信事件，則又顯示基層金融失序的另外兩大原因：一為流向地下金融；一為廣用人頭貸款。前者是指經由地方仕紳拉線，由這些地上的基層金融提供資金，以壯大地下金主，俾於股市及房市上翻雲覆雨，行情好的時候，彼此利益均霑，但卻形成泡沫經濟，對總體經濟不利；若是行情不好，且若拖延一段時間，則由地上金融獨嘗苦果。至於人頭貸款更為普遍，譬如北部某農會就有21位會員被用作人頭，貸走8.8億元。這些金融機構還頂著信用合作的名義，享受免提準備金、免徵營業稅及印花稅等優惠，使其營運成本比一般銀行低10%至15%，形成不公平競爭。

今後改革之道，可以雙管齊下：一為將現行農漁會信用部及大型信合社升格為銀行；一為徹底奉行信用合作原則，以重建基層金融。前者是指農漁會信用部可合併為縣市區域銀行，使農漁會只成為股東，再招募其他民股，共同經營之；凡在一定規模以上的信合社，鼓勵其於一定期間內改制為商業銀行，否則就要打散，改組為好幾個小型信合社。後者是指信合社應以鄉鎮區為單位，社員彼此認識，可作信用性小型貸款，因按信合法第13條規定，社員數目上限似為1,510人——彰化四信卻近五萬人。

（八十四年八月七日刊出）

央行在兩面作戰

軍事上忌諱的是兩面作戰，二次大戰期間，德日兩國犯此大忌，所以一敗塗地。現在，我國中央銀行卻亦陷入兩面作戰的尷尬：一面要維持新台幣兌美元匯率的穩定，力守27.5元的關卡；一面要降低利率，俾為股市、房市增加利多的助力。

其所以稱為兩面作戰，是因為這兩個目標難以同時達成，甚或背道而馳。純從匯率言，其短期的影響因子，以利率為主要，凡要提高一國匯率，在其他事物不變情形下，其政策手段是為提高利率，以吸引外人改作該國貨幣存款，從而促使其匯率升高。現在，我國央行使很多辦法以抑低市場利率，卻又想力守27.5元匯率大關，其壓力之重可以想見。

在另一方面，央行為穩定匯率而大量拋售美元，從而大量吸入新台幣，使市場銀根趨緊，利率為之上揚，但在大型銀行調高存放款利率之時，央行又表示關切，導致金融市場出現兩種非可欲現象：一為激起套利風氣；一為存款出現差別利率。

前者是指，由於銀根緊俏，導致拆款市場利率上揚，一度高達10%，從而帶動票券及債券附買回利率的上竄。於是乎，引發套利行為，使大量的資金流竄於銀行體系與貨幣市場之間，信用好的大企業及個人大戶，向銀行低利借款，再投向貨幣市場，以從中取利。此一現象的另一後遺症，是對股市不利，蓋因這些財團與大戶，既然能在套利行為中取得確定的利潤，又何必在證券市場打拚，以追求不確定的利得？

從上述，已知財團與大戶在套利中獲益，而在差別利率上，他們更備受青睞。在貨幣市場利率竄升與央行關切銀行利率上揚情況下，迫使很多銀行撥出大額牌告存款利率，3個月期的大額存款（500萬元以上）牌告利率高達7%，較一般存款利率6%左右，足足多出1個百分點，而更大額的（千萬元以上）銀行可轉讓定存單等票券，3個月期收益更在8%左右。亦就是說，由於央行兩面作戰的尷尬，使存款大眾蒙受利率下降的損失，而財團與大額存款人卻獨享利率上升的利益，無形中在進行一種不公平的所得分配。

職此之故，有些人質疑央行的匯率政策，認為央行力守27.5元防線，是在扭曲匯價，不如讓新台幣匯率完全由市場決定，即使大幅貶值，亦有利於我國出口，引入很多外匯，這不僅使國內貨幣供給增加，也且將使新台幣匯率回穩。

這一質疑，無論是從市場機能還是政策方向言，都有其見地；這種放任匯率浮動的做法，當然是發揮市場機能；而放棄穩定匯率的政策，亦解除了兩面作戰的尷尬。

不過，央行穩定匯率政策，是有其苦衷在，那就是當前政局不定，民眾擔心，紛紛兌取外匯，致使新台幣連連貶值，若是任令匯率浮動，則其結果很可能不像那些質疑人士所預期的，在新幣大幅貶值時，原擬結匯的國人，將因成本提高而減少結匯，反而由於新台幣連連貶值，而對幣值甚至政局的信心大為動搖，為恐其進一步貶值而要先下手為強，從而在外匯市場形成搶購之風，增加新台幣貶值的壓力，蓋因這一波搶匯行為，其動機不是套利，而是為著「避險」甚至「逃難」，以致市場機能在這裡反而可能產生推波助瀾的作用，所以，央行的穩定匯率政策，（當然不一定要以27.5元為防線），有其一定的功效。

但為解決面作戰的困境，央行應讓利率由市場決定——前天降低存款準備率的行動，可能只可收效於一時，反不如任令市場利率自行變動（事實上，西歐利率亦在遞升之中）。目前，央行降低利率的動機，表面上是促進投資，實際裡是要支撐股市。而股市之所以低迷，主要是由於兩岸緊張關係，是以，與其以降低利率來揚湯止沸，還不如設法緩和兩岸緊張以便釜底抽薪。嚴格說來，匯率問題豈不亦是如此，所以，要避免央行的兩面作戰，就必緩和兩岸關係，當局為何慮不及此？

（八十四年九月二十五日刊出）

兩稅合一的商權

這次總統選舉期間，李總統政見之一，是「兩稅合一」。其實，在11年前，王建瑄就曾提出過。當時，王氏是經濟部常務次長，任經革會財稅組副召集人，兩稅合一案就是該組提出的重要建議之一，但為經革會委員會否決。想不到多年後卻又舊話重提，而且是出自王氏「政敵」之口，不過，由此也可看出，「兩稅合一」一直是個爭論不休的老問題。

所謂「兩稅合一」，是指營利事業的股東，可以將其股利收入已繳的營利事業所得稅，全部抵繳其個人綜合所得稅。其所以主張兩稅合一的主要理由有三：

首先是租稅公平，因為在現行稅制下，使得公司發放的股利，既要繳納營所稅，又要課徵綜所稅，等於是重複課稅。

其次是投資與成長：前者是因資本利得被課兩次稅，影響資本主的投資意願，而且也因這種重複課稅，增加資本的成本，以致妨礙廠商採取資本密集生產方法；由於投資意願與資本密集生產方法遭到抑制，以致妨礙到經濟成長。

最後則是重分配效果，因為兩稅合一後，將會促使公司增加盈餘分配，這將導致股東個人綜所稅的增加，提高其累進稅率，從而有利於所得的公平分配。

其實，以上的稅法只是片面之詞，而未考慮全局。先就其第一個理由來分析，其基本假設，是認為公司只是虛擬的法人，並不具有獨立納稅的能力，而且還假定所得稅不可轉嫁——這是傳統的看法，以為所得稅是直接稅而不會轉嫁。但在實際上，公司是社會實體，甚至於可以享有一些超越自然人的權利，在權利與義務平衡的前提下，公司當然應有繳納所得稅的義務，何況近人研究，在某種程度上，公司所得稅是會轉嫁的，以致股利所得不至於負擔額外稅負。循此，營所稅與綜所稅分別課徵，並不牴觸租稅公平原則。尤其就國內實況言，據估計，兩稅合一後，政府每年稅收損失達1,400億元，為著彌補此一缺口，勢必要增加稅目或提高稅率，以致增加一般人民的稅負，尤以薪資階級為然，這豈是促進租稅公平之道？

再就投資與成長而言，在營所稅與綜所稅分別課徵情況下，公司將有增加未分配盈餘的誘因，使公司儲蓄成為私人儲蓄與資本形成的主要來源，現若兩稅合一，則將降低整個經濟的儲蓄與投資。從而影響到經濟成長。事實上，國內亦曾為兩稅合一做過一般均衡動態模擬分析，發現兩稅合一後，素為倡議者所稱頌的主要功能——鼓勵投資與促進經濟成長的效果，並不明顯，而且固定投資與國民生產毛額反而下降，這是由於在該模擬分析中，公司儲蓄率大為減少，而民間利率則顯著上升。由此可見，兩稅合一逼使儲蓄、投資經濟成長均在下降。

更就所得重分配而言，兩稅合一是在拉大貧富差距，而非縮小之，以民國81年度綜合所得稅為例，全部申報戶中營利所得占所得稅額比率為3.3%，其中，所得淨額在73萬元至100萬元的級距，營利所得比率為3.7%，然後，此一比率是隨所得淨額增加而升高，至470萬以上的級距，此一比率高達38%，足見兩稅合一的受益者是高所得群，以致兩稅合一的稅制，在本質上有累退傾向。

從以上分析，可見兩稅合一制對於總體經濟是弊多利少——其所產生的利益，主要是為高所得者減少稅負，真若如此，豈不令人懷疑領導階層倡議的動機？

平心而論，縱然營利事業所得稅可以轉嫁，但絕對不是全部，是以，部份抵繳制也許較為可行，那就是股東的股利所得中一定比率（譬如說20%），可以抵繳其個人綜合所得稅。另外的簡便方法，乃是將營所稅或綜所稅，或此二稅之稅率大幅降低，蓋因兩稅合一的主張，本來就在於減輕稅負，今若輕稅則其目的即已達成，致無這一問題。

（八十五年四月一日刊出）

收支劃分與開源節流

中央與地方財政收支劃分是老話題，每隔一段時間就喧騰一時，去年7月17日，本專欄亦曾就此問題提出建議，其原則有三：㈠不要把焦點只放在收入面大餅的爭奪上，也須著眼支出面的劃分；㈡設法將這大餅加大；㈢水平分配制度必須保持。

在措施上，針對第㈠點，認為地方教育經費（由小學到高中、職），悉應由中央政府負擔，俾使各地人民接受教育的機會與條件平等；並為貫徹警政一元化，警政支出亦應完全由中央政府負擔。對於第㈡點，要廣開稅源，其途徑有三：一為擴大稅基；一為稅政一元化；一為貨物稅應該改採環保取向。關於第㈢點，主張上級政府對下級政府的補助應予賡續，但水平分配須予透明化。

最近傳出經建會所提的財政收支劃分新版本，大致上還符合上述第㈠㈢兩原則，那就是在支出部份；中央再增加對台灣省各縣市國民教育經費補助100億元；台灣省補助各縣市警政200多億元中，半數移由中央負擔；台灣省農保、全民健保補助款，移由中央負擔；在收入面，增加中央、省、縣統籌稅款，其中，中央統籌部分，是營業稅全部，以及增加所得稅轉貨物稅的5％。

儘管新版支出面在形式上符合第㈠原則，但在精神上卻失之毫釐，差之千里；首先是這些支出補助並未包括北高二市，這當然是由於此二市自有財源較為充沛，但因其警政支出並未得到中央補助，以致去年發生的人事主導權爭執，今後仍將上演，而且台灣省的警政補助，亦只負擔一半，可能也將影響到未來的警政一元化。其次，中央對教育的補助，亦是只限台灣省，而且其補助並未涵蓋高中與高職，甚至於只說「中央再增加國民教育經費補助」，而不說「國民教育經費，移由中央負擔」，這既顯示中央並未負擔全部教育經費，更表示地方不願放棄其教育人事主導權，以及議員質詢校長的威風。

在收入面，是在加強水平分配，但卻將原屬於地方稅的營業稅金數改由中央統籌。其如此做的理由，可能是要平息省市為爭取營業稅的糾紛，但卻忘記營業稅與貨物稅一樣，應採環保取向，即工廠所在地的縣市鄉鎮應該取得其產生的貨物稅與營業稅的很大部份，以補償其所蒙受的汙染，俾使環保與成長兼顧，其較佳方式，是要重新決定分成，譬如可以規定，在營業稅方面，總公司所在的省市，可與工廠所在地的縣市鄉鎮平分秋色，貨物稅也可作如此處理，至少可將中央將貨物稅提撥統籌的部份如此分配，既可符合環保取向，又可直接增加地方自有財源。

新版最未能符合的，應為上述第㈡原則，亦即開源問題，其所以如此，是因為還不屬於財政收支劃分範圍。在形式上，確實如此，但在實質上，此二者卻密切相關，因為財政收支的一再劃分，不僅由於「不均」，更由於「患寡」，所以，開源甚為重要。不過，在選票第一的情況下，要地方政府課徵新稅，是有些強人所難，所以，較為可行的方法乃是節流，節約不必要的支出，其在功用上是和開源相同。很多地方政府一方面向上級政府爭取補助；另一方面，其首長卻忙著為自己購買高級進口座車；某市政府員工只有幾百人，但是，其為提高府內公文流轉速度就編列6億元預算；某一鄉民代表會為建議會願花1億8仟萬元，裝修與空調再花約３億元。地方如此揮霍，還伸手向上級政府要錢，真是於理不合，是以，今後對地方補助，亦應將其預算編列之奢、儉，作為考量要點之一。

另一方面，上級政府也須節流，這一方面要撙節其開支，俾可增加對地方財政的補助，其中最須撙節的也許是公共工程，因為其預算編列的浮濫為眾所周知之事；另一方面，則須統籌款分配的制度化與透明化，不可黑箱作業，更不應該淪為首長的私房錢，如此，將可把錢都花在刀口上。

（八十五年五月二十七日刊出）

兩稅合一的再探討

關於兩稅合一問題，本專欄曾於4月初討論過，認為從理論上說，在課徵營利事業所得稅後，再徵收個人綜合所得稅，並非重複課稅，蓋因前者課徵對象是營利法人，後者課徵對象則是自然人。

若說這些營利法人是虛擬的，並不具有承受納稅義務的能力，則須記住，權利與義務是對等的，如果法人沒有承擔義務的能力，那它同樣地也沒有享受權利的資格。說到權利，在營利方面，法人（主要為股份有限公司）享有的權利遠超過獨資與合夥的自然人，譬如說它可擁有免稅的未分配盈餘——只要其累積金額不超過其資本額的2倍；產業升級條例中各種租稅減免（這是實施兩稅合一國家未曾出現之事例），亦只限於法人，是以，在享有權利就須盡義務的原則下，營利法人繳納營利事業所得稅，是天經地義的事，因而，其股東所獲股利也應併入個人綜合所得稅繳納，何況，其中還有27萬元利息暨股利的免稅額。

如此看來，就營利法人來說，實在沒有重複課稅問題。事實上，真正的重複課稅，是發生在營利事業中的自然人身上，亦就是獨資與合夥等營利組織，它們享受不到上述的任何優惠之權利，卻要承受繳納營利事業所得稅的義務，而且是當年分季繳納，不像公司次年申報，它們本來就是自然人的自然結合，可是其組成份子在取得營利所得後再須課徵個人綜合所得稅，這才真正是重複課稅。

令人詫異的，經常提出重複課稅問題，而要求兩稅合一者，多為營利法人，而不是那些獨資與合夥的自然人。其理由不外二者：一為他們原來就是沈默的大眾，素有逆來順受的認命習慣，再說他們自感人微言輕，即使有所反應，亦難獲得高層注意，所以，他們不願說：一為他們稅負不重而不必說，因據統計，目前台灣地區獨資與合夥事業共約54萬家，其中29萬家因營業收入過低而免稅，其餘的每家最高營業收入查估為一年240萬元，再估定其利潤率為6%，則其一年營利所得僅144,000元，課以25%稅率，則這些被課稅的獨資或合夥事業，每家一年最多只繳38,000元營利事業所得稅。

儘管如此，有關當局仍然必須正視營利自然人的重複課稅問題，而須予以合理的解決之道，厥為將營利事業所得稅改為公司稅，只對營利法人課徵。易言之，對於獨資與合夥營利事業免徵營利事業所得稅，這一方面是貫徹租稅正義，避免重複課稅；另一方面則是惠而不費，因從上述，可知這些事業繳納的營利事業所得稅極其有限，致與其高昂的課徵成本不成比例，以致廢除其營利事業所得稅後，對於政府稅收，損失甚為有限。

事實上，租稅正義與稅收損失，亦是所有賦稅改革必須掌握的原則，蓋因這是理想與現實兼顧的有利結合；租稅正義是追求租稅是公平合理，這當然是改革的理想；但在現實上，巧婦難作無米之炊，所以，賦稅改革恆常以稅收不變為前提。可是，這兩個基本原則很可能推動兩稅合一行動中被漠視了，因為據說，有關當局為著貫徹上級要求，曾經力言不考慮稅收問題，並要採取香港模式。

上一會計年度的營利事業所得稅收入接近1,500億元，實行兩稅合一後，這筆稅收縱然不會完全消失，亦可能損失泰半，這麼龐大的金額，竟然不予措意，真是太悖常理，除非是想加速執行「清野」政策（見上月底本專欄所述），既擴大支出，又銳減收入。

所謂香港模式，是種分類所得稅制，以台灣言，目前營利事業所稅率為25%，即以此為個人的股利所得稅，不再併入綜合所得計算，這顯然是對高所得者有利，他們的財產所得顯然不必累進課稅，而其他人的勞動所得則須累進課徵，顯然違反租稅正義。

由此看來，還是上述將營利事業所得稅改為公司稅，較能兼顧理想與現實。若是真要採取香港模式，那就應該取消所有租稅優惠，因為香港並沒有這一套。

（八十五年九月二十三日刊出）

兩稅合一方案試評

最近，兩稅合一問題甚囂塵上，且已塵埃落定，有位剛回國的旅美經濟學人在初次聽到兩稅合一中重複課稅問題之時，當即詫異地說，這是兩碼子事：一為公司稅，一為個人所得稅。言下之意，現制並未重複課稅，我乃予解釋，現行的營利事業所得稅，對於獨資、合夥企業亦一律課徵，致非公司稅。我們二人都同意，將現行的營所稅修正為公司稅，即可避免重複課稅之疑慮。事實上，這也就是本專欄於9月23日所發表的「兩稅合一的再探索」（以下簡稱「兩文」）一文之主旨。

財政部賦稅革新小組於國慶前夕，通過「兩稅合一可行性方案」，其要點如下：

一、決定採取設算扣抵法，公司階段所繳的營利事業所得稅，在股東報繳個人綜合所得稅時可以扣抵。

二、獨資合夥事業不再繳營所稅，只徵收股東的綜所稅。

三、公司保留盈餘加徵10%的稅，待未來分配給個人股東時可以一併扣抵。

四、現制股利加利息在27萬元內免稅，修正為儲蓄特別扣除額，只有利息可免稅。

五、取消公司轉投資收益80%免稅之規定，而須全部課稅。

在「兩文」中，作者曾提一個主張，兩項疑慮。主張將營所稅改為公司稅，即不對獨資合夥事業課徵。兩項疑慮是：一為稅收短缺問題；一為擬議中香港模式的分類所得稅制。對照上述5點中第2點，則新制營所稅實即公司稅；此方案的第1與第2兩點，皆在減稅；第

3至第5點，則在增稅，旨在挹注短缺的稅收；從第1點看，顯然可見，並未採取分類所得制。但因並未真正採取公司稅制，以致產生很多後遺症。

財政部說，實施兩稅合一的好處很多，包括糾正現行稅制的扭曲，提高投資意願，健全股市發展等等。現在且按這些所謂的「好處」來檢討與評論。

毋庸諱言地，現行稅制是有扭曲，那就是「兩文」中所指出的，對獨資合夥事業確有重複課稅之嫌。但是，此一「現行稅制的扭曲」，只須將營所稅改為真正的公司稅，即可完全「糾正」，現因眷戀於「兩稅合一」，以致矯枉過正，這可從下列後遺症中看出。

就「提高投資意願」言，很可能難以如願，其理由至少有三：㈠公司投資主要來自未分配盈餘，兩稅合一後，營所稅可以完全扣抵個人綜所稅，甚或可以退稅，以致股東們將會盡量要求公司分配盈餘，現再對未分配盈餘課稅，將更加速公司盈餘之分配，公司缺乏未分配盈餘，如何擴大投資？㈡公司轉投資收益全部課稅，當然會減少公司轉投資的意願；㈢促進產業升級條例中，原來有關5年免徵營所稅和保留兩倍於資本額的未分配盈餘而可免稅的規定，今因兩稅合一而告失效，以致對高科技產業難以促進投資。

說到「股市發展」，這可能是從股市投資人因股利所繳的營所稅可以完全扣抵其餘所得稅而受益，進而擴大對股市投資而言。但這只是就短期而言，要是說到長期「健全股市發展」，則恐未必，其理由如下：㈠兩稅合一的利益只限於國人，外國投資者無法享有，形成股市上的差別待遇，以致可能嚇阻了股市的上的外資；㈡很多有關股市的研究，認為股市得以發展的主要因子，是公司累積資本而有的再投資能力，並非分配股利的高低，現因多發股利，削弱公司投資能力，不知如何促使「股市發展」？㈢實施設算扣抵法後，可能導致股市人頭戶的氾濫，不知如何能「健全股市」？

這些後遺症，可能是副產扭曲，亦就是為著糾正某一扭曲而提出某一政策，結果卻製造更多的扭曲。其所以如此，是因為囿於「兩稅合一」的成見，而此一口號並非財政部所倡，它只是達成上級要求而已。

（八十五年十月十四日刊出）

財政危機解決途徑

關於財政危機，本專欄曾發表兩篇評論：一為討論其「警訊」；一則指出其可能「後遺症」。在前者之中，認定去年稅收負成長，是財政危機的一大警訊。這不僅是由於此一現象罕見，也且由於這次是因政策偏差所致。在後者之中，指出財政收支長期失衡將會引發通貨膨脹與貿易入超，且因偏袒性租稅政策違反社會正義與拉大貧富差距，將引起人民的極大反感。是以，化解財政危機，將是朝野的重要課題，而本文正是本此出發點的獻曝之言。

所謂財政收支失衡，主要是政府長期入不敷出，累積成巨大的財政赤字。這種財政赤字是出現於晚近若干年；一方面是由於政府支出的急劇擴大，另一方面，則是稅收的相對減少。前者可由政府支出佔國民生產毛額的比率看出，在以往的幾十年內，我國此一比率很少超過25%，譬如民國76與77兩年，此比率分別只為21.2%與21.8%。但於78年驟升為32.6%，此後6年，除79年降為27.6%外，其餘5年都是在30.6%至32.7%間徘徊。政府支出的大幅增加，實以國建六年計畫為始作俑者，然後是福利支出的擴大—該項支出佔歲出總額的比率，於78年只為12.2%，前年業已提高到20%，去年更增為29.64%（指中央政府總支出中的比率），是經濟發展支出的4倍多，本來社會福利支出，是雪中送炭給予人民所需，使他們享有免於匱乏的自由，但是，近年來我國擴大的福利支出中，卻有不少是錦上添花，成為很多政客以納稅人的鈔票去換取其本人的選票之伎倆。再加公共工程經費的惡意膨脹，亦使政客中飽與黑道餵飽。

在稅收相對減少方面，則主要是對財團或高所得者的偏袒，譬如遺產稅免稅額的大幅度提高，以營所稅抵繳個人所得稅，證券與土地交易所得稅拒不推行，反而將證券交易稅大為降低，僅約為香港證交稅的半數。

就在這種黑（道）金（權）政（客）治（理）下，使歲入與稅收漸行漸遠，所以，要想解決財政危機的首要對策，就是要大力清理黑金政治。去年起，政府大力掃黑，可以說已經踏出成功的第一步，但是，對於金權與政客，則不可能清理，因為它們與政權是共生的，是真正的所謂「生命共同體」，以致「首佳」對策不可能完成。

是以，只好不得已退而求其次，採取「次佳」對策，那就是期望執政當局能及早落實國家發展會議財經方面有關政府收支的兩項結論。這兩個結論是國發會最值得推崇的與最有價值的寶貴意見，其內容是如下述：

一、規定各級政府總支出佔國內生產毛額（GDP）的比率以30％為上限，並規定每年支出出增加率不得超過GDP或歲入的增加率。

二、明訂立法及行部門若提出增加支出或減少收入之重大法（方）案時，必須同時規劃適當（替代）財源。

第二項結論，是限制政客們的偏袒而慷他人之慨，以落實預算的平衡。第一個結論則更是保障平衡預算的易於達成，而且還積極促使經濟成長與社會福利的齊頭並進—就後者言，這是由於將政府總支出佔GDP的比率訂出合理上限，可使民間在資源使用上有相當的空間致使經濟易於發展，亦使社會得有擴展社會福利的能力；且因歲出增加率不得超過經濟成長率，亦就讓社會福利與經濟成長並駕齊驅。

解決財政危機的第三個對策，是擴大稅基，其最佳方式，厥為從速開徵證券與土地交易所得稅（其方式將另文陳述），以貫徹「有所得就須課稅」的基本租稅公平原則。

以上所說的，都是長期性對策，但在短期中，財政危機卻迫在眉睫，因據估計，今年4月後，國庫就將難以調度，勢必要向央行透支，以致會引發通貨膨脹。是以，更佳對策，就是寄望於立法院在此一會期中，優先處理此一問題，即將公債佔總預算以及GDP的比率之上限酌予提高，並同時將上述國發會兩項結論納入相關法律。

（八十六年三月三日刊出）

證所稅借箸代籌

對於證券的課稅，世界上有兩個極端：一為只課徵證券交易所得稅，不課證券交易稅，如美國；一為只徵證交稅，不徵證所稅，如香港。其他絕大多數國家，是既徵證交稅，又徵證所稅，例如日本、澳洲與瑞典。

關於證所稅的課徵亦有兩種方式：一為併入個人綜合所得課徵，如美國；一為分離課稅，如日、澳、瑞。就租稅公平原則看，將所有的所得一視同仁，再按所得金額大小予以累進稅率課徵，以致賺得多的大戶要按較高稅率繳納所得稅，賺得少的投資人則採較低稅率納稅，所以，是非常公平的。但卻仍有美中不足之處，那就是至少有兩個缺點；一為這種併入綜合所得課徵的方式，是採事後申報，以致增加很多課稅成本，若是投資人缺乏誠實申報習慣，則財稅單位勢必要設計一套防制逃漏稅的辦法，還要加強查緝行動，從而使課徵成本更為增加—若有相當數目逃漏稅，則也顯示不公平；一為證券投資風險很高，將其與一般所得同等看待，予以累進課徵，亦不見得公平，尤其是在股市繁榮年度，投資人將易於被課以最高邊際稅率，從而降低證券投資的吸引力。

針對這些缺失，所以，日、澳、瑞等國，對於證券交易所得採取分離課稅原則，採比率稅方式，其稅率通常是低於所得稅的平均稅率，這又可區分為兩種型態：一針對所得課稅，如澳、瑞；一為針對交易額就源扣繳，如日本。具體說來，瑞典證交稅率為千分之十，證所稅率為25%；澳洲證交稅率為千分之六，證所稅率則高達47%；日本，證交稅率為千分之三，證所稅是就交易額課征千分之十。顯然可見，就源課征所得稅的優點，是便利與確保稅收，但其缺點是不論盈虧，均須就源扣繳，所以，日本採取補救措施，容許投資虧損時，投資人可以選擇，將證券交易所得併入個人綜合所得申報，而可將業已扣繳的證所稅退還一部分甚或全部。

年前提出的財政部版證所稅，在基本上，是仿效日本，亦是採取雙軌制：既要就源扣繳，又可申報退稅。但在很多方面比日本優厚，其擬議中的證交稅率為千分之二，證所稅率為千分之六，都比日本有關稅率低得多，且有個人與法人之別—法人扣繳稅率只有千分之三，但無免稅額之優待，（個人免稅額是1,500萬元）。其個人證所稅率計算方式，是假定證券交易所得為3%，再乘以20%的分離課稅稅率，而得出千分之六的證交稅率。嚴格說來，這種推理方式缺乏理論基礎，因在長期中，投資的利潤率應等於其機會成本，亦即市場利率，再說得保守一點，此利率至少為存款利率，因若投資所得低於利息所得，則長期中將無人作證券投資。我國存款利率以76—77年最低，一年定存利率為5%（目前則約為6%）。依此，則一年1,500萬元的證券投資，應可有75萬元利潤，現若予以免稅，豈不有違規稅公平原則，蓋因利息免稅額只有27萬元，何況這種免稅額還有製造人頭戶之虞。

職此之故，本文作者願意提供一些拙見，以供有關人士的參考，其基本原則仍是仿效日本的做法，但比日本寬厚，亦即對財政部版略為修正，即⑴採取雙軌制；⑵剔除免稅額；⑶分離課稅；⑷自然人與法人一視同仁。

所謂雙軌制，是先就源課稅，以確保稅收，再可申報予以補救。就源課稅稅率為交易額的千分之十，即推估證券所得為5%，再乘以20%的分離課稅稅率而成。投資人於年終時可以不申報，也可以申報，申報的證券所得，亦按20%稅率分離課徵，若扣繳稅款高於應繳金額，則可退還其差額，否則就要補繳。

由於證券所得業已從低推估，而且是難分離課稅，所以，不應再有免稅額以及持有股票一定期間得以減稅之優待，以免滋生課稅問題，但在證交稅方面可予優惠，即將證交稅率降為千分之一甚或取消─財政部版的證交稅率為千分之二。若嫌千分之十的就源課稅率為過高，則不妨視為上限，而以千分之六為下限，視股市榮枯予以調整。

（八十六年三月十日刊出）

對外貿易的參謀本部與野戰部隊

——籲成立外貿人才訓練機構

最近報載，政府有關機關於日內開會，共同研商如何有效遏止人才外流，加強培育高級人力，增加高級人力的生產量，加強吸收留學生返國服務，同時設法借重或延攬海外學人及外籍專家進入政府機關與企業界，從事指導與研究工作。

人才外流是個老話題，多年來，一直在討論有效遏止辦法。在以往以及目前的討論中，重點似乎是放在高級學位上，尤其是放在國外高級學位的擁有者身上。這種討論忽略了有關人才的真正本質，因為所謂人才是指具有解決問題的能力暨創造力之人，真正的人才並不一定侷限於高級學位之擁有者，而散布於各行各業，同時擁有高級學位者並非全是人才。把握住這一點，則對人才的培養，就可擴大很多範圍與視野。

我國經濟是以對外貿易為導向，可是，嚴格說起來，我國對外貿易人才卻非常缺乏，以致出口方面，一直是在日本商社與猶太商社手下討生活。這些外國商社之所以能在國際貿易中扮演重要角色，是因為它們對於貿易人才的培養一向不遺餘力，我國要想從這些外國商社手中爭回一些主動權，亦必需從訓練人才著手。

貿易人才理應由貿易公司培養，可是，我國的貿易公司規模多很小，難以負擔培養人才的重責，即使有些規模較大的貿易公司，亦不願培養貿易人才，這固然由於若干公司老闆的短視，但更重要的，還是培養出來的人才，易於跳槽或自行開業，以致公司老闆不願為他人作嫁以培養貿易人才。就個別公司來說，培養出的人才，不能為自己公司所用，其為培養所花的費用，就形成一種損失。但就整個國家言，這些人才縱然由甲公司跳到乙公司，甚或創立丙公司，都仍在為本國對外貿易效力，仍然會增加本國對外貿易的成績，所以，人才培養的貢獻，對一個國家來說，永遠是有正面的作用。換句話說，貿易人才培養或訓練工作，具有很大的外部經濟效果，亦就是有很大的社會效益，這是說私人成本大於社會成本，或私人效益小於社會效益。

對於具有外部經濟之經濟活動，政府通常是要予以補貼以示鼓勵，關於貿易人才的培養，亦復如此。所謂補貼，有很多種形式，但其根本意義，是表示政府介入。所以，與其補貼個別公司以訓練貿易人才，還不如政府有關單位統一規劃，有計劃地直接培養貿易人才—這個「有關單位」以經濟部較為適當。外交部可以有計劃地訓練外交人員，法務部與財政部可以各設一專門機構以訓練司法人員與稅務人員，那麼，經濟部亦有理由訓練貿易人員。當然有人會說，那些外交人員、司法人員與稅務人員都具有政府官員身份，所以能享受政府的公費培養，貿易人員是私人身份，未來為個人營利，怎麼能用政府的錢去訓練？這樣說，固然言之成理，但忽略了培養貿易人員的社會效益大於私人效益，何況貿易人才中有若干並非營利性，亦可以在訓練時酌收學費。

貿易人才的訓練，大致可以分為兩類：一為參謀部，運籌於帷幄之中，為公經濟決勝於千萬里以外；一為野戰部隊，在海外作開路先鋒，為私經濟擴張戰果。亦可以說，一是戰略性的訓練，一為戰術性的訓練。所謂參謀本部，是指協助作貿易決策的人才，這些人，數目不要多，除具有國際經濟學的高深基礎外，還須各有特殊的專業修養，大致可以分為貿易政策、貿易談判與糾紛、貿易史、商社史、國際經貿組織暨會議……等。貿易政策除理論外，尤應明瞭各重要國家的實際貿易政策；貿易談判與糾紛，是指要瞭解貿易談判與貿易糾紛處理原則外，還需知曉重要貿易談判與糾紛處理之經過；貿易史是指要對若干重要國家貿易史有詳盡瞭解，尤其要熟悉各該國家當初突破對外貿易障礙所用的策略與說辭，以便有朝一日，對方與我國作貿易談判時，可以運用當初它所持的說辭，作為我方爭議的理由；商社史是針對重要的外國商社，作個案之研究，研究其發展的史實；至於國際經貿組織與會議，諸如各別共同市場或關稅同盟，關稅暨貿易總協定，甘迺迪回合，南北會議……等均需有專人研究。政府可在國內遴選具有財經碩士以上學位之青年，資助往有關國家進修與蒐集資料一至三年，不以獲得學位為目的，返國後，可在各大學任教或有關研究所工作，但仍需繼續其專業研究，並作國貿局顧問，襄贊貿易政策之決定，遇有貿易談判時，作為政府代表或隨員之一，隨時提供意見；遇有貿易糾紛時，則作為有關方面智囊。這些專才，就形成了對外貿易的參謀本部，擬訂長短程貿易計劃，並提出隨機應變之道。

關於野戰部隊，實指貿易商。據個人看，一個真正成功的貿易商，至少要具備三種專家的身份：一為語文專家，即於英文外，至少要精通一兩種外國語文；一為商品專家，即對若干種商品之製造、材料、市場、成本等等要瞭若指掌；一為地區專家，要對某些貿易地區暨國家之風土人情、經濟情況、有關貿易之法令暨習慣，深深瞭解。具有這三種專家身份，在對外貿易之中，才可以衝鋒陷陣，得心應手。但是，目前大學的國貿系，由於是通才教育，以致在共同科目上花了不少時間，再加學府之中不能缺乏學術氣氛，又在理論上排了不少課程，是以無法訓練出「三合一」的貿易專家或高級貿易人才，職是之故，經濟部或對外貿易協會，可以成立貿易人員訓練所，招收專科以上學校畢業之青年或現行貿易從業人員，施以三年訓練，頭一年在國內，授以語文、商品、地區及貿易等初步課程，並對非財經科系畢業者，另施以若干基本財經課程。第二年開始，分別送至國外，其方式大約可分兩種：主要的一種，即將大多數學員，分別按其所習語文暨地區，分別派到各有關國家暨地區，學習兩年，精練當地語文，熟悉當地法令，分析當地市場，結交當地工商人士，每個月要他們撰寫一份心得報告，以當地商情為主；另一種，則是選派若干極為幹練之學員，送到北美暨西歐若干大學有關財經的研究所進修，一方面研讀有關貿易之課程，另一方面——亦是主要任務，結交中南美、非洲，東南亞等開發中國家之留學生，因為這些留學生回國後極可能出任財經要職，而為我國未來貿易（甚至外交）鋪路。

這些受訓的學員，第一年在國內不必繳學費，至於第二年與第三年，其在國外的費用（主要為生活費用），可按三對等負擔：政府、學員本人、貿易公司。後者是採建教合作方式，由訓練所安排有興趣之貿易公司，由公司負擔該學員三分之一的國外費用，該學員每月亦需對公司報告當地商情，甚或作業務代表，訓練期滿，該學員至少須在該公司服務若干年，假若找不到建教合作的公司，或受訓學員不願受束縛，則國外費用可作二對等負擔，由政府與學員各負擔一半。

配合著這一訓練計劃，政府應該容許貿易公司多派駐外人員，以建立灘頭陣地，而不必只限於大貿易商。至於這些駐外人員，則應以上述貿易人員訓練所畢業者為優先，如此，則無浪費外匯的顧慮。去年十二月份，全國經濟會議決定建立全球貿易網，亦可以經由這一訓練計劃而落實：一方面，可在海外訓練中學員的心得報告裡擷取商情；另一方面，可將畢業後之學員組織起來，請他們在海外據點定期與隨時向國內特定機構提出商情報告，這樣做，即使不是全球商情網的唯一支柱，亦必然是重要支柱之一。

經過這樣有計劃的訓練，我們才有可能在若干年後，取代部份外國商社的功能，否則，要想取代外國商社，只是一種夢幻，一句口號。

（七十一年二月二日聯合報刊出）

哀破落户

——美國要引發第二次大恐慌乎？

美國貿易代表署於四月末公布「一九八九年對外國貿易障礙國家評估報告」，將包括我國在內的卅四個國家與兩個區域經濟體多項措施，認定為貿易障礙，而擬予報復，使我國朝野大為緊張，幸經多方努力、讓步，才有驚無險。但是就在美國財部認為新台幣匯率已趨合理之報告公布不久，該部副助理部長尼赫斯及曾任財部次長現任華府國際經濟研究所主任的伯格斯坦，卻於上月十八日在中美工商聯合會議開幕典禮上表示，台灣應以新台幣升值改善國際收支過度盈餘，伯格斯坦並認為新台幣應再升值一〇％至二〇％。這番話真是匪夷所思，其動機則是貿易保護。

說到貿易保護，美國可說是祖師爺，首先是華盛頓總統的財政部長漢彌爾敦於其「產業狀況報告」中，主張以關稅壁壘，維護羽毛未豐的工業。這一措施的涵義，後經德國經濟學家李士特的提倡，成為幼稚產業保護論。第一次世界大戰後，美國曾與其他國家致力於降低關稅之協商，但曾幾何時，美國國會於一九三〇年通過史慕特—哈特法案，經胡佛總統簽署，大幅提高關稅，導致廿五個國家報復，演變為一場貿易戰，使一九三三年的全球貿易值不及一九二九年的三分之一，釀成有史以來最嚴重的經濟大恐慌，美國本身的失業率亦高達二五％。

第二次世界大戰後，關稅暨貿易總協定（GATT）成立，致力於關稅降低工作，當時美國獨霸天下，對於貿易自由化最為熱心，西歐、日本則因殘破不甚，仍然沿用戰時管制。所以，GATT在頭四個回合中缺乏進展，一九五一年，歐洲主要國家（英國除外）與美國共同提出「歐洲關稅不均一問題」文件，希望貿易自由化—英國之所以未參加，可能是由於從戰前的霸主演變成戰後的破落戶，心情難以適應，以致存有抗拒自由貿易的心態。兩年後，GATT將這份文件的內容，研擬成關稅減讓計畫，卻始終未獲英美的批准——在這一點上，美國似乎是出爾反爾，但可能受到英國那個破落戶的影響。就是由於這個計畫未獲通過，才產生了「內六」的歐洲共同市場與「外七」的歐洲自由貿易區，因而可以說，英美是世界產生區域藩籬的真正「禍首」。

一九六二年，甘迺迪總統提出「貿易拓展法案」，主張關稅一律降低五〇%—但亦擬議將美國與西歐為主要供給者的產品之關稅降為零，這顯然是這些先進國家的「私心」，好讓她們的產品在其他國家長驅直入。無論如何，當時美國經濟如日中天，還很有些推動自由貿易的誠意，所以，GATT以此法案作為一九六四年開始的新回合之主題，並稱為甘迺迪回合，這是迄今為止八個回合中，唯一以人命名的回合（其餘均以地命名）。此一回合的結果，雖然導使製造品關稅大幅降低，但紡織品關稅降幅最小—東京回合仍是如此，還增加了鞋類、皮革及旅行用品，不僅關稅減讓甚少或毫無，且有非關稅障礙，這又是先進國家的「私心」重現。目前進行的烏拉圭回合，主要集中於農產品與服務業市場之開放，以及智慧財產權之保護，而「恰巧」美國在這些方面具有比較利益。

一九七三年起的能源危機，導致新保護主義的勃興。所謂「新」保護主義是與三〇年代「舊」保護主義作對比；二者顯著不同的是：㈠舊保護主義是以關稅為保護手段，而新保護主義則採非關稅障礙，花樣繁多，諸如數量配額、關稅配額、自動出口設限、有秩序行銷協議、財政非關稅干預等等；㈡舊保護主義是先進國家間彼此建立關稅壁壘，新保護主義則以後進國家及新興工業國家為主要壓制對象。不幸得很，美國又是新保護主義的積極倡導者，其去年修訂的綜合貿易法案，殺傷力奇大，此所以其有識之士（包括其總統經濟顧問委員會主席）擔心引發新的貿易戰，最近連布希總統亦看不慣國會在貿易方面的專橫，認將引起貿易伙伴非議。

新綜合貿易法案中的超級三〇一條款的殺傷力，眾所夙知，但是，其他若干條款，亦將損及包括我國在內的有關國家對美貿易甚至整個對外貿易，譬如特別授予匯率談判權限，以及廣泛的談判目標，包括農業、貿易紛爭之解決、不公平貿易行為、服務業、智慧財產權、外人直接投資、進口安全管制、GATT及多邊貿易談判協定之改進、特殊貿易障礙、勞工權益、高科技、租稅調整、各項規定之明確、開發中國家、經常收支順差、貿易及貨幣合作、國營貿易公司等十七項。

單從這些談判目標看，就令人眼花撩亂，真個是無所不包，以致我們看到新舊保護主義另一不同之處：那就是舊保護主義所著重的主要為商品貿易，而新保護主義則範疇廣得多，不僅包括無形貿易，甚至於還擴及非貿易財，其中若干項還有干涉內政之嫌。

就我國而言，美國總統被授予的匯率談判之權，易於導致美方要求新台幣升值，而且這些談判目標都可能成為中美貿易談判的重點，其中尤以農業、服務業、勞工權益、智慧財產權、經常收支順差等項目，極易成為美方攻擊我國的藉口——其中受到衝擊的又何止我國。

各方預測，明年起，世界經濟將有衰退跡象，現在，美國再落井下石，引發貿易戰，可能又將導致一次世界經濟恐慌，而成為「眾矢之的」，美國朝野有識之士豈能見不及此？

（七十八年十二月十八日刊出）

多國企業與貿易自由化

——從可口可樂事件說起

最近，有一件官司的初審判決，引起社會各方矚目，那就是美國的可口可樂公司與台灣可口可樂公司，聯合向台北地方法院控告台北市振興發及金毓興兩家公司，自美國進口可口可樂在台販售，侵害其商標專用權及使用權，結果是地院判決美國及台灣可口可樂公司勝訴，判定振興發等二公司不得輸入、陳列、散布或銷售非美商可口可樂在台灣授權製造、銷售的任何使用其商標的飲料類商品。

這一判決引起社會嘩然，因為振興發等所進口的可口可樂來自美國的真品，不知道為甚麼會妨礙可口可樂的商標專用權與使用權？若說台灣可口可樂公司是美國可口可樂公司的總代理，則我國的「代理商管理辦法」已於民國六十六年廢止，代理商制度從而不再受到行政保護，貿易商進口貨品只要符合檢驗標準，都可以自由輸入。若說這種真品平行輸入，是侵犯智慧財產權，更是匪夷所思，因為這些貿易商是進口原廠的可口可樂，而不是仿冒，所以，應該檢討的是美國可口可樂公司，因為是她將真品賣給我國貿易商。

說到這些貿易商，他們才是真正的貿易自由化之實踐者，拉近國內價格與國外價格間的差距，以造福國內消費者。拿可口可樂來說，以新台幣表達的每罐價格，香港為七元，美國為九元，台灣卻賣到二十元，貿易商進口的則只賣十元，迫使台灣可口可樂公司不得不降價為十二元。可是，經過台北地院這種判決，貿易自由化的效果將大打折扣。

關於此一判決的法律問題，報章已有很多討論，所以本文主要是從經濟角度予以探討。首先從多國性企業著手。所謂多國性企業是指母公司到其他國家投資設廠，成立子公司或分公司，其動機可分防禦性與進攻性兩類，前者經常是該公司為躲避地主國的進口障礙，而不得不到地主國投資設廠，以保障其原有市場——或者為地主國的出口障礙，而不得不去投資，以確保其原料來源。至於進攻性動機，則是為著爭取新市場或要使用廉價勞力，而主動地前往投資；前者是要接近與激發當地的潛在顧客；後者是利用當地廉價勞力製造產品，再行銷到其他地方。無論是那一種動機，在推動經濟國際化，尤以進攻性動機為然。從進攻性投資行為看，利用廉價勞力製造的產品，其成本當然較低，為爭取新市場而特地前來投資設廠，當然亦是想用較低價位以激發新顧客；至於防衛性動機，是因閃避貿易障礙而投資，所以，當地子公司的產品價格，常比自母公司輸入為廉。

台灣可口可樂公司當初的建立，應該是歸屬於防禦性動機，可是，我國實施貿易自由化後，台灣製的可口可樂，竟然高於其母公司產品的價格，真是令人納悶，蓋因這完全背離多國性經營與經濟國際化的理論；而且，這種外人直接投資，原來是要突破貿易不夠自由的障礙，現在卻成為阻礙貿易自由化的藩籬，豈不是一大諷刺。假若這次地院判決得以保持，則很多國家的廠商亦將起而效尤，在我國投資設廠，提高其在本地製造的產品之價格，並不准許我國貿易商從其母公司或其他國家輸入同一產品；但我國自己的廠商，就沒有這般幸運，卻要接受外來同類商品的激烈競爭。所以，在這種判決下，貿易自由化變成半調子，其結果是整到自己的廠商、貿易商與消費者，但卻便宜了外國人的多國性企業，天下還沒有那一個國家制訂這種專整自己人，而便宜外國人的法律，除非她是次殖民地。其實，多國性企業自相競爭，亦不乏其例，例如荷蘭飛利浦公司，於一九六〇年代，曾經發現其在西德之子公司生產的某幾種家電用品，按母公司定價七折銷售（因子公司成本較低）。而歐市各國在反獨占法律下，禁止荷蘭飛利浦干預，所以，貿易商得向西德進口再輸往其他國家，最後，迫使飛利浦公司降價，使兩者價格劃一。從此例看來，經濟部高級官員所持，享有獨占的代理銷售權，並不違反公平交易法之說法，實不周延；而應該這麼說：假若我們的公平交易法真正具有反獨占精神，則這種獨占式代理銷售權就不會得到容許，更不會阻礙自由進口。

職此之故，首先希望振興發這兩家公司上訴，或許高院有較為周延的法條引用，以撤銷地院的判決。若仍維持原判，則是表示我國的法律有病了！就必須修法。尤其進者，這兩家公司也可控告美國可口可樂公司背信，因為她既出口到台灣，怎麼不准這兩家公司「輸入、陳列、散布或銷售」？

其次，應在公平交易法有關條文中，明白規定這一類獨占的禁止，以免這一類訴訟的發生——經濟部若說可口可樂這一事例，是可以容許的獨占，則「公平交易」四字不知應作如何解釋？是否係指外人獨占是「公平」的，而國人獨占則非「公平」？

最後，應在擬議中的貿易法內，明白容許真品平行輸入，並禁止獨家代理之行為。經濟部可以根據此一法源，對於反對真品平行輸入的外商，拒絕（甚或撤銷）其來台投資設廠；並對執意設立獨家代理之商品，禁止其輸入，蓋因今日的貿易政策理論業已揭示，自由貿易是適用於競爭市場，對於國內或國外產生獨占或寡占時，政府應對貿易有所限制，希望經由此限制，以促進競爭力量。此外，有關當局應該完全推行貿易自由化，以免這次可口可樂藉口國內糖價偏高一事之重演。

（八十年六月三日刊出）

真品平行輸入問題

報載，台灣高等法院最近作作成決議，貿易商進口水貨構成侵害代理商的商標專用權，須負損害賠償責任。這是高院針對紛爭多時的真品平行輸入問題，首次作成結論，認為貿易商故意或過失輸入水貨，使消費者對水貨與正牌商品產生混淆、誤認，並且損及代理商商譽及附加價值時，應負侵害商標的民事賠償責任。

記得今年五月間，台北地方法院對於可口可樂進口案件，作類似判決，那是美國可口可樂公司與台灣可口可樂，聯合控告台北市兩家公司，自美國進口可口可樂在台販售，侵害其商標專用權及使用權，地院判決可口可樂公司勝訴。後來，又有一宗類似案件，是判決進口商無罪。但是，現在台灣高等法院庭長會議作出上述結論，則前云輸入可口可樂的那兩家公司，在上訴之中，勝算將會大為減少。

其實，這兩家進口公司得失之事小，而是高院這個結論，對於我國經濟自由化、國際化的大政策，將大有衝擊。

首先是妨礙自由貿易，因為經濟國際化必然開展貿易，而經濟自由化是保障這種貿易必在自由方式下進行，現在則由國外公司的授權，使其代理商在我國製造與銷售其商品，而我國司法卻保障這種授權，禁止我國貿易商輸入「真品」，豈不是妨礙貿易自由！其妨礙程度遠高於保護主義下政府所採取的關稅暨非關稅障礙，而是完全地禁止進口，妨礙自由貿易之深，莫此為甚。

其次是違反公平交易原則。或者有人認為經濟自由化，是意謂政府不干預經濟事務，而讓市場機能充分運作，所以，外商國內的代理權，政府應予尊重。殊不知市場機能所扮演的無形之手亦將隨市場失靈而無效，這時候，政府就該以其有形之手予以匡正。獨占是市場失靈之一，所以，政府要為維護公平交易而反獨占，現在這種代理權的實質作用，是在國內創造壟斷力量，故在基本上，是違反國內公布不久的公平交易法之精神。實際說，所有的政府干預，其出發點主要是維護市場競爭，只有在為促進整體福利時，才允許壟斷的存在（如自然獨占）——即使從這一觀點看，我國的「代理商管理辦法」，早已於民國六十六年廢止，代理商制度從而不再受到行政保護。

最後是提高國內物價與降低國民福利。國內進口貨價格一向高於鄰近地區（如香港）很多，即使扣除額外稅捐，售價仍高出一至兩成。學術界當初分析，認為代理商應是其因子之一，但經濟部卻說「代理商管理辦法」早已廢除，任何貿易商都可以進口。經濟部的話實際上是只對一半，那就是她撤除了代理商的行政保護，卻不知道仍然卡在司法制度上。拿可口可樂為例，若以新台幣計價，香港一罐為七元，美國為九元，我國卻賣到二十元，貿易商進口的則只賣十元，迫使台灣可口可樂公司不得不降價為十二元，現若貿易商敗訴，則此售價可能漲回二十元。

從這些分析看來，這次高院的有關決議，是阻礙自由貿易，破壞市場競爭，進而協助外商（及少數中國人）在我國形成獨占力量，以大賺中國人的錢，大幅降低國人應有的權利與福利。這次參與決議的司法官們也許不以為然，認為他們是就法論法，不必涉及價值判斷。

但據報導，這次高院針對真品平行輸入的法律問題，是作成甲、乙、丙三種見解，其中只有甲案認為構成侵害商標權，乙、丙二案則認為不構成。一件事既有三種見解，足見法無明文，在此情況下，只得自由心證了（因有三種不同看法，可見連法理亦不明晰了），而法官們怎麼能在心證中，連自由經濟制度、國家經濟政策與國民全體福祉都棄之不顧？

真若說到法理，國內外均有脈絡可循。先從國內說起，行政法院對於藥物的「真品平行輸入」問題，早已作成數件確定判決，認定中文孳名不可註冊商標，也就是間接認定貿易商國外進口的藥品，不會構成侵害商標權，而台灣高等法院最近就曾依據行政法院這些判決，改判數家進口藥品的貿易商無罪。至於國際情形，據經濟部蕭部長說，有兩種發展趨勢：一是尊重代理制度，禁止真品平行輸入；一是不保護代理制度，允許真品輸入；目前大多數國家都傾向於允許真品平行輸入。我國早已廢除代理商管理辦法，當然亦有此傾向。在這種情況下，高院庭長們還居然作出禁止真品平行輸入決議，真是匪夷所思！

為今之計，有關單位應該申請大法官會議，速就真品平行輸入問題，作一合理解釋，以維護自由貿易、市場競爭與國民福祉。但就長久言，無論大法官會議如何解釋，都應明確立法，譬如可於正在立院審查中的貿易法中，加上准許真品平行輸入的條文，或者修訂出爐不久的公平交易法，補充規範或禁止由代理而成的獨占行為。

（八十年十月七日刊出）

破落户與小麻雀

——我國被列入特別三〇一優先國家名單有感

在民國七十八年，本專欄曾經發表「哀破落戶——美國要引發第二次大恐慌乎？」一文（以下簡稱「哀文」），當時是因為美國將包括我國在內的卅四個國家與兩個區域經濟體多項措施，認定為貿易障礙，擬予報復，從而有感而發。現在，美國於四月廿九日宣布，我國因保護智慧財產權不力，而列名特別三〇一條款三個優先國家之首，三年一次循環，豈不令人更為感觸？

家鄉有句歇後語：「屋簷下的麻雀——被吓（嚇）大的」！多年來，我國在對美經貿上，一直像是這隻小麻雀，尤其在面對這次優先國家的特別待遇之同時，美國又揚言要迫使我國開放內地航運權，這本來是和三〇一不相干，可是，我國相關首長卻曾一時將它們混為一談，足見已被美國嚇得六神無主，杯弓蛇影地自己嚇自己。

美國政府經常說些冠冕堂皇的話，給人一種印象：美國似乎是自由貿易的守護神，其實，美國是限制貿易的祖師爺，而且一直是保護主義的大本營。「哀文」在這方面列舉了很多事實：首先是華盛頓總統的財政部長漢彌爾敦於其「產業狀況報告」中，主張以關稅壁壘，維護羽毛未豐的工業，這一措施後經德國經濟學家李士特的提倡，成為幼稚產業保護論；一九三〇年，美國國會通過史慕特——哈特法案，大幅提高關稅，導致廿五個國家報復，演變為貿易戰，產生有史以來最嚴重的經濟恐慌；一九七三年起的能源危機，美國倡導配額制度，釀成新保護主義，主要以開發中國家為對象，後來還變本加厲地修訂綜合貿易法案，形成特別三〇一的殺傷力。

即使是在貿易自由化的推動上，美國亦常言行不一致，處心積慮地保護其本身利益，譬如二次大戰後，美國獨霸天下，熱心倡導自由貿易，但當關稅暨貿易總協定（GATT）推動關稅減讓計畫之時，美國與其親密夥伴——英國，始終未予批准，從而產生了「內六」的歐洲共同市場與「外七」的歐洲自由貿易協會，因而可以說，美英是世界經濟產生區域藩籬的真正「禍首」；在甘迺迪總統倡導下，GATT推動有名的甘迺迪回合，但是卻將美國（及西歐）主要出口的工業產品的關稅降為零，而將後進國家主要供應的紡織品之關稅降得最少；東京回合亦是如此，除紡織品外，還加上鞋類、皮革及旅行用品（均為後進國家主要產品），不僅關稅減讓極少甚或毫無，且有非關稅障礙；就連一九八六年起進行的烏拉圭回合，焦點是集中於農產品與服務業市場的開放，以及智慧財產權的保護，美國又「恰巧」在這些方面具有比較利益。

從美國推動貿易自由化的這些情況看，已知美國只知道將勸世文貼在別人門上，自己則常反其道而行，四月廿三日的美國「商務日報」就曾指出，在華府正以強硬的姿態要求貿易夥伴對美商開放營運工程市場及重大建設採購案之際，美國國會於一八九〇年通過並經布希總統簽署生效的「航空安全與能量擴展法案」，卻不公平地限制了外商參與美國機場建設的機會。這種「你的亦是我的，我的還是我的」心態，正表達美國嚴於責人，寬於責己的行為。這種行為亦表現在這次中美貿易糾紛之中，美方曾經指責我國法院對於違反智慧財產權的判刑太輕，這不僅干涉到我國司法獨立，抑且是雙重標準，去年錄影帶上拍出洛杉磯四個白人警察將一駕車超速的黑人，以警棍痛毆倒地，仍然猛擊不已，其中一警員竟然連擊五十六棒，但是，美國法院亦恰於四月廿九日宣判這四名白人警察無罪。這種嚴重違反人權的事例竟作如此判決，卻未看到美國當局片言批判——這當然是維護其司法獨立，但卻批評友邦法院對智慧財產權侵犯者判刑太輕，真不知道是出於甚麼心態與標準？

說到我們這隻小麻雀，由於是被嚇大的，在這一連串驚嚇過程中，雖然沒有鑄成鋼筋鐵骨，金剛不壞之身，但卻鍛鍊出莊敬自強、處變不驚的本領，目前正好用得著。美國這次對我國的苛求，顯然是摻雜著政治因素，那就是為著大選。是以，我們亦不妨以政治對政治，由外交部出面與美國國務院打交道，除指出其雙重標準與干涉內政外，還要曉以利害：自蘇聯崩潰後，中共成為美國的假想敵，美國政客將會打台灣牌以牽制中共，現若對台灣報後，豈不是徒增台灣人民反感，且將促使台商與彼岸作更密切的合作？此外，我們亦不妨將美方的壓力視為促使我國進步的助力，反求諸己，檢討本身是否有不週到之處，更須摒棄仿冒，加強研究發展，以創造自己的科技，如此，不僅不再受制於人，而且還會揚眉吐氣。

（八十一年五月四日刊出）

真品不能平行輸入?

在中美貿易往來中，我國所處的地位，像煞家鄉一句歇後語：「屋簷下的麻雀——嚇大的！」因為每隔一段時間，美國總會找些題目，編派我國的不是，進而迫使我國就範；近年來，更是動不動就抬出三〇一條款來恫嚇，這一次又為智慧財產權問題而來勢洶洶。

這一次風波，是美國的國際智慧財產權聯盟（IIPA）要求柯林頓政府，依據一九八八年綜合貿易法「特別三〇一」條款的規定，把包括我國在內的七個國家，公告為仿冒問題最嚴重的「優先國家」，並據以展開調查、談判與報復行動。不久，又有若干有關組織落井下石，敦促美政府對我立即報復。

IIPA要求對我國施以報復的理由，是說我國並未履行去年六月所簽訂的中美智慧財產權諒解備忘錄中所作的下列承諾：

一、台灣並未有效遏阻盜版電腦軟體出口。

二、台灣地區至少仍有兩家CD業者生產並出口盜版CD。

三、非法的第四台侵害美商著作權的行為，迄未遏止或消滅。

四、立法院在審議中美著作權保護協定時，拒絕通過禁止平行輸入等重要條文。

平心而論，這四點指摘之中，前三點，我國實在應該切實履行，但就第一點言，卻有仁智之見，因為美國商業軟體聯盟（BSA）公開肯定我國電腦產品出口檢驗具有成效。儘管如此，這三點指摘，我國實應虛心接受，以確實維護智慧財產權。

至於其第四點指摘，則大有商榷餘地。中美著作權協草簽於一九八九年，在去年的備忘錄中，據說我方承諾於今年一月底前通過該協定（經濟部已否認有此承諾），但在立法院審查時，卻保留了其中八條，以致美方認定我方「背信」。立院之所以保留，是由於該協定要求我國禁止真品平行輸入。所謂著作權「真品平行輸入」，是指雷射唱片、錄影帶、電影片、書籍等產品的原產廠商，已授權某家公司在某地擁有獨家代理銷售該產品的權利，但其他貿易商卻自原產地或以外的第三地區，進口該產品銷售。美方認為應保護原著作人的智慧財產權，希能賦予著作權人專有輸入權，所以，要求我國禁止真品平行輸入。

實在說來，美方這項要求，無論是從理論還是實務看，都是說不通的，因為平行輸入的既是「真品」，就沒有妨害智財權問題，美方硬要扯上著作權，不是夾纏不清，就是蠻橫無理。尤有進者，這就國際言，是違反自由貿易；就國內言，是違反公平貿易。美國有一派為保護主義找理論根據的經濟學者，認為自由貿易的前提，是貿易國家市場都是趨向自由競爭，否則，有關國家就應該採取措施以限制貿易，現在美方要求「專有輸入權」，豈不是在製造獨占？就輸入國言，若是禁止真品平行輸入，其所付出的價格一定高於自原產地或第三地進口的價格，這顯然是著作權人在作差別定價，而差別定價是違反公平交易的行為。美國對外口口聲聲維護自由貿易精神，在國內也曾一連串立法，以反托辣斯，現在竟然要求我國禁止真品平行輸入，豈不是自打嘴巴或採取雙重標準？

在實務上，禁止真品平行輸入，是超過國際通認的伯恩公約規定，而且據說美國對於其他國家並未作如此要求，單單要強迫我國實施，豈不又是一種差別待遇！難道是「吃柿子要揀軟的捏」？再說，我國若是被迫作城下之盟，將有很多嚴重的後遺症：首先是必須修改著作權法，明顯地開外人干涉內政的惡例；其次是爾後國人自行從美國攜入一本書或唱片轉售他人，很可能會觸犯法律，如此，將會給國人帶來沒完沒了的困擾；最後是將導致國內物價水準的昇高，因為年前可口可樂案例中，美商控告真品平行輸入，使國內可口可樂價格高出鄰近地區很多，後來，法院作成共識，准許真品平行輸入，現若在智財權上禁止之，是不是會牽一髮而動全身？連帶地對其他進口品亦作同樣處理？讓代理商夥同外商吃定了台灣消費者。

為今之計，我方除在真品平行輸入上要堅持原則外，還須設法說服美方，最好能研究美國反托辣斯的個法案及重要案例，找出類似情況，以要求美方「己所不欲，勿施於人」；其次是要表明立場，縱然我方接受要求，但我國可於今後由此認定其市場為不完全競爭，而將限制美國這類商品的進口，最後是研究公平交易法，能否認定這是差別訂價，而予以必需處置。

（八十二年二月二十二日刊出）

有嘴說別人

——美國亟須反躬自省

近年來，美國在貿易上常對我國找碴，最近，為著智慧財產權，雖然我國低聲下氣，甚至於修法，但美國仍是悍然將我國列於貿易法301條款優先觀察名單之中；目前，美國還為保護犀牛，要對我國作貿易制裁；年前，甚至於近年，還常在人權問題上，對我國挑剔。

從這樣看起來，美國儼然是一位自由貿易擁護者、環境維護者與人權捍衛者。其實，並不是這麼一回事，套句我國一句俗語來說，美國是「有嘴說別人，沒嘴說自己」，易言之，美國在這些方面，紀錄並不好。

在貿易方面，本專欄不止一次地指出，美國是保護主義的始作俑者與大本營。溯自華盛頓總統時代，其財長漢彌爾頓提出的產業報告中，就主張保護其幼稚工業；1929年，美國通過法案，將各項進口稅提高50%，肇致貿易報復，形成關稅壁壘，終於造成世界經濟大恐慌；能源危機後，美國對進口採取數量限制，成為新保護主義，並以301條款作為恫嚇手段——前一時，歐市曾經指出，該條款可能牴觸GATT的規定，並指責美國政府採購，限購美國貨政策，才是對外國貨的真正歧視。

月前，在台北一個會議上，評論美國教授有關貿易政策的論文時，順便詰問他：禁止真品平行輸入，是增進抑係妨礙市場競爭？他的回答是削弱市場競爭力量——而美國卻一再迫使我國就範，禁止真品平行輸入，這顯然是在妨礙自由貿易，蓋因自由貿易的前提，厥為國內外市場上的自由競爭。

說到生態環境，美國可說是輕重不分，搞錯對象，因為維護生態環境的基本動機，是要為人類保持一個良好的生活環境，而美國當局卻把野生動物看得遠比人類重要。易言之，在破壞人類生存環境上，美國可說是惡名昭彰，是破壞臭氧層、導致溫室效應的罪魁禍首。以二氧化碳來說，美國所產生的竟然佔全球四分之一，而且大多是由於燃燒石化原料所引起，以致引發第三世界於年前在聯合國的有關會議中，公開指責美國的不是，諷刺的很，美國近年發射的幾枚太空梭，其目的是要研究臭氧層被破壞情況，但其所使用的燃料過氯化氨，卻在大量耗蝕大氣中的臭氣，而且，太空梭釋出的副產品礬土，亦會形成促發一系列臭氣耗竭化學反應的粒子，所以，曾經引起美國環保單位與農業運動委員會聯名請願。眾所周知，森林不僅有助於水土保持，更是提供氧氣的主要來源，可是，美國卻在大量破壞森林，尤其是砍伐後進國家的森林，這因為美國住宅多用木造，所以需要大量木材。這種破壞森林的行為，甚至於會出現在致力於環保工作的美國現任副總統高爾身上，他的官舍於今年六月翻修竣工，其所用的木材，竟然是高爾努力保護的洋松。

美國政府一向把人權掛在嘴上，但都是「勸世文貼在別人門上」，自己則亦有踐踏人權的不良紀錄，幾個月前，我國立委朱高正、郁慕明、林正杰、林壽山等人，連署聲援美國政治犯拉魯但，拉氏為一特立獨行的政治經濟學家，主張調和基督教思想與中國儒家思想的經濟體系，並曾對目前主控世界經濟的組織，諸如國際貨幣基金與GATT，有深刻的批判，成為爭議性人物。1989年，美國政府將其判刑15年，形同終身監禁（因為當時他已67歲）。其案例於1991年送到聯合國人權委員會時，該會曾要求美國政府詳細說明判刑原因，但未獲回應。目前已有20多個國家，數百位國會議員連署聲援拉魯但，籲請美國政予以釋放，惟迄無回應。

這些事情，只有美國能做，別的國家不能做，否則，不僅受到美國的指責，甚或受到美國的制裁。是以可說，美國所指責與要求改正的，厥為其本身行為。循此，美國豈可不反躬自省，首先正己？

（八十二年九月十三日刊出）

延滯近半世紀的經貿組織

——由ITO到WTO的歷程及前瞻

自1986年9月開始談判的烏拉圭回合（以下簡稱烏合），雖然一延再展，而終於在1993年12月15日最後限期達成協議，與會的117個國家通過「世界貿易協定」，決定1995年7月生效。屆時，關貿總協（GATT）將功成身退，而由世界貿易組統（WTO）取代。

GATT是一鬆散組織，以致被人譏稱「談談而已總協定」（General agreement to Talk and Talk）。其實，它原來並不是國際組織，只是一種協議，以此文件提供貿易關係架構，這是由美國於1946年擬定，而與若干國家交換意見。1947年，布瑞登林莊會議，決定設立三個國際組織，即國際貨幣基金、世界銀行與國際貿易組織（ITO）。後者章程（稱哈瓦那辛程）於次年定稿，但卻胎死腹中，而把原在ITO上討論的總協定，變為鬆散的臨時組織GATT，居然持續了45年，現在起1年半後，再要將其職權交回WTO——ITO到WTO，經歷近半個世紀，再繞回原點，不知是慶幸還是悲哀？但鐵定是一種諷刺，而此一諷刺是由美國引起，並由美國收場。

戰後要建立ITO的動機，是要致力於有秩序的國際貿易，以減除1930年代的世界經濟大恐，實由美國挑起，那是1929年，美國通過法案，將關稅提高50%，導致關稅壁壘的形式，以致1933年，主要工業國出口值僅及1929年的25%，OECD（日本除外）於1937年的生產水準仍低於1929年。所以，戰後痛定思痛，要成立ITO，以消弭這些貿易障礙。本來預定於1948年，由有關國家政府批准哈瓦那章程，誰知道卻因美國作梗而停擺，那是美國會不滿意ITO超越其國內貿易法規，而予以拒斥。這一次，亦是虧得美國代表拒用多邊貿易組織（MTO），力主WTO名稱，在意義上更接近ITO，可說是稍贖前衍，但是，美國仍然宣稱要單獨使用301條款，其心態仍與1948年如出一轍，將來如何，只好聽下回分解。

若說GATT只是「談談而已」，是不公平的，因為她舉辦了多次大規模集體談判，即所謂「回合」。其中較為著名的，乃是甘迺迪回合，東京回合與這一次的烏拉圭回合。甘迺迪回合是舉行於1964至67年間，原來致力的，要求初級產品及原料關稅減幅大於成品，結果是事與願違，減幅大的均為工產品，美紡織品減稅甚少，農產品幾未減稅，而後二者主要是後進國家的主要出口品，竟在大國操縱下，使富國更肥，窮國益瘦。東京回合是於1973至79年間舉行，大幅減讓仍僅限於工產品，但紡織品、皮革、鞋類與旅行用品不在其內，農產品只有肉類與乳品二項達成協議，這是美國的「傑作」：損人利己。這一次烏合，仍是外甥打燈籠——照舅（照舊），要求各國開放農產品與服務業市場，以及智慧財產權的保護，而這些正是美國與若干先進國家佔有比較優勢，犧牲者主要將是新興工業國家甚至很多後進國家。據估計，在烏合協議下，非洲各國一年要損失26億美元，印尼則將損失19億美元。

由此看來，WTO的未來工作走向，很可能仍是富國佔盡上風，窮國將難有置喙餘地。馬來西亞的馬哈迪，想組織東亞經濟合作會議，排除大國在外，或許想以這個以東亞新興工業國家為主體的區域經濟組織，在世界經貿關係上，取得較大的發言權。真若如此，則未來的WTO，在運作上，將可糾正GATT時代的一些偏差，而可平衡一下窮國與富國之間的一些利益。

目前，我國有關當局是在為「入關」而籌劃，並為減少入關或烏合協議對國內產業的衝擊而努力。但是，在籌劃與努力之餘，應該想一想，我國入關的目的，不完全是「獨善其身」而只圖本身的經貿利益，還須想到結合其他會員國，改進未來WTO的規章，提昇其運作效率，使新興與後進國家亦能均等地享受世界經貿利益，以「兼善天下」。在這種前提下，東亞經合會議值得參與推動，另一方面，華人經濟圈亦有其推動的意義，而且在此意義下，不致引發鄰近國家猜忌。

（八十二年十二月二十七日刊出）

美國擬自絶於亞洲？

——從美對我貿易制裁説起

美國總統柯林頓日前下令，自本月19日起，禁止台灣製野生動物產品進口。這是美國於1978年完成「培利修正案」以來，首次被援引用以制裁貿易夥伴，而這位夥伴，卻是對美國極為忠實，而且在保育工作曾經「努力」並有「成果」（我外交部語）的中華民國。

就我國言，這次制裁所影響的貿易值僅約二千萬美元，數目雖然不大，卻影響到我國形象，而且可能使華盛頓公約組織受到感染，也將以訛傳訛而制裁我國，勢將形成沈重的打擊。

看起來，美國像是在扮演野生動物守護神，可是，她卻一直向我國推銷野生鱷魚肉。諸如這種雙重人格的做法，美國何止一端，譬如在反毒方面，美國扮演世界急先鋒，以維護人類健康，但卻輸出有害的菸草到其他國家，尤其是我國，連其前衛生署長亦看不慣，認為「美國使用貿易制裁方式輸出菸草到他國的政策，不但錯誤，並應予以譴責」。

再説到美國動不動就要對我國作貿易制裁，似乎是自由貿易的維護者，可是，據最近國貿局一項機密調查，發現一向倡導自由貿易的美國，反而是全球對台灣貿易障礙的榜首，其對我國的貿易障礙，計有關税、關税配額、進口税捐、進口規費、配額、禁運、內地税、反傾銷、標竿檢驗、政府採購、智慧財產權、金融服務業、運輸服務業及其他等14大類。我國給予美國很多優惠，但美國卻未平等待我，以水果為例，我國准許美國水果自由進口，但美國只許我芒果輸美，我政府採購市場對美國大幅開放，但我廠商卻無法參加美國政府部門的投標；美國要求我國工業關稅應降到10%以下，但我國資訊產品輸美關稅稅率卻約為10%至18%，紡織品、鞋類、陶瓷與玻璃器皿等稅率竟高至20%至48%。

美國這種霸道，不僅對於我國如此，對於其他亞洲國家亦有類似情況，譬如最近對於日本要在兩個月後執行貿易制裁——日本拒不就範，對於印尼和馬來西亞未能提高勞工待遇而有所指責，對泰國未能全面開放市場亦表不滿，甚至於為著新加坡鞭笞觸法的美國青年，而使美國企圖封殺新加坡預定明年主辦的世界貿易組織首屆貿易部長會議；對於中共則常以人權與最惠國待遇聯結在一起——但在中共強硬態度下，美國只好自找台階，將此二者分開處理。

美國這種態度，業已引發亞洲國家普遍的反感，日本與美國的貿易摩擦，日本人民卻為其政府能對美國說「不」而喝采，東南亞國協正擬聯合一致，以對抗美國片面施予的經貿壓力，認為這種壓力只會造成惡性循環並破壞自由貿易的精神。新加坡副總理李顯龍公開指摘：某些開發國家企圖把「社會條款」包括在貿易談判中，想把他們的工業關係制度、價值觀和勞工標準，加諸於開發中國家的身上；東協國家認為這是變相的保護主義，必須堅決反對。其所說的「某些國家」，顯然主要是指美國，所以，馬來西亞總理馬哈迪倡議成立東亞經濟會議，就把美國排除在外。因此，連美聯社亦感覺到了「一個結構鬆散，以意識形態及文化認同為主體的反美聯盟，已在亞洲隱然成形」。而這一把火，正是美國自己點燃的，似擬自絕於亞洲。

美國政府亦已覺察這一點，而有所改變，其最顯著的手法，就是把中共的最惠國待遇和其人權問題分開處理。就拿這次對我國的處理來說，美國亦是採用兩面手法：一方面是對我作貿易制裁，使我在經濟上受損；但在另一方面，幾乎在宣布制裁的同時，其一高級官員透露，美國將改變對台政策，提高我國政治地位。這顯然是棒子與胡蘿蔔互用政策，只不過和棒子比起來，胡蘿蔔顯得太不真實，因為美國的基本對華政策仍未改變，而且，惟恐激怒中共，美國必將給予實質好處，最可能的是重開軍事合作之門。美國如此這般的翻雲覆雨行徑，實在只是令人生厭。日本人為其政府喝采，認為對美國說不，是成熟的表現，我國政府何時才能長大？

（八十三年八月十五日刊出）

301條款與經濟大國

中央健保局自7月1日起，實施新的醫療器材核價制度，其原因是由於不同醫院對同一種產品所報價格，竟然相差2－3倍，所以，健保局要實施單一價格制度。由於醫療器材多為進口品，其中，美貨約佔4成，所以，美國貿易代表以「壟斷市場」、「歧視美商」等理由，於9月初通知我國要在月底前改善，否則將把我國列為其「超級301」年度檢討名單，23日，再對我國下通牒，要求從速派員去華府諮商解決有關問題。這種霸道作風，引發衛生署長張博雅的反應，態度強硬地說，「如果301太過分的話，我們就都不買美國的醫療器材」。也許就是這一強硬態度作後盾，以致雙方諮商後，我國並未列入超級301的觀察名單。

無獨有偶地，上月底中共外貿部長吳儀訪美，美國貿易代表尤特和她談到美國農產品輸華時要接受檢驗一事，並說到中共曾進口加拿大有病的小麥，吳儀當即斬釘截鐵地說，若能拿出證據，她可摘下她的烏紗帽。據美國記者所說，從未見尤特如此尷尬過——但中共亦未列入此次301觀察名單之中；兩岸女傑相輝映，其表現縱不是「愧煞鬚眉」，但其據理力爭的精神，著實值得喝采與效法。

所謂「301」，是指美國綜合貿易法中的301條款及相關條款，係針對美國貿易夥伴國家政府有不公平貿易措施時，以美國總體經貿實力，要求對手國修正措施，開放市場，並保護美國智慧財產權，若是對方於一定期限內不肯就範，則美國將予制裁，其通常手段，是對該國輸美的相關產品課以懲罰性關稅。所謂「超級301」條款，乃是1988年修正1974年貿易法而新增的310條款，其所涵蓋之範圍較上述尤廣，除不公平貿易外，還涉及各種相關貿易障礙，由於威力強大，故以「超級」名之。究其實際，其所以有強大的威力，全憑強大的「美國總體經貿實力」，易言之，依仗其為經濟大國。

在國際經濟學中，所謂「經濟大國」，是指在國際市場上可以左右價格的國家，甚至於需要大量進口之時，還可以建立最低進口要求制度，以要求對手國至少要出口多少數量到該國，而不必採取補貼措施。但是，像美國這樣把經濟大國發揮得如此淋漓盡致，則是超越相關的現行理論範圍。

美國之所以將其經濟大國的態勢發揮到極限，是在採取兩面手法：一方面運用國際經貿機構舉辦多邊談判，以滿足其所需；另一方面，則以其國內法干預國際經濟事務，以達成其目的。前者，是如美國在GATT主導的甘迺迪回合與東京回合，聯合其他工業國家促進其產品出口，但卻抑制後進國家暨新興工業國家產品的輸入，其方法是大幅降低工業產品關稅，但農產、紡織品、皮革、鞋類及旅行品業，不是減幅微小，就是幾未降低關稅。至於最後的烏拉圭回合，要求各國開放農產品與服務業市場，並保護智慧財產權，而這些正是美國佔有比較優勢之處。

後者更是美國一貫作風，當年就是由於美國國會不滿哈瓦那章程超越其國內貿易法規而未予批准，以致國際貿易組織（ITO）胎死腹中，延滯47年才成立了WTO。WTO於去年元旦成立，並設有貿易仲裁機構，但美國不予理會，仍然動不動就掄起超級301的大棒。在在顯示其超級經濟大國的蠻橫作風。此一作風，業已在國際間引發普遍的反感，運用向WTO控訴以反擊之，但台海兩岸目前均非WTO會員，所以，經常飽受美國超級301的威脅，但此次兩岸均未列入觀察名單，都似與兩岸女傑據理力爭的強硬態度有關，此一經驗非常值得記取。

去、今兩年，美國與中共為貿易糾紛鬧得不可開交，美方均已列出制裁清單，但均在最後關頭懸崖勒馬。其所以如此，固然由於美國不願輕啟「戰端」，但大陸的廣大市場，亦使美國投鼠忌器。今後假若兩岸統一，只要大陸人均所得達到目前台灣水準，則中國將成為超強的經濟大國，但卻應引今日美國作風為鑑戒。

（八十五年十月七日刊出）

拒斥「三通」的成本

據外電，南北韓已於十日達成協議，將在仁川與南浦間開放直航，而我方對大陸的開放早於南韓，但直航卻遙遙無期，令人不禁感歎。日前，某雜誌就兩岸經貿關係，列出九項企業界可能希望政府輔導或放寬的大陸政策，調查一百多位參加早餐會的企業領袖，讓他們決定優先需求，結果是「開放兩岸直航」名列第一。

兩岸直航，當然是指兩岸直接通航，是所謂「三通」（兩岸直接通郵、通航、通商）之一。事實上，直航是「三通」的關鍵，因為直接通商與通郵，均以通航為手段。所以，只要兩岸直航得以開放，則等於是開放「三通」。

關於「三通」，中共於近年來一直作此訴求，而我有關當局亦一直拒絕，其理由是要以此作為「籌碼」。所謂「籌碼」，即使不是致對方於死命的武器，至少亦是使對方損失遠超過我方的一種策略。現在且讓我們來分析拒斥「三通」，對雙方所產生的成本。

先從通航說起，由於不直航，必須繞道第三地區航行，勢必費時費錢。拿海運來說，目前是取道香港，以台灣與福建之間航運為例，兩處只隔一衣帶水，由高雄到廈門只有一六五浬，現因繞道，由高雄到香港為三四二浬，由香港到廈門為二九二浬。現在居然捨近求遠，不走一六五浬的直線，反而要走六三四浬的大曲線，這不僅多浪費時間，在運費上亦增加不少倍的負擔，因在目前情況下，高雄至香港，一隻貨櫃的運費為四五〇美元，香港至廈門，其運費為三四〇〇元港幣，約折合四三八美元，合計八八八美元，若是運費完全反映里程，則由高雄直航廈門的貨櫃運費僅約現今運費的四分之一——若由台中港直航廈門，運費將會更低，至於時間的節省，可能更多，蓋因不須在香港靠岸而延擱時間。

若是說到航空，機票亦有很大差異，以台北到廈門的航程來說，大約與台北到高雄相彷彿，是以，若能直航，則往返機票只要兩千多元新台幣，而現繞道香港，往返機票約一萬三千元，相差好幾倍，更何況還要多費不少時間，甚至於還在香港機場，遭到「非人」待遇。再說從台北到北京，現在由於繞道，以致往返機票為新台幣兩萬二千餘元，約與台北到美國西海岸的往返機票相等，而有些航空公司還在美西—台北一次往返時，另贈亞洲免費往返機票一張，相形之下，由台北飛北京要比飛到洛杉磯還貴；但據中共民航局說，兩岸直航後，如以國內價格核算，台北到北京的往返機票，僅須七、八百元人民幣（合新台幣不到四千元），若以國際航線核算，至多一千五百元人民幣（約七千五百元新台幣）。由此看來，目前兩岸機票要比直航貴好幾倍，至於旅客所耗時間和受到的折磨，更非金錢所能測度。

與通航密切有關的首為通商，目前兩岸進行轉口貿易，在運費與時間上比直航高好幾倍，將會增加我方業者的成本。本來，我方可藉地利之便，在運輸費用與時間上，要比鄰近的競爭對手（日韓）略勝一籌，現卻比日、韓花更多的成本，如此，將使台貨於大陸市場上和日貨、韓貨競爭之時，在運費與時效上落入下風。

至於通郵，也因繞道航行而延滯郵件的投遞時間，而且，由於未能直接通郵而不能遞送掛號郵件與包裹，亦是兩岸人民一大損失。再說通郵中含有通匯，現要經由第三地區外商銀行轉匯，每筆匯款須多繳六百至八百元的手續費，若是直接通匯，則這筆繳給外銀的額外手續費當然可以省下來。

亦就是為著兩岸不能直接通郵、通匯、通航與通商，使兩岸人民經濟與精神上受損，平白地便宜了其他人等，尤其是外國人。尤有進者，這種繞道航運（包括郵件的轉運，款項的轉匯，以及貿易的轉口），是在不必要地耗費人類的能源、物資與人力，所以，從全球資源配置看，這真是無謂的浪費。當然，有關當局仍將說，拒斥「三通」是一有效籌碼，這樣做是值得的。

再回到一開頭所談的，所謂籌碼「至少亦是使對方損失遠超過我方的一種策略」。可是，在拒斥「三通」方面，我方的損失卻遠高於對岸。通航中的海運，主要是用於貿易，而兩岸貿易中，我方是擁有巨大出超，拿去年來說，據香港海關統計，台灣經香港輪往大陸的商品為四六·七億美元，大陸經由香港來台灣商品為一一·三億美元，足見在兩岸轉口貿易中，台灣於運費上的損失，是大陸的三倍多。至於航空當以客運為主，試問兩岸在探親、考察、開會、展覽、旅遊…上，是此岸的人去大陸多還是彼岸的人來台灣多？不必統計，亦知道兩者懸殊得不成比例，何況由大陸來台探親的大陸人民，其旅費多由台灣人民負擔，所以，航空費用多付的部份，幾乎全由台灣負擔。至於匯款，由於是一面倒由此岸匯向彼岸，所以，轉匯費用全是台灣支出。循此可見，拒斥「三通」，是在整自己人，真不知道算是那一門子的「籌碼」？

（八十一年四月十三日刊出）

兩岸金融往來展望

月前，財政部主張透過我方銀行的海外分行與大陸地區銀行往來，這本來是為解決當前難題的平常建議，但在這次倒王風潮中，卻「清算」到王部長的頭上，到現在還是帽子滿天飛，真不知道是什麼顏色的「恐怖」！

促進兩岸金融往來，首須知己知彼，亦就是要明瞭對方或彼岸的金融狀況，以及在大陸投資的台商採用之融資方式（這一點以後再予探討）。據作者初步印象，彼岸的銀行業務仍甚落後，其經營方式不易為人瞭解。首先是銀行仍為政府出納單位，直到最近，還看到大陸金融界高幹撰文鼓吹銀行的四大金融任務：㈠支持國營企業所需資金；㈡提供收購農副產品所需資金；㈢收購外匯；㈣短期融通。

由於這種出納性質，又帶來第二個問題，那就是各銀行的放款，都遠超過其存款（只有中國銀行例外），在這種情況下，真不知道其法定的存款準備率有甚麼意義？

第三個問題是有關法規不足，連最基本的銀行法亦要到今年年底才出爐，至於票據法、保險法、證券法，更付闕如，以致到現在，支票在大陸還不流行，以致必須發行通貨，以支應市場需要，這種最強勢的貨幣在直線增加，其乘數效果極大，再加上各銀行放款遠大於存款，難怪經濟熱絡後，就導致通貨膨脹——按正常情況言，開發中國家由於資源未充分就業，生產增加，只會緩和物價壓力，民國四十年代的台灣，即是如此。

最後一個問題，乃是大陸的銀行幾乎是普遍地在挪用客戶匯款，以作者親身經驗為例，去年四月間匯款給舍妹購屋，她到七月下旬才收到，這顯示大陸的金融機構毫無章法，平白地侵佔客戶利益，那有「服務」的意義。

所以，作者個人雖然贊成兩岸直接通匯，但卻認為大陸金融現代化應是直接通匯的前提。換句話說，我們可以經由直匯的談判，促使大陸金融加速現代化，這樣對兩岸中國人都有好處。職此之故，兩岸金融機構的往來，實在繫於大陸金融能否現代化。可是，我方有關當局似乎見不及此，而在找些不相干的理由，致有搪塞之嫌，中共方面更是「馬不知臉長」，對於這些本身缺失似乎渾然不覺，但卻一味地要求兩岸金融加強往來，最近，看到大陸出版的「金融研究」中一篇文章，談到吸引台資與兩岸往來事宜，就充分表達中共這方面態度。

這篇文章是作四大建議，每一大建議下，均列有若干具體項目：

一、拓展籌資渠道：㈠設立台資企業大陸投資合作基金會，吸收台港資金；㈡設立貸款「公團」機構，以特定收入（如基礎設施投入）擔保貸款的償還；㈢推動遠期匯票在台灣貼現；㈣證券籌資，首以大陸證券吸引台資，其次是在台灣發行股票、債券——㈢㈣兩項均委託中共代理銀行在台北的分行進行。

二、拉直通匯路線——建立兩岸金融業務直接往來關係：㈠新台幣公開掛牌；㈡發展台灣的銀行以函件擔保台商在大陸貸款；㈢允許台灣的銀行在大陸台商密集地區設立分行。

三、建立多種形式金融合作機構：容許台商、台屬開辦城市信用合作社或合作銀行，以及台資銀行或台商可與中資銀行合資，台資銀行可在廈門、福州與深圳開設分行。

四、創造條件，赴台投資：㈠對台商業資本滲透；㈡對台資銀行適量參資；㈢非金融性民間機構辦金融業，意謂大陸民間經濟實體與台商或公會，合資辦銀行，先設於香港，然後移植台灣；㈣申請在台灣外匯市場掛牌營業（語意不明，因若指人民幣在台公開掛牌，則談不上「營業」；若係其金融機構申請在台設立辦事處，則亦不致指定在「外匯市場掛牌」）；㈤透過民間渠道，購買台灣公營銀行出售的股權；㈥赴台開設銀行。

這些建議若是形成中共政策，其中的第二與第三兩類，對台灣倒沒有太多影響，問題卻出在第一與第四兩類：前者是要設法將台灣的資金吸引到大陸上去，這當然不為我方所願聞；後者是將大陸資金引來台灣，本來是件好事，但該建議內容卻很曖昧。

其所謂對台商業資本「滲透」，已經令人感到不自在，而「對台資銀行適量參資」的辦法，更令人有些毛骨悚然，因為該文是說，根據「從島外到島內，從非控股到控股的原則，對有台資銀行『血液』的銀行進行參資」。這些文字也許是他們的習慣用法，但在我們看來，似乎是一種地下作戰，有些殺氣騰騰。不過，話又得說回來，這篇文章之所以出此「下策」，則是因為兩岸金融尚難直接往來。是以，為從長計議，彼岸應該先使其金融現代化；此岸應作金融直接往來的準備，並防範金融滲透，尤其要注視彼岸代理行台北分行的有關動作。

（八十一年十月十九日刊出）

金融登陸可減資金外流

台商到大陸投資所引發的憂慮，除產業空洞化外，就是資金外流。很多人認為資金外流將導致台灣本身資金缺乏，以致影響到本土的投資。在這種情況下，如果有人主張金融業登陸，就被有些人認為是冒天下大不韙，其理由是這將加速台灣資金流向大陸。

這番話從表面看來，實在言之成理，因為台灣的銀行到大陸開業，豈不是把大量台灣資金帶到大陸去作放款。不過，這一說法，實在既不明瞭銀行業務，又不明瞭大陸情況。就後者言，中共是限定外資銀行只能在經濟特區營運，是以，登陸的台賚銀行，將很可能只服務台商企業。至於銀行的授信業務，基本上是將存款用來放款，而這些存款當然是來自銀行所在地，所以，銀行授信主要是就地補給或就地取材。

有了這些瞭解之後，就會得出一個結論：台資銀行登陸，可以減少資金外流——這是最近舉行的「兩岸金融業務發展研討會」中一位報告人所發的「驚人之語」——其原來的文句是，「在某些情形下，開放赴大陸間接投資金融業，並不必然會增加台灣的資金進入大陸，有時還會減少台灣的資金流向大陸」。這可從兩種事例看出。

第一個事例，是台商企業規模不因金融業登陸而擴大。假定某台商原擬投資的金額為X，現因台資銀行可以提供融資，其金額為Y，則該台商從台灣帶去的資金，將是（X－Y）。易言之，該台商由台灣攜去的資金，將因金融業登陸而減少。現在的問題，乃是Y係來自台灣，還是全部或一部分就地取材。若是後者，則台灣流向大陸的資金，將因金融業登陸而減少；若是前者，外流資金亦並未增加。

第二個事例，是指台資企業規模將因金融業登陸而擴大——這正是很多人所擔心的事。假定某台商企業的規模為X，因得台資銀行之助，而擴大為（1＋a）X，其中，aX是增加的資金需求量；再假定台資銀行在大陸吸收的資金為Z。於是乎，出現三種情況：㈠aX大於Z，顯示金融業登陸後，雖可擴大台商企業規模，但卻加速台灣資金流向大陸；㈡aX等於Z，表示台灣資金流向大陸的數量並未增加，但台商企業規模卻因金融業登陸而擴大；㈢aX小於Z，揭示出台灣資金流向大陸的數量在減少，但是，台資企業卻比金融登陸前茁壯。

在第一個事例裡，並未確定台資銀行能否在大陸吸收存款，但在第二個事例裡，卻肯定地認為台資銀行可以就地取材，問題只是吸收當地存款數量大小而已。就目前情況言，中共當局只允許外資銀行㈠吸收僑資、外資、中外合資或合作企業的人民幣與外幣存款；㈡辦理國外或港澳地區的外匯存款。依此看來，在現行情況下，台資銀行登陸後，似乎很難大展鴻圖，亦就是說，在吸收當地存款上，將不太樂觀。如此一來，是不是意味著，金融業登陸將加速資金外流的疑慮，並非杞人憂天？

其實不然，因為即使在現行中共的僵化規定下，台資企業亦可秉持「事在人為」精神，而打出一條出路，其最可行的做法，就是經營保證業務。茲以台商投資大陸之中機器設備貸款為例，若是原先註明投資額中一部分為現金，一部分為機器，則可先匯入現金部分，購地建廠，把廠房抵押給當地信託公司，出具保證函向外商銀行取得授信額度，將此額度撥到香港，開信用狀採購台灣或外國機器運入大陸——這批機器又可視為投資額的一部分。台資金融業登陸後，將可順利取得這項保證業務。如此一來，台商企業固可一魚兩吃，台資銀行亦可借力使力，而使台商企業在台灣資金減少流出情況下，卻可在大陸茁壯。而且說不定在不久的將來，經由台資銀行保證，台商企業或可取得大陸若干銀行的融資。

再說，中共可能於明後年加入關貿總協（ＧＡＴＴ），而ＧＡＴＴ主導的烏拉圭回合，很可能於明年達成協議，該回合主要議題之一，是開放服務業市場，中共入關後，勢必要給予外資銀行國民待遇。從而，登陸的台資銀行可以順理成章地接受大陸同胞的存款，基於血濃於水的道理，外資銀行在這方面將難以與台資銀行匹敵；由於台資銀行效率較高，亦將有能力與中共銀行競爭大陸個體戶的存款。是以，在這種情況下，aX極可能小於Z。

縱然中共入關須假以時日，據說中共為對台商示惠，而將對台商開放服務業，其中包括金融，是以，此岸金融業可掌握此一機會登陸，以就地取材，對台商融資。

從這些分析看，金融業登陸，至少是一舉三得：㈠減少資金流出；㈡使台商企業茁壯；㈢擴大金融業的觸角。

（八十一年十二月二十七日刊出）

從經濟思想史看大陸經濟變遷

一九八九年初，在香港中文大學開會，首次與大陸若干經濟學人碰面，其中一位是八十多歲的巫寶三先生，他是我國編製國民所得帳戶的第一人，晚年轉向中國經濟思想史的研究，我因寫過有關中國經濟思想的四本書，而被巫先生視為同道。在會議中，我除評論若干大陸學人的報告外，自己亦報告台灣貿易發展。會後閒談中，巫先生卻認為我未從中國經濟思想史觀點發言，而引為遺憾。

其實，在那一次的報告中，我已指出，第一次進口代替階段的貿易政策，是依據幼稚產業論；第一次出口代替的貿易理論，則是基於H—O定理；第二次進出口代替理論根據，則是產品循環理論。我之所以未從中國經濟思想史發言，是因為中國經濟思想雖甚豐富，但距理論形成尚有一些差距；而且，若是勉強從經濟思想觀點陳述或評論當前經濟事務，恐被人目為「迂闊」。可是，月前，在主持一下午的有關大陸問題研討會之中，於聽得好幾篇報告以後，覺得用歐洲經濟史與經濟思想史的發展，或許頗能描繪中國大陸經濟的過去、現在與未來。

無論是歐洲經濟史還是西洋思想史的現代著作，幾乎多從中世紀開始，當時經濟制度是封建的莊園，其土地是由國王或教會賜與，以交換其效忠與軍事及財貨服務。在此莊園下，有武士、自由民、佃農、工匠與農奴，均為領主服務——這些被統治者與統治者領主或地主之間關係，是由習俗、傳統及威權所決定，而不是經由市場，易言之，於此制度下，土地、勞力與資本並不在市場出售。而且，每一莊園在經濟方面基本上是自給自足的。這個時期的經濟思想，是士林哲學，其主要人物湯瑪斯·阿奎士的最大貢獻，是將亞理士多德思想融入基督教義，認為私有財產並不牴觸自然法——但他亦遵從柏拉圖精神，鼓吹貧窮與共產。在經濟事務方面，他亦注意到價格，但只注意到價格的倫理面：平等與公平，從而主張公平價格，亦就是說，價格要等於平均生產成本。經濟思想史學家中有一種廣泛的看法，認為公平價格是維持封建制度的一組社會經濟力量中主要成分，因若市場上所有的價格都是公平價格，則將沒有人能以經濟活動改變其社會地位。

歐洲技術進步，導致封建解體，莊園中的被統治者逃出謀生，聚居為城市而發展商業，形成城邦，再結合成民族國家。經濟思想史上的重商主義就在這段時間興起，支配歐洲約兩百五十年（1500年至1750年）。重商主義的中心思想，是創造貿易順差，不擇手段地賺錢，主張政府強力干預。1750年前後，法國重農學派崛起，其思想是重農主義、崇尚自然，主張自由放任，但為時短暫，即為古典學派取代。亞當·史密斯吸收重農學派的自由思想，開自由經濟先河，強調市場機能，把政府功能局限於國防、法治、公共建設與若干基本事務。史氏的「國富論」出版於1776年，而在這個時候，英國工業革命亦正在如火如荼地進行，再得到古典學派理論的支持與引導，從而形成資本主義。

從這些演變看來，亦可看出大陸經濟演變的來龍去脈。在經濟體制改革以前，中共是徹頭徹尾的共產主義經濟制度。於此制度下，政府支配一切經濟活動，土地與勞力均非商品，不能經由市場買賣，一切生產工具公有，以致資本財亦非經由市場取得。至於財貨價格不是決定於市場，而是由政府決定，致有「公平價格」的意味，其動機亦和士林哲學相似，不希望任何人可以經由經濟活動以改變其社會地位，因為這些地位是由政治力量決定的。共產主義在本質上是封閉經濟，四人幫時代認為對外貿易是出賣國家資源，故有自給自足的傾向——甚至於到今天，中共的若干大企業仍有些莊園制度的味道，從煉鋼、造船與貿易到成衣、養魚、做罐頭及辦學校，一把抓。想不到自詡為「先進」的共產共義，卻有封建制度的意味。

中共經濟體制改革後，提倡對外開放，對內搞活，大力吸引外資，推動對外貿易，連續將人民幣貶值，並採取複式匯率，以鼓勵出口，俾創造貿易順差。在此情形下，土地、勞力與資本均可經由市場買賣（土地買賣是指其使用權）。但政府仍在干預經濟活動。惟於「一切向錢看」浪潮下，導致全國皆商，連軍隊與學校亦在做生意。是以可說，現階段的大陸，是瀰漫著濃郁的重商主義，其諸侯經濟亦有城邦經濟的味道。

重商主義的反動，主要是古典學派。古典學派思想形成了資本主義經濟，亦就是市場經濟或自由經濟。中共十四大業已決定實行「社會主義市場經濟」。這正是象徵，大陸經濟將由重商主義步向資本主義的先兆。想不到馬克斯所創的共產主義，只是要若干國家走回頭路，使歷史重演。

（八十二年一月十一日刊出）

從經濟觀點看中國的「分」與「合」

此一題目，正是本月初在寧波第三屆兩岸關係研討會提出的拙文之標題——當時還有一個副標題為「兼論現代中國的未來」，其重點是經由經濟統合邁向政治統一，此處不擬贅述，將只提到「分」與「合」與經濟發展間的關係，以及發表後，會場內外的反應與溝通。

該文撰寫動機，是起於3月初在澳門一個會議上，北京來的任教授於其論文中提到，秦漢統一後，對於人民有五大利益。故於該文中首先對此五點逐一評論，發現只有第二點「統一指揮防洪排澇、興修水利，救災度荒、以豐補歉」，是與統一有關。但在文中指出，就後者言，「其前提，必須有一個仁愛的政府」，並於口頭報告時，沈痛地說，「在1958年，我的故鄉——安徽無為一縣就餓死27、8萬人，我的母親率領鄰居到縣政府請求放賑，卻被關了幾個月。像這樣的統一，怎麼能『救災度荒，以豐補歉』？」

在劃分「分」與「合」上，我是視秦漢、隋唐與元明清為三個統一時期，並由漢末黃巾之亂與唐代天寶之亂起，劃出兩個分裂時期。中國在統一時期，政治趨於專制，經濟趨於統制，社會趨於管制，其反映於對經濟上的衝擊，是君主生活的奢靡與揮霍；干預人民職業或產業之選擇，還提倡公營事業，導致官商勾結，效率低落；形成重農輕商思想，影響科技發展，且因嚴刑峻法，製造出大批奴工，扭曲人力資源運用，再因大一統使疆域擴大，人民在運送實物田賦與戍邊上，增加莫大的負擔。不過，這些缺失多係人為，若有良好的政經制度與貨幣經濟，則可避免之，而將產生規模經濟、外部經濟與一般均衡經濟。

一般說來，大一統宛若獨占，致有予取予求心理，而分裂則似競爭，其政府為求生存與爭民心，必須全力發展經濟。但是，分裂時期至少有兩大先天缺陷：一為勞力缺乏；一為田地荒蕪。從而於第一次分裂時期，發展出勞力節約技術，以及人與地的新結合；前者如木牛流馬及水治；後者是指大量屯田。而且，若無第一次分裂，中國南方不會如此快速開發，海上絲路亦不致得以發展。第二次分裂主要是在兩宋，而國人自詡的四大發明，除紙以外，其餘印刷術、指南針與火藥，均於此一期間發明或始見於實用，以致工商發達，使杭州人口逾四百萬，成為當時世界第一大都市。最後，提到目前分裂時期，亦使台灣締造經濟奇蹟。

拙文發表後，引發大陸學者一片批駁之聲，大致上是認為我反對統一、主張分裂，還說台灣經濟發展，並非由於分裂之故，而是由於美援，並和其他三小龍一樣納入西方經濟體系。其中，同鄉李家泉兄發言，並非和我針鋒相對，而有些拔刀相助的味道，他說，「在三面紅旗時代，我亦不主張統一」。

在答辨之中，我首先說，大一統不利於經濟發展，是由於專制政治、統制經濟與管制社會，但在民主政治、自由經濟與良好貨幣制度下，大一統要比分裂更有利於經濟發展——關於這一點，後來我對一位國台辦幹部指出，這正顯示目前世界趨勢，先進國家（如歐體）尋求統一，而落後國家則在鬧分裂。

說到美援與西方經濟體系，我說，接受美援的國家不下一百個，有幾個發展起來？中南美與菲律賓早就納入西方經濟體系，現在又如何？怎麼能據此而否定台灣的努力。說到四小龍，更證明拙文理論的正確，因為她們都是分裂的國家與地區——新加坡是從馬來西亞分裂出來。

臨走的那天早上，台灣研究會一位副會長對我說，「你的結論，大家都能接受」。我的回答是：若是大陸真正政治民主化、經濟自由化，我贊成統一；否則主張維持現狀。在與家泉兄閒談中，我說，台港當初若被一鍋煮掉，則今天大陸將像俄羅斯一樣，那有台資、港資與企業家助其發展？他亦深以為然。

（八十二年八月十六日刊出）

見招拆招抑借力使力

——回應「江八點」的關鍵所在

中共領導人江澤民，在農曆除夕，代表中共中央和國務院發表新春對台講話，並提出八點有關「現階段發展兩岸關係、推進祖國和平統一進程的若干重要問題」的看法和主張。

對於「江八點」，我方朝野反應甚為熱烈，認為是善意回應，是重要事情，應予重視，其熱烈情況，甚至於超出彼岸預期（海協會長汪道涵語）。我方正式回應雖尚未提出，但行政院卻已決定「分階段、分重點、分性質」予以回應，由於要讓總統、行政院長與陸委會依其職權範圍作出回應，所以，回應方式亦應增稱「分層次」。且因決定在回應中重經濟、不談政治，涉及國統綱領中程階段者亦暫不回應，可見回應的程度與幅度都將不會大。由此可見，我方對「江八點」的處理，是「反應大，回應小」。

記得高階層曾云，要以「宏觀」眼光來回應，而這「四分法」的回應方式，應該屬於微觀」手法，不知如何形成「宏觀」？

我方之所以如此，主要是由於長期交惡，對中共懷有戒心之故，在這種情況下，未來的我方正式回應內容，很可能是見招拆招。見招拆招當然是回應方式之一，但卻和以善意回應為基調評估的立場有相當距離，因為這在基本上是各說各話，雙方將不會有甚麼交集點，在戰略上只是守勢防禦，以致最多只是中策。但就問題的解決言，當然要以培養共識為要務，而在培養之中，雙方均將爭取共識的主導權。若是各持己見，又將流於見招拆招。是以，過招中的高招，應是太極拳中的借力使力，因為這是自然法則中的因勢利導，戰略上的攻勢防禦。

根據「借力使力」原則來看「江八點」，可以找出若干著力點，循此提出回應，將可主導共識，並符合我方短期及長期利益。

首先可在「江八點」的第三點中，看出兩岸簽訂互不侵犯協議的曙光，因為江澤民在這方面說，「我們曾經多次建議雙方就『正式結束兩岸敵對狀態、逐步實現和平統一』進行談判。在此，我再次鄭重建議舉行這項談判，並且提議，作為第一步，雙方可先就『在一個中國的原則下，正式結束兩岸敵對狀態』進行談判，並達成協議」。既然該協議是要「正式結束兩岸敵對狀態」，當然可以順勢加強，以成為互不侵犯協議，如果中共不放心台獨問題，不妨作「但書」方式處理，而這種互不侵犯協議，正是我朝野多年的期盼。

其次，我方多年來希望中共能與我方簽訂保障台商投資權益的協議，而這次「江八點」中已有正式的善意回應，於第五點所明示「我們贊成在互惠互利的基礎上，商談並且簽訂保護台商投資權益的民間性協議」。我方正可順勢促成，由海基會出面簽訂，但在商討過程中，容許大陸台商聯誼會及台灣工商領袖參與。

第三，中共於文化大革命時，大力批孔揚秦，一心要毀棄中華文化，經改後則作180度大轉彎，轉而維護中華傳統文化，這次「江八點」竟然打出文化牌，而於第六點中說道，「中華各族兒女共同創造的五千年燦爛文化，始終是維繫全體中國人的精神紐帶，也是實現和平統一的一個重要基礎，兩岸同胞要共同繼承和發展中華文化的優秀傳統」。此一「優秀傳統」當然主要是指「堯舜禹湯文武周公孔子」一脈相傳的道統，其精華厥為儒家思想，禮運篇所表達的大同世界，正是描繪民主政治，自由經濟與福利社會，因而我方正可以「共同繼承和發展中華文化」為由，要求中共政治民主化、經濟自由化與社會倫理化。

最後，是其第八點提出兩岸「領導人以適當身分」互訪，「以共商國是」，這主要是回應李總統於去年11月間所提的「國際場合晤面」擬議。照道理說，兩岸領導人是以明年總統直選後會面為宜，但就李、江個人言，則各有今年會面的誘因，就江氏言，這是鄧小平未曾做到的功業，而可鞏固其領導地位；就李氏言，無論是否競選連任，均有助其聲望提高。

（八十四年二月二十日刊出）

兩岸「西進」應可合璧

這次李總統訪美，引發中共的憤怒，有導致兩岸關係倒退的傾向，解鈴還是繫鈴人，還須我方伸出轉圜之手，好在連院長最近於大陸工作會議上指出，以經貿為核心的兩岸關係已經來臨，到公元2000年，大陸可能成為我們最大的貿易夥伴、最主要的投資地、外貿順差的主要來源，以及經濟發展的腹地。

所以，此時向對岸伸出經貿援手，就短期言，可為對方「解」圍，亦就促使兩岸關係「解」凍；就長期言，則是延伸我方經濟腹地，有利我經濟更上層樓。此一援手，就是以我方的西進協助彼方的西進計畫。

大陸上所謂「西進」，實在是要開發其中西部，據香港中通社最近報導，逐步縮小中西部地區和沿海地區經濟發展的差距，是大陸經濟發展的重要目標。事實上，浦東開發計畫正是揭開此一行動的序幕，希望藉此帶動長江流域的「沿江」發展，而三峽大壩未嘗不是此一行動的一環。

西進開發的必需條件是大量資金，北京政府亦在中西部實施「扶貧攻堅計畫」，但每年經費僅約11億元人民幣；近年，浙江與山東的鄉鎮企業亦在參與西進工作，但只能投資一兩億元人民幣；杯水車薪，根本無濟於事。所以，本月六日，中共國家計委會等單位聯合在香港舉辦吸收外資政策研討會，其政策宣示，是大陸今年將積極引進外商到中西部投資。

可是，中共當局這樣的想法，很可能是一廂情願，因為就在本月初，歐盟駐北京大使在電視上公開表示，歐盟各國在中國的投資，主要是在沿海地區，其次是中部，至於西部，則只研究其貧窮原因而不會投資。此一說法，或可代表一般外國投資人的基本態度。

中共所說的「外資」，是將海外華人資金亦包括在內，以致有人或許將西進投資寄望於港澳華人。但此一希望可能也將落空，因為截至去年年底為止，外資協議金額共計2,800餘億美元，實際到達金額約940億美元，其中港澳佔70%（台灣10%，外國15%，東南亞華人5%），若是協議金額比例與此相若，則港澳對西進投資，可能將是無能為力；何況港澳同胞的廣東國語及西化教育，到了中西部亦將無用武之地，所以，在主觀上，或許亦缺乏西進投資的意願。

由此看來，真正能幫上「西進」忙的，很可能只有台資，所以，台灣應以捨我其誰的氣概伸出援手。中共希望外商到中西部地區投資農業、礦產資源開發、原材料工業、基礎建設及勞力密集工業。從這些項目看，非常適合台灣農業、中小企業及有關國營事業的投資，尤以中小企業為然，蓋因這些地區現階段的產業發展，主要適宜形態應為中小企業，而台灣的中小企業老闆多為黑手出身，本身較具親和力，再加上多年的國語與中國文化本位教育，易於和當地人民打成一片。

事實上，西進行動亦將大有可為，就地形地勢言，北京、上海與廣州形成一張弓，則京九鐵路就是那根弦，而長江則似一支箭，浦東即為其鏃，張弓將這支箭射出去，其威力可知。是以，台商若能在大陸西進工作中擔當重任，對於大陸內銷市場之掌握將大有可為。

目前，台商參與大陸西進行動，應以長江流域為限，其方式不妨仿照新加坡在蘇州等地建立工業區的模式，先在武漢、重慶等沿江區域建立台灣工業區，結合台灣中小企業上中下游前往投資，以方便其設廠生產。但我有關當局在伸出援手之時，亦必將對中共提出一些要求。這些要求大致上可以區分為兩大類：一為經濟性；一為非經濟性。後者主要是涉及我方一向所期盼的「善意回應」，但希不要涉及最尖銳問題，其實，只要雙方關係解凍或緩和緊張情勢，亦已可說是達成目的。而前者才是根本的，必須有所堅持，其重點至少有四：一為台商投資保障細則之制訂；一為中西部交通建設之詳細計畫與保證；一為允許投資中西部台商之產品全部銷售其國內市場；一為台灣工業區之建立，並希我方參與管理工作。

（八十四年六月十二日刊出）

以民生融合民族主義

——爲兩岸打開僵局進一言

研究三民主義的前輩專家們，強調三民主義的連環性，認定民主主義是三民主義的中心，意即民族主義與民權主義是要發揚與建立在民生主義的基礎上。這種以民生促進民族與民權的理念，正是今日兩岸關係的著眼點。

記得在兩岸關係解凍之初，本文作者多次撰文鼓吹以「化共」代替「反共」，思以經貿力量，協助大陸同胞發展經濟與改善生活，並於接觸中潛移默化，讓他們逐漸認識與接受自由經濟與民主政治，但其前提乃是其生活水準的提高。蓋因管子云，「食廩實則知禮節，衣食足則知榮辱」——現在則可易為「倉廩實則知自由，衣食足則知民主」，其基本用意，是要以民生促進民權。

最近，由於我方的外交出擊，引起中共不快而憤怒，並以民族主義為號召，以激發大陸同胞仇視台灣當局的心理，而將兩岸關係又推到相持不下的僵局。如何打開這個僵局，可能亦需民生主義來融合民族主義——最近在某次會議中，讀到丘宏達、金耀基先生的論文，越發地堅定本文作者的信念。

丘先生在「開創華人和平建設世紀的基礎工程——幾點意見」一文中，認為「民族主義固然可以被中共用來號召全中國人民作為攻台的藉口，但……民族主義也可是保衛台灣的最有效的效策」，他認為「只有大陸絕大多數的中國人反對中共攻台，這才是台灣安全的最大保障」。這幾天，幾位回國參加國建會的旅外學人亦作類似主張，尤其在中共於軍事上頻頻示警之際，我們更須爭取大陸同胞的諒解。

要想爭取大陸同胞諒解，實在很簡單，那就是要讓「大陸絕大多數的中國人」真正相信我方不搞台獨，亦不搞獨台。這並不是說，今後要停止務實外交，只是不要那麼大張旗鼓，更不可沾沾自喜而自吹自擂。另一表示誠意的方式，則是發揮同胞愛，最近，華中、華南發生大水災，真是我們表達「中國人幫助中國人」的雪中送炭之情。但是，真正要於長期中伸張兩岸民族主義，還是要奠基於民生主義上，亦就是要以此岸的經濟力量支援大陸的經濟發展。

金耀基先生在「一個現代化的統一中國與世界新秩序」一文中說，「台灣值得『大規模的、有計劃的和大陸進行文化經濟交流』，以『三年沿海，五年腹地、十年全國』為目標，協助大陸現代化」。其所說的「五年腹地」，是和本專欄月前發表的「兩岸西進應可合璧」文章中，以此岸西進促成彼岸西進的主張，是一致的。

打蛇要打七寸，幫人要幫在節骨眼上，中共是把開發中西部的工作，列為明年開始的九五計畫中的重點工程，但是，這須要鉅額資金，中共當局是心餘力絀，而且外資又卻步，只有台灣伸出援手，才可以解決其問題。只不過這種援助不是無私的，而是有償的，亦即雙贏。我方促成彼岸西進所獲的經濟效益，是顯而易見的，首先是提供台灣中小企業的商機與生機；其次是應可取得大陸的內銷權，因若強迫外銷，中共勢必要耗費大量資金於交通設施，而且運輸成本高，不利於對外競爭。就長期言，真正的最大利益，則是兩岸人民的情感交流，由於是此岸中小企業協助彼岸中西部人民提升其生活水準，所以，可說是以民生主義促進民族主義。

不過，全面促進兩岸人民情感交流的最佳方式，厥為開放「三通」，其中尤以直接通航最為重要，尤其是客運的直航，可以由縮短地理上距離，進而拉近兩岸人民心理上距離。這種直航，對我方的利益遠大於彼岸，以航空言，目前須繞道香港，多花時間不說，單拿機票來說，平均每人次來回須多花15,000元左右，而開放探親以來，赴大陸的台胞已逾76萬人次，以致單是由於未能直航而多浪費的旅費就高達1千多億元。若能直航，並開放大陸人民來台觀光，當可加深彼此瞭解，這亦是以民生促進民族。

（八十四年一月二十四日刊出）

再談兩岸西進工程

本專欄於「兩岸西進應可合璧」一文（以下簡稱「兩文」）中，指出發展大陸中西部經濟，是中共當前最主要經濟目標（至少是少數之「最」中的一個）。最近參加一項經濟現代化的研討會，出席的大陸學者四人，就有兩篇半論文討論到其區域經濟不平衡發展問題，台灣學者所提的三篇論文中，亦有一篇討論此事。

大陸上所謂的東、中、西部，是連東北三省亦包括在內，大致上，東部是指冀、遼、蘇、浙、閩、魯、桂、粵、瓊九省及京、津、滬三市；中部則含湘、鄂、豫、贛、皖、黑、吉、晉、內蒙九個省與自治區；西部是包括川、滇、黔、陝、甘、寧、青、新、藏九個省與自治區。

在1980年，東、中、西部分佔國民生產總值（GNP）的比重為52.7%、31.31%與16.52%；1993年，此比重分別依次為60.1%、26.8%與13.1%。東部地區在土地面積上只佔10.1%，其GNP竟為西部的五倍；以致就人均GNP言，在1993年，東、中、西部依次為4,580元，2,075元與1,408元，東部是中、西部的2.2倍與3.3倍。

所得的不平均，當然會引發中西部人民的不滿，而將導致社會上的不安。尤有進者，若不予以適宜處理，將會使東部愈富，中西部愈窮。這就是經濟學上所說的偏振效果（Polarzation Effect），此效果是指一國之中，若干地區工業化非常迅速，其他地區較為落後，若不採取適當措施，則落後地區的資本與技術人員，將被吸收而投向工業化迅速地區，導致落後地區的經濟更為萎縮。這一情況果然在大陸發生，拿經濟成長率來說，1980年，東、中、西部成長率依次為6.81％，6.75％與7.25％，西部還略勝一籌，但到1992—94年，此成長率依次為18％、11％與9％，西部只有東部的一半。其在經濟上產生的不良後果，誠如一位大陸學者所說：

「在市場機制的自發作用下，中西部地區的人才和資金不斷流向東部地區，進一步阻礙了中西部地區的經濟發展；地區與地區之間利益的不平衡，使中西部地區不得不採取地方保護主義。用行政的辦法限制商品流通，妨礙全國統一市場的形成；由於中西部地區經濟發展滯後，中央政府不得不要求富裕地區承擔更多的財政上交任務，以增加中央政府向貧困地區進行轉移支付的財力，其結果又會影響到富裕地區的積極性，也會增加中央與這些地區協調財政分配的難度。」

由此看來，大陸上的諸侯經濟以及中央與地方摩擦等問題，均因區域經濟失衡而起。尤有進者，這還牽涉到政治問題，誠如另一位大陸學人所言，中共「中央政府已覺察到東西部差距擴大帶來的不利後果，開始從社會安定、鞏固邊防等戰略高度來予以足夠重視。政府已充分認識到，大陸的東西部關係既是區域經濟關係，又包含著複雜的民族關係。」這是由於中西部有陸地邊界，而少數民族中絕大多數居住此一區域內，其中還有一些少數民族（如蒙古族與回教各族），是和境外同一民族跨國界而居，若是國內該少數民族生活水準顯著高於境外同一民族，則將加強向心力，反之，必將產生離心力，以致可能發生邊防動亂。

職此之故，中共不得不傾全力以推動「西進」工程，但在資金上卻將遭遇難題，因為很難吸引外資，據統計，1986—92年，88%的外資是投向東部，中、西部僅分佔7%與5%，今後也將難以增加。是以，能拔刀相助的只有台商，這不僅是「中國人幫助中國人」，以民生配合民族，從而緩和兩岸緊張氣氛，也且對台灣業者有利，會使台商在大陸市場取得優勢。

在上文中，曾經提到，台商在大陸西進，可先透過兩岸洽商，由中共承諾，給予台商產品全部內銷權。在此情況下，投資於中西部的台商，仍可在無壓力情況下促進外銷，蓋因和中西部接壤的國家，計有俄羅斯、蒙古、哈薩克斯坦、吉爾吉斯斯坦、塔吉克斯坦、阿富汗、巴基斯坦、印度、緬甸、越南等國，正可從事沿邊貿易。

（八十四年八月二十一日刊出）

隔岸看中共與美貿易戰

本月4日，美國貿易代表宣布，中共若未在26日前就智慧財產權問題與美國達成協議，則美國將就35類中共輸美產品，課征100%的懲罰性關稅。這些產品均為大陸輸美熱門貨，主要是鞋類、運動用品、塑膠製品、家具及廚具等，年度輸美金額約10.8億美元。

在另一方面，中共毫不示弱，立即以「維護國家主權與民族尊嚴」為由，宣布對美國貿易的報復清單，計有7項：第一項是對由美進口的遊戲機、卡帶，激光唱盤、菸酒、化粧品等，加征100%特別關稅；第二項是暫停進口產於美國的電影片、電視片、激光視盤；第三至第七項是暫停軟件，大型汽車等合作與合資的談判，以及暫停受理若干種美國公司設立的申請（包括音像、化學、投資等公司）。

在中共作強硬反應以前，有些媒體認為中共籌碼不多，將會就範。這真是昧於一個重要事實：大陸12億人口的廣大市場，使中共有恃無恐。這次中共反報復清單中，第一、二項，對美國商品只是短期衝擊，但是第三至第七等五項中的暫停受理等產業，才對美商有長期的打擊，因為這將使美商難以分享中國大陸的經濟大餅。亦就是由於這些緣故，美國不得不邀請中共於15日重新談判，其結果雖難逆料，但以美國自找台階的成分較多，因為中共既已搬出「國家主權」與「民族尊嚴」，要她作重大讓步的可能性較小。美國挾特別301大棒以談判，一向是予取予求，想不到這一次卻踢到了鐵板。

當然，對於這場可能爆發的貿易戰，我們絕不是隔岸觀火，因為台灣也將有池魚之殃；

首先是美國報復中共的商品，多為台商生產，以致將會首當其衝；其次，這些台商產品輸美受阻，將減少其自台輸入原材料與零組件，連帶地降低我方對大陸的出口；第三，「中」美因貿易戰而交惡，可能延滯中共加入關貿總協時間，連帶地也影響到我方之入關；最後是貿易戰又起，美國對中共態度將更趨謹慎，這將影響李總統的訪美。

其實，這四種可能的不利影響，是以前兩種較為顯著，所以，經濟部等有關單位已經出面協助有關台商，大幅放寬其在大陸生產的半成品進口，運入保稅倉庫，加工後全部以台灣製品名義輸美，以減少其損失，從而也可緩和台灣原材料登「陸」的減少情勢。

事實上，如果這場貿易戰開打，台灣至少會有下列利益。在短期中，美國進口商將會使其訂單由大陸移往他處，從而，台灣也可分得一杯羹，以增加我國對美的出口。

長期裡，至少可能有下列利益，首先是台商在大陸將可能因禍得福，而可乘此機會，要求中共提高台商產品內銷比例，順勢打開大陸市場。目前大陸台商產品是按「外七內三」規定比例銷售，現若貿易戰起，波及的台商可以聯合起來共同要求中共將「七三比」提高為「五五比」，由於中共亦有責任為這些台商解決難題，依理，應可接受這些請求，至少亦可擴大為「六四比」。

其次是貿易戰結果，可能有助於台商根留台灣政策的落實，蓋因在經濟部等單位協助下，那些原在台灣保留有生產線的台商，將會損失最小。那些遭到波及的大陸台商，多為中小企業，平時週轉能力即甚薄弱，這次若其產品遭到報復，則其財務狀況更將岌岌可危，此時，若是有關當局能協調台灣金融機構對這些台商提供融資，以濟其燃眉之急，則對其困局之解決，有莫大裨益，但於融資之中，那些連根拔往大陸的台商，當然難以獲得貸款。循此，將使對外投資的台商們，重新考慮到「根留台灣」的重要性，那才是狡兔三窟的根本，既可降低經營風險，又可得到政府支援。

最後，則是這場貿易戰，將有助我方今後和美國貿易摩擦之解決，因為特別301的威力，我方領教很多，現在美國踢到鐵板，今後當有所收歛，無形中增加我方今後對美國磋商的籌碼。

但是，儘管如此，仍以這次貿易戰得以消弭為佳，蓋其所帶來的上述利益目前多已顯現。

（八十四年二月十三日刊出）

協助大陸解決農業問題

中共總理李鵬日前承認，中國大陸正面臨四大問題，即農業、通膨、區域平衡與國營企業。

這四個問題確實影響到中國大陸經濟的基礎、秩序、結構與遠景。其中尤以農業與地區間平衡發展二問題，影響至為深遠。關於後一問題，本專欄最近多有論及，所以，此次只談農業。

研究經濟發展的經濟學家們有一共識，那就是工業化要以農業現代化為前提，美國農業發展後，可以經由產品、要素、市場三大貢獻，以促進工業發展，中共在這方面卻至少失去兩次發展農業的機會：一次是1950年代之初，中共實施土地改革之時；一次是1980年代初期，中共推行包產到戶之時。這兩次，若能順勢推動農業現代化，則今天的農業問題將大為改觀。但因中共的作為似乎在犧牲農業，以致大陸農民一直在歧視下生活，據大陸學者統計，其在經濟面與非經濟面的差別待遇，計有數十項之多，最著者有9項：

(1)在住宅上，城市居民（以下簡稱市民）只付象徵性房租，農民則全賴自力建宅。

(2)在糧食上，市民消費政府補貼的商品糧，而農民則須低價出售其所生產的糧食。

(3)在副食上，市民享受現金補貼，還可憑票證獲得低價副食品，農民則按議價購買。

(4)在能源上，市民享受低價燃料，農民則按市價購買，甚或其所付電費遠高於市民所付。

(5)在保障上，市民有退休金，農民則無。

(6)在醫療上，市民免費，農民得自費。

(7)在教育上，城市的學校是國家投資，農村則須農民自己辦學校。

(8)在就業上，市民所需的就業崗位與就業資金，統由國家安排，農民則須自己謀職。

(9)在婚姻上，農民固然只能與農民結婚，若是農村女子嫁到都市，其本人與所生子女仍為農村戶口。

這些歧視，主要是由於大陸僵化的戶口制度，城市與農村缺乏流動性，形成「農之子恆為農」的狀況。這種限制，使大陸農民成為次等國民——兩相比較，台灣農民簡直是天之驕子，在人口比例上，農業約佔80%，這麼多的人掙扎在貧窮線以下，是民族的大痛，又怎麼能誇耀經濟成就？尤有進者，這麼大比例的人心存不滿，也將是政局安定的很大隱憂，此所以據聞鄧小平曾說，中國未來若出問題，必將出在農業上。因此，中共也將發展農業列為九五計畫重點之一。其實，這只是表示中共當局開始「重農」，但不太可能真正解決其農業問題，若要徹底解決，必須兩岸合作。

就彼岸言，除加強農業投資外，最重要的事，願為制度的改革，至少在戶口與土地二制度上，要有大的變革。首須取消城市與農村在戶口上的限制，這在政治上是給予人民遷徙自由，在經濟上增加資源的流動性，在實務上，則或可以紓解每年幾千萬人移動所形成的民工潮，從而降低鐵公路交通上的壓力。在土地制度上，雖可仍然維持國有，但農民應持有永久使用權，而像以往的永佃權，可以繼承與出讓，如此，將可避免目前掠奪地力的做法，而可維持土地的永續生產力。

台灣能在農業上幫助大陸的地方，主要是在農業政策經驗方面，這些台灣經驗應只限於民國60年以前的生產性政策，諸如研究推廣、基礎設施、病蟲害防治、農地及農民組織之規劃，尤其是品種改良。如此，才可提升土地與農民的生產力，俾可移轉農村剩餘勞力至非農業部門——這又涉及另一問題之解決，那就是區域間平衡發展。這又須台灣伸出援手，蓋因大陸的中西部主要為農業省份，誠如本專欄以前所云，大陸若想快發展中西部，必須依賴台灣的資金與中小企業。所以，李總統所曾宣布的，要在農業上幫助大陸，勢必要雙管齊下：一面提高其農業生產力，以提升其農村生活水準；一面要在中西部發展勞力密集產業，以吸收其剩餘農村勞力。這種中國人幫助中國人的誠意，定可緩和兩岸緊張情勢。

（八十四年十月九日刊出）

振興經濟待三通

最近，台灣經濟研究院將其預測的今年經濟成長率，從年初估計的6.9％，一下子調降為6.23％，其幅度之大，前所罕見。即使如此，台經院新的預測數字仍嫌過高，因為在此以前，中華經濟研究院新預測的成長率為5.88％，有關官員都認為過於樂觀。不過，台經院主持人說得好，這是為政府部門預留活動空間。言下之意，如果有關當局用對了政策，則今年我國經濟成長率仍然可能達到6％以上。

所謂「用對了政策」，是指「對症下藥」，所以，要想振興當前經濟，首須瞭解其不振的原因，經建會某官員指出今年經濟成長率受到三方面的抑制：㈠出口不振；㈡公共投資進度落後；㈢營建業生產嚴重負成長。嚴格說來，這三個因子，只是經濟成長率的解釋變數，用以說明內外俱冷的現象，還說不上是真正的原因，例如「公共投資進度落後」現象的背後，厥為行政效率低落與黑勢力高張。至於影響到出口不振與營建業負成長的原因，更是不一而足。

即使說到行政效率低落與黑金勢力高張，也是由來有自，而不能判定其是這次經濟不振的罪魁禍首。至於說到科技投資不力，社會治安惡化亦都是些老問題；由於全民健保的負擔，提高勞動成本而降低對外競爭力，倒是新出現的棘手問題，但對當前構成的經濟不振，只能說是充分條件，亦即火上加油，而不是那把火。據本文作者個人觀察，這一波景氣不振的真正原因，應是兩岸關係的惡化，譬如說，上述經建會所說的三方面抑制成長率中就有兩方面是來自兩岸關係的衝擊。

今年出口不振，是受到兩岸關係的直接與間接影響，其間接的影響，是由於中共前一時的文攻武嚇，造成海峽劍拔弩張的態勢，使外商將台灣視為高風險地區，而不敢輕易下訂單，從而導致我出口不振。直接的影響，乃是我對大陸出口不振，今年上半年負成長1.5%，這亦可能是中共對我作經濟戰而限制台貨，雖然有人認為中共今年上半年出口負成長7.1%，所以，導致台灣對大陸出口的遲緩。可是，別忘記中共今年上半年進口有10%的成長，為何自台灣進口卻大為減少而成負值？其理由縱然不是中共的經濟作戰，亦可能與兩岸三不通有關。

在兩岸三不通情況下，台灣對大陸出口的成本非常高，有人估計，台灣出口到廈門所需的運費及時間，幾與台灣出口到美國西海岸相若，以往，是因為中共對台統戰之故，所以，台灣對大陸出口一直有大幅成長；現在，中共是否已經改變其統戰方式，雖尚難以確知，但有一點似可確定，那就是中共為要加入WTO，必須開放其市場，使各國商人機會均等，而台貨因三不通致成本甚高，而將逐漸在大陸市場喪失競爭力，這一情形將是每下愈況。

關於營建業的嚴重負成長，顯然是與兩岸緊張關係有關，據辦理移民的私人機構估計，在中共恫嚇期間，有意移民者高達70萬人，這些人不但不會在國內置產，抑且要出清其手中的房地產，如此，在房地產市場既減少需求，又增加供給，營建業豈能不會出現嚴重負成長！

既然知道兩岸關係是導致經濟不振的主要原因，就應該著手改善兩岸關係以振興經濟。

但是，猝然提升到政治層面，並不相宜，反而不如開放三通來得直接；首先是表示我方誠意，打破兩岸僵局，當可減少國人對外移民，吸引外商照常下訂單；其次是降低兩岸運輸費用與所需時間，讓台貨在大陸市場上和有關對手於平等基礎上競爭，最後，則將有利於亞太營運中心之建立。在這些有利情況下，經濟焉能不振興？

至於有人認為三通將使台灣被大陸吃掉，所以，要用三不通來「堅壁」以守。姑且不論這是否為杞人憂天，以及明年7月起香港回歸後此壁難堅，即使得以建立堅固壁壘，亦非正道，蓋因如同治水，固堤只是下策，若一旦潰決，其後果不堪設想，故應以疏通為上策，兩岸三通正是此意。

（八十五年八月二十六日刊出）

三、社會

管理中國化

有些學術界的先進（包括吳大猷先生在內），倡導「科學中化」。這所謂「中化」，實在是指兩件事：一為「中文化」，是指將科學中的一切名詞，都能變為人人易曉的中文，進而使每一學科，都有豐富的中文著作，這不僅是指入門書籍，也且包括高深研究的論著，其中當然包括這一類高水準外國作品的中譯本迅速問世。所謂中國化，那是要把西方有關學術，按我國國情調整，並持以修正我國有關傳統思想，使二者融和，成為一種嶄新而適合國情之學術，在這方面，佛教的禪宗，可以作為代表。

從以上的分野，可以清晰地看出，所有的學術都可以中文化，但並不能說一切學術都可以中國化，蓋因自然法則與技術，是放諸四海而皆準的，所以，自然科學與應用科學可以中文化，但不一定亦不必都要中國化。在另一方面，很多的社會科學與人文科學，不僅應該中文化，也且可以中國化，管理學屬於社會科學，當然亦應該中文化與中國化，現階段各方致力的「中國式管理」，實在就是在追求「管理中國化」。

有人把管理學在臺灣的發展，分成三個階段：第一個階段是引進管理觀念；第二個階段是學習西方或日本的管理實務與技巧；現在是將進入第三個階段，尋求建立自己的理論。假若這三個階段區分得很正確，則前兩個階段是在使「管理中文化」，後一階段則是追求「管理中國化」，亦就是想建立一套中國式管理。至於何謂「中國式管理」，目前由於還在倡導的初期，以致人言言殊，有的說，凡是中國人所用的管理方法，都可以稱為中國式管理；另有人則把我國家族企業管理方法稱為中國式管理。這兩種說法都不合適，因為前一說法的定義太廣泛、太鬆弛，假若此說為真，則西裝穿在中國人身上，就應該稱為「唐裝」或「中裝」；後一說法太狹，且易產生誤導，這是由於真正家族式經營的企業，幾乎全屬中小企業，其管理不上軌道，以致有人說，所謂中國式管理，就是亂七八糟的管理，假若真是如此，中國式管理還值得倡導與研究嗎？

由於中國式管理，在定義上有上述的誤差與誤導。所以，個人認為採用「管理中國化」較為妥當。或者可以說，「管理中國化」是建立「中國式管理」的過程；「串國式管理」則是致力「管理中國化」的結果。只有經過管理中國化的研究、融合過程後，其所建立的中國式管理才有其一致的定義與正確的意義。所謂管理中國化的基本動機，是因為生產技術，雖然各國都具普遍性，但是管理本人與被管理的人，仍然有其獨特的文化背景，因而，管理方法中很多地方有其獨特性，此所以經濟思想中產生了德國歷史學派，易言之，經濟思想史中歷史學派的若干說法，可以用來說明倡導管理中國化的理由。

除開國家主義與保護主義色彩外，德國歷史學派至少有下列三個主要論點：

一、歷史學派是把進化論觀點應用到社會研究上，於是乎，他們把注意力集中於累積性發展與成長。其論點是比照著達爾文的生物進化論，認為社會有機體會誕生、發展與成長，亦可以說社會永遠是在變化。職此之故，對於某一特定時間的某一國家適合之經濟學說，也許對於另一國家或另一時代不見得適合。

二、歷史學派的經濟學家們，非常重視對經濟作歷史性研究。由於經濟現象與其他社會現象是相互依賴的，所以，無法不連同社會科學中其他學科，而單獨研究經濟學。因此，他們認為他們的歷史法，可以探究經濟現象的「一切」力量，經濟行為的「一切面」，而不僅僅是經濟邏輯。

三、歷史學派的健將們並不太重視純粹邏輯推理，卻很強調倫理道德成分，認為個人有其社會責任。

把這三個論點中的「經濟」二字易為「管理」，幾乎可以作為管理中國化的說明，亦就是作為研究「管理中國化」的方向。具體地說，管理中國化的研究工作，至少要包括下列三點：

①研究影響中國人行為的傳統思想，以及可以作為指導中國人行為的傳統甚或正統觀念；

②由於時代的演變，現代的中國人也受其他外來觀念之影響，所以，亦要研究可以和傳統思想相調和的外來思想及其他有關因子；

③致力於管理中國化工作過程之中，同時就須要管理學家聯合其他社會科學家共同研究。

這三點中的第一點，實質上是典籍研究；第二點，可以使用個案研究方法；第三點則是科際整合工作。這三種研究之中，以第二種做得較多，第三種亦有若干嘗試，而以第一種工作做得最少，這是因為受到早年「西化論」的影響，很多人將本國的典籍與事物視若敝屣，直至外國人對若干事物或思想推崇以後，國人才趨之若鶩地予以重視，真像是「禮失而求諸野」。就拿這次中國式管理的提倡來說，固然是由於有些外國人譏諷，「有美式管理與日式管理，但無中式管理」之刺激，但亦未嘗不是受到日本的企業家們（尤其是松下）重視儒家管理思想之影響。

說到典籍的研究，自然令人想到先秦各家的思想。先秦思想界雖有九流十家之分，但其顯學只有儒、法、道、墨四家。由於道家的「無為而無不為」，致與法家有血緣關係（由韓非子一書中解老、喻老等篇可知）；墨家因為「尚同」，所以，在思想脈絡上，是傾向於法家。因此，我國傳統思想主要是儒、法兩家，是以，在「管理中國化」的典籍研究中，亦應該從這兩家的理想中選出其有關管理的觀念，加以整理、融合。談到儒家，就會聯想到「禮」；談到法家，就會聯想到「法」。「禮」會使人意會到人情與迂緩；「法」會使人意會到法治與效率。事實上，純從字面聯想言，法家之「法」，不是「法」治，而是「法」西斯蒂。亦可以說，法家所說的法，不僅是明文規定的法令，亦包括領導人的語言與意向，而且明文之法，均很瑣細。至於「禮」，並不是單指禮儀，而是指分際與制度——其所謂「分際」，是每人各盡其分，而像當代管理學中所稱的「角色」；其所謂制度，當然亦包括典章法規，只不過這些法規，只是綱領性，並不瑣細。是以，在儒家的管理觀念中，是要求領導人對部屬待之以禮，同時要求自己「克己」「盡己」與「反求諸己」，而且對部屬工作只作原則性規範，由部屬發揮其最大效率。

法家雖具法西斯蒂色彩，但其對人事管理的若干方法，還可由今天的企業家予以選擇運用，不過，要以儒家之念為心，偶以法家方法為用。易言之，今後在管理中國化的典籍研究中，要追求儒法兩家思想的融合。說到融合，在東漢以前，至少有兩次大規模的嘗試：一次是秦初，呂不韋會同其門客所著的呂氏春秋，想結合各家思想，以供秦國大一統後之思想統一；一次是西漢末年，王莽與劉歆利用周官殘本及其他典籍，編著了周禮一書，希望作為「新」朝建國理想。前者是眾所周知的被稱為雜家，表示其所涉及的各家思想只是混合，並非化合成融合，但實以儒家為中心思想；至於周禮是一雜家著作，則罕為人知，因為它雖在骨子裡是法家，但卻披上儒家外衣。不管是那一次，都是融合的失敗。但今後中國式管理之是否得以建立，有很大部份是取決於儒法兩家思想之是否得以融合。

其實所融合的，不止是儒法兩家的管理思想，也且要注意到我國傳統思想與現代管理技術的融合，同時亦要注意到管理學與其他有關學科的融合。

（七十一年台灣日報刊出）

現代化過程中的經濟倫理

「現代化」一詞的界說很多，但據D Lerner於國際社會科學百科全書中，在社會方面給予的定義，是說現代化為社會變遷的過程，於此過程中，後進國家逐漸擷取先進國家的特質。他又說，觀察這種類似性的核心，主要是在經濟方面，是以，現代化過程中的經濟倫理，是個值得注意的課題。

所謂倫理，乃是由個人品性、氣質、風格、行為，推而及於家族、社會，以形成群體生活之共同信念。可見倫理是包括個人與社會兩方面；其屬於個人內在品質的部份，是為道德意識情操；其屬於群體外在關係的部份，是為社會道德規範。由於現代化是社會變遷過程，以致情操與規範，可能亦跟著變動。不過，變動的也許只是外在形式，而不是內在精神，因為D.C.M cClellend雖然認為現代代的主要動力，是個人追求成就的「成就需欲」，但是，他亦承認「成就需欲」並非現代化的唯一因子，它只是一種個人美德，並不會自動地導致有用的社會活動或計劃，假如缺乏良知，成就需欲甚至會導致犯罪，因此，他作一個結論道：「現代化的動力，有一部份是存在於個人的美德——成就需欲；另一部份是存在於社會的美德——關懷同胞福祉。」由此可見，在現代化過程中，其動力本身就含有倫理，而且，這在經濟倫理上表現得更為清楚，很多大企業家的刻苦奮鬥與持續努力，一方面固然是追求自我才能的肯定，另一方面又何嘗不是為著社會的責任。

自我肯定或成就需欲，社會責任或關懷同胞福祉，只是現代化過程中經濟倫理的大端，至於其較為具體的內涵，則可藉用A.Inkeles對於現代人所下的定義來說明。他對於「現代人」的定義共有九點：

①願意接受新經驗，樂於更新和變遷；

②對於周圍問題，能夠形成意見，且能容納異見；

③現代化的人有時間觀念；

④愈現代化的人愈能從事計劃和組織，認為它是處理生活事務的方式；

⑤現代人能夠從事學習，控制環境，實現他的目的和目標，而不為環境所控制；

⑥現代人相信他的環境是可依賴的，周圍的人士或組織，能夠履行其義務及責任；

⑦愈現代化的人，愈能顧及他人尊嚴，並尊重之；

⑧現代人對於科學及工藝有更大的信心；

⑩現代人贊同公平分配的原則。

仔細分析，這九點之中有一半是屬於個人的，另一半是屬於社會的，前者是①③⑤⑧四點，後者是④⑥⑦亍四點，而第②點的前半段是屬於個人，後半段則屬於社會，這九點應用於經濟倫理，比一般倫理更為適切，因為就個人美德言，作為一位企業界人士，當然不能墨守成規，而要接受環境的挑戰，再予以回應，而推陳布新，不能毫無主見，要有決斷；重視時間觀念，不僅認為時間就是金錢，而且認為掌握時間，就是操必勝之權；不斷地學習新知識、新經驗、充實自己，以創新來突破不佳的經濟景氣；創新之源泉，就是現代科技，而要予以充分信賴，才可促進創新。

在社會美德方面，就一企業人士觀點看，是分企業以內與企業以外。在企業以內，作任何決策時，一定要能接受屬下或同事的不同意見，如此，才會使決策趨於完美；一個企業是一個整體，不能單槍匹馬，各自為政，要講求各部門的配合，有計劃與有組織地進行一切活動；作為一個主管，要能顧及屬下的尊嚴，這樣才可使同仁結成一體。在企業以外，是對整個社會而言，企業人士要信賴周圍環境，要想信賴別人，首先要使別人信賴自己，所以，本身對於商業活動中一切責任與義務，一定要確切履行，每人如此，就形成了一個值得信賴的商業社會；企業界對社會有一定貢獻，亦被認為社會上對於所得的分配，是根據貢獻而決定。

上述九點，可說相當廣泛，但嚴格說起來，有些地方還似乎沒有說得太透徹。再說，有人認為「現代化」就是「西方化」的同義字，因為後進國家擷取特質的對象，就是歐美等先進國家。可是，我們平心而論，這九點有關現代人的定義，除第⑧點外，在中華文化中可說是俯拾可得，而且，有些說得更為周延，更為透徹。關於經濟倫理中國人美德部份，現在且引史記貨殖列傳中記載周人白圭的一段話，白圭說：

「能薄飲食、忍嗜欲、節衣服，與用事僮僕同苦樂，趨時，若猛獸摯鳥之發，故曰，吾治生產，猶伊尹、呂尚之謀，孫、吳用兵，商鞅行法是也。是故其智不足與權變，勇不足以決斷，仁不能以取予，彊不能有所守，雖欲學吾術，終不告之矣」。

這篇兩千多年前的談話，到現在讀起來，還是虎虎有生氣，比起上述九點定義中個人部份，是否稍為遜色？當然不難分辨。

白圭這番話中，舉出「智、勇、仁、疆」為企業人士個人美德的德目，但其中「疆」似可併入「勇」而且「能薄飲食……若猛獸摯鳥之發」，可以歸納為「勤、儉」二德目。是以，經濟倫理中的個人美德，應該包括「智、仁、勇、勤、儉」。這五個德目中的前四個，幾乎可以籠罩了上述現代人九點定義（因為「仁」不僅是個人道德本質，也且是社會道德基礎）；至於「儉」，則在此九點中幾乎見不到蹤跡（實際說來，「勤」在九點中也只是若隱若現而已）。

「仁」雖是人生道德本質，但因仁為「二人」，所以，仁的表達，主要是人際關係，甚至是超人際關係，因而，可以把仁劃入經濟倫理中社會美德部份。是以，經濟倫理中國人美德部份，是「智、勇、勤、儉」四德目，現在可將其內容作「現代化」的解釋如下。

智的本義是明，是能明辨事理，判別是非，就企業人士言，智者能接受市場的新經驗，利用現代科技，以突破經濟困境，管子說，「一事能變曰智」（心術篇），是可以作如此解釋；孔子曰：「智者不惑」，有智慧的企業人士，當然不致為周圍形形色色的難題所困惑，而會形成獨到的意見；同時，智者不但能竭己之智，也能用人之智，而作成有計劃與有組織的行動。

勇的本義是毅，有毅力、有決心，才可作成企業決策，不為外在惡劣經濟環境所控制；這種勇氣，在經濟不景氣之中，作重大投資決策時，最為重要。

勤的本義的狂，此所謂「狂」，是孔子所說的「狂者進取」之「狂」，是一種執著，一種追求，故需把握時間，講求效率，以追求企業的成就與個人才能之肯定；在企業方面，創新就是勤的結果。

儉的本義是樸，在生活上是樸實、是平淡；在企業上，則是對降低成本的一切努力。

在上面，曾經把「仁」提出來，作為經濟倫理中的社會美德，事實上，社會美夢之中，至少還要包括「忠、信」二目。孔子曰，「言忠信，行篤敬，雖蠻貊之邦，行矣」，曾子亦將「為人謀而不忠乎？與朋友交而不信乎？」列為每日三省工作中之二項，可見「忠、信」是用在人際關係上，故可列為經濟倫理中社會美德之項目。現在，且對「仁、忠、信」三德目義，予以「現代化」解釋於下。

仁的本義是愛，即論語所云：「樊遲問仁，子曰愛人」。能愛人，當然能顧及別人尊嚴與接受別人的意見，就企業言，應該尊重同人，接納建議，以形成決策。白圭曾云，「仁不能以取予……雖欲學吾術，終不告之矣」，亦是明白顯示，企業家只能獲「取」合理利潤，並對員工「予」以合理報酬，對整個社會言，這就是公平分配的原則。而且仁者愛人，企業家為愛社會，不僅要使產品對消費者不致構成傷害，而且要盡自己之能，作社會公益活動。

忠的本義是敬，說文云，「忠，敬也」，臨事以敬，盡己之能，以盡社會責任。就企業人士言，每人在其本身崗位上盡己，是對整個企業效「忠」。如此，把企業投進整個經濟活動，促進經濟成長，提高生活水準，表示是企業對社會效「忠」，每人如此，每一企業如此，則整個社會會成為可依賴的環境。

信的本質是誠，白虎通云，「信者，誠也，專一不移也」，是不欺，是誠實。這在經濟的社會倫理中特別重要，表現的是一諾千金，表裏如一。大家如此，則一切交易中，不會有偷工減料，魚目混珠，空頭支票，違約毀約，經濟犯罪等情事。

這七個德目，若按個人與社會美德分，是要唸成「智、勇、勤、儉、仁、忠、信」，但為順口起見，亦可以說，現代過程中的經濟倫理，乃是「忠、信、勤、儉、智、仁、勇」七德目，其精神依舊，但解釋從新。

現代經濟倫理

個人美德

- 智——樂觀時變　整體計劃
- 勇——挑戰回應　敢作決策
- 勤——守時進取　促進需求
- 儉——生活樸實　降低成本

社會美德

- 仁——愛重同仁　公平分配
- 忠——盡己之能　服務社會
- 信——誠實無欺　恪守約定

（七十一年四月五日聯合報刊出）

『遲』是中國人的特性？

——為制度改革再進一言

拙作「我們是臥龍還是病龍？」發表於四月廿八日聯合報第二版，有位朋友認為我有火氣，另一位朋友則不認為我有火氣，但都確認我「言之有物」。實際上，那篇拙作談的是嚴肅問題，聊表無權無位文人，憂國憂時心態，切盼當局及時把握目前良機，對現行的賦稅、金融、行政三大制度，作大刀闊斧的改革。可是，最近有位讀者卻潑了我一頭冷水。這封信是由聯合報專欄組轉寄給我，其全文如下：

「家駒先生大鑒：頃閱本（廿八）日聯合報載　閣下撰寫的專文，可以說是近十數載來首次能見報的、敢於發言的、切中時弊的好文章。當局對於制度的建立或改革，不才敢以一元新台幣與您打賭，他們必定施出推拖策略，不可能冀望他們會建立新制度來，因為一套老舊的制度，都是為既得利益者設計的，對於極大多數的被剝削者，又能期盼他們能做些什麼呢？現在官員們最響亮的口號，是『提高人民生活品質』，而實際上，卅餘載來，我們最大眾化的早餐——豆漿、燒餅、和油條——能有幾人會懷疑它的衛生程度？如要買回家，更是以髒舊報紙一包了之。祇此小小一端，還談什麼躋身已開發國家？連區區不才也不禁汗顏起來。想寫的太多，可不能勞您清神，就此打住。

祝您寫出更好的文章

不才　世民敬叩　四、廿八」

其中稱讚拙作為「好文章」，連我「也不禁汗顏」，但若說這是「能見報的」文章，則正表示，我們在台灣享有相當大的言論自由，文中提及要和我「打賭」，賭有關當局不會著手改革，以「建立新制度」，這當然是或然率的問題，但所說拖延的原因，是「因為一套老舊的制度，都是為既得利益者設計的，對於極大多數的被剝削者，又能期盼他們能做些什麼呢？」」則顯得有些憤世嫉俗了。

這位世民先生要和我打賭，賭有關當局「必定施出推拖策略」，這表示看準了有關當局步伐遲緩。剛好這兩天在看戰前出版的胡懷琛著，「薩坡賽路雜記」，其中有一則的標題是「『遲』字與中國人的特性」。其內容大致說，胡氏偶讀宋人「艇齋詩話」，其中說道，「唐人詩用『遲』字皆得意」，例如嚴維的「柳塘春水漫，花塢夕陽遲」；楊巨源的「鑪烟添柳重，宮漏出花遲」；韋蘇州細雨詩，「漠漠帆來重，冥冥鳥去遲」。除此之外，胡氏還補列杜甫的「水流心不競，雲在意俱遲」，以及其他的唐人詩「惜花春起早，愛月夜眠遲」，「少孤為客早，多難識君遲」，除最後一聯另有意境外，其他兩聯中之「遲」字，在用法上，是與詩話中所述近似，因此，胡氏作一結論道：

「按：唐詩用『遲』字何以多佳？艇齋詩話未言其故。我以為中國古時人的性情懶散，舉動遲緩，所以凡說到『遲』，都很合一般人的心理。這裏很可以看得出國民性之一斑。」

對於胡氏這番話，有兩點質疑。第一點，不僅唐詩喜用「遲」字，其他朝代亦如此，就拿宋人蘇東坡來說，以「遲」字入詩至少有三首：一為首夏官舍即事詩，「安石榴花開最遲」；一為待月台詩，「漸覺冰輪出海遲」；一為次韻呂梁仲詩，「胸中雲夢自透遲」。四月廿八日拙作中，曾述臥龍先生睡懶覺剛醒之詩，「草堂春睡足，窗外日遲遲」——三國演義為明人羅貫中作品，可見明人亦喜以「遲」字入詩。還記得某筆記中有則毛廁文學：「板陡尿流急，坑深糞落遲」。可見喜以「遲」字入詩不僅為唐人。

第二點，胡氏說「中國古時人的性情懶散，舉動遲緩」，表面上像是說古代的中國人，但在結尾處強調「這裏很可以看出國民性之一斑」，並以『遲』字與中國人的特性」作為標題，可見他所說的「古時人」，實在是借古諷今，認定「遲緩」是中國人的特性。關於這一點，作者不敢完全苟同，蓋因詩詞是抒情之作，所以，詩中喜用「遲」字，是表示生活情趣，而非工作精神。例如，假日郊遊，是要安步當車，而不可啣枚疾走，但在夜間作戰，卻要啣枚疾走，不可安步當車，前者是生活情趣，後者是工作精神，而不能認為中國人幹什麼都是慢騰騰地。

假若說是若干中國人做事步伐遲緩，那只是少數人的壞習慣，不能以偏概全地扯上中國人的特性，這是因為中國人的特性是由中國文化陶冶而成，中國文化雖然受到多方面的影響，但無人能加以否認，以孔孟為中心的儒家思想為其正統，而孔孟的工作態度，是積極的，毫無遲緩之意。

先看孔子，在易乾卦中，孔子所作卦象是「天行健，君子以自強不息」，並釋「或躍在淵，无咎」之義曰，「君子進德脩業，欲及時也，故无咎」；在論語學而篇說，「君子……敏於事而慎於言」，在里仁篇說，「君子欲訥於言，而敏於行」，於子路篇說，「苟有用我者，朞月而已可也，三年有成」，何嘗有絲毫遲緩！

再看孟子——日前拙作是主張及時作賦稅、金融、行政三大制度的徹底改革，而孟子可說是提倡賦稅改革的祖師爺，所以，此處偏重賦稅改革方面之取例，既可看出其工作態度，又可看出他的改革主張。在「孟子」七篇之中，有很多地方提到「薄稅斂」或「薄其稅斂」，亦一再提到「關市譏而不征」，或「關，譏而不征」「市，法而不廛」，並對關稅大發慨嘆曰，古之為關也，將以禦暴；今之為關也，將以為暴」（盡心下），對於賦稅改革後的景象，他曾有生動的描寫：

「市、廛而不征，法而廛，則天下之商，皆悅而願藏於其市矣；關、譏而不征，則天下之旅，皆悅而出於其路矣；耕者助而不稅，則天下之農，皆悅而願耕於其野矣；廛無夫里之布，則天下之民，皆悅而願為之氓矣。」（公孫丑上）

這簡直像是當代供給面經濟學的翻版。從孟子這些話語中，可以看出他對賦稅改革有下列主張：

①稅率要低（薄其稅斂）；

②避免重覆課稅（市、廛而不征）；

③關稅全免（關、譏而不征）；

④力租為先（耕者助而不稅）。

除最後一點外，其餘都是我們目前賦稅改革的主要目標。具體地說，孟子主張把稅率降低為百分之十，並免除關稅與商稅，宋國大夫戴盈之很同意這些主張，但和孟子有下列有趣對話：

「戴盈之曰，什一、去關市之征，今茲未能，請輕之，以待來年然後已，何如？孟子曰，今有人日攘其鄰之雞者，或告之曰，是非君子之道；曰，請損之，月攘一雞，以待來年然後已。如知其非義，斯速已矣，何待來年？」（滕文公下）

翻成白話，大意如下。戴盈之對孟子說，這種賦稅改革主張很好，但一時無法完全做到，請到明年再全面實施如何？孟子卻正色地舉例說，有個人每天偷鄰居一隻雞，有人告誡他這不是好人的行為，他說好的，我一定改，改為每個月偷一隻怎麼樣？孟子隨而作結論道：既然知道是不對的事，就應該立即完全改革，何以要等待明年？

從這個例子看，孟子的行動何嘗遲緩！

職此之故，我們可以說，「遲」只是中國人的生活情趣，並非工作精神；而工作精神，則是「敏於事」或「敏於行」，以及「斯速已矣」！因而，我很樂觀地認為有關當局會幫助我去贏世民先生和我打賭那一塊錢。亦就是說，以往十年，有關當局是打的遭遇戰，現在喘息粗定，正可利用這一兩年有利時候，作攻堅的部署，提出一套徹底改革上述三大制度的辦法，次第付諸實施，俾使我國於民國七十年代躋身先進國家之林。

（七十二年五月九日聯合報刊出）

由經濟倫理到社會倫理

——以忠恕之道一以貫之

作者曾於民國七十一年應聯合報邀約，撰寫「現代化過程中的經濟倫理」一文，發表於該報四月五日蔣公逝世七週年特刊。在這篇拙文中，作者是根據「史記」「貨殖列傳」中所述周人白圭言行，歸納出智、勇、勤、儉、仁五個德目，並將前四者視為個人美德，再加上忠與信，合併後者作為社會美德。後來循此研究，曾先後在學術會議提出兩篇英文與一篇中文相關論文，並增加德目，將個人美德整理為「勤、儉、智、勇、強」，使社會美德成為「忠、信、仁、公、導」；並以「智」與「仁」分別為個人與社會美德或德目的中心。社會德目中的「導」，是作者自我創造的，其意義是領導、教導與疏導。

最近，觀察工商社會現象，覺得在個人與社會美德中，分別須再增加一個德目，即在個人美德中增加一個「省」字；在社會美德中加一「恕」字。此處的「省」，當然就是曾子說的「吾日三省吾身」的反省；而「恕」則「推己及人」、設身處地的寬恕。這時候增添此二德目，是因為當前的產業界中，很缺乏反省與恕道，拿企業家來舉例，他們對有關當局的要求，不外降低「四率」（稅率、匯率、利率，以及公用事業的費率），很少能作自我自省，問問自己對生產力的提高，作了甚麼樣的努力？對於社會作了甚麼程度的回饋？有些企業家對於所轄的若干工會領袖，常以鐵腕處理，予以調職甚至免職的處分，而欠缺恕道精神——

當然，亦有一些工運人士缺乏自我反省與設身處地。

在新整理的社會美德中，除「仁、信、公、導」外，還有「忠、恕」。而「忠、恕」二字，正是孔子要「一以貫之」的夫子之道。這些德目，不僅缺乏於產業界，也且少見於社會。所以，經濟倫理亦可以推廣為社會倫理，尤其是忠恕二德目，蓋因我們社會當局最缺乏的，就是忠恕之道。

朱子對「忠」「恕」的解釋，是「盡己」與「推己及人」。「盡己」是盡其在我，所以，忠的本質是敬，〔說文〕就說，「忠、敬也」。循此可知，二程所主張的「敬」，亦就是「忠」。至於「恕」的「推己及人」，有其消極與積極意義：在消極方面，是「己所不欲，勿施於人」；積極方面，是「己立立人，己達達人」。其基本原則，是「設身處地」和「與人為善」。從這些定義看，我們的社會，正缺乏這些精神，尤其是恕道，而這種病象，連中學生都已看出：最近一位中學女生寫給她父親的信中提到，「太多的人懂得批評、苛責和要求，太少人知道付出、反省和深思」——若將「懂得」易為「只會」，將會更為貼切。這句話下半句是說，太少人真正「盡其在我」；上半句是說，太多人不懂得「設身處地」。信中所說「太多」與「太少」，固然有些誇張，但是，我們的社會上，普遍對於忠恕之道缺乏認識，確是不爭的事實。至於批評，並非壞事，但在動機上，是要「與人為善」，在內容上，是要具建設性，而不是汙衊性與破壞性，就拿這次獨台會風波來說，執行單位在技術上固有可議之處，但若一面倒地抹殺其盡「忠」職守，那亦有失「恕」道，因若認為這種逮捕行動為非是，那是錯在立法，並非執法。若是有法而不執行，則公權力如何伸張？若將法律事件，予以泛政治化，則司法如何獨立？

聲援被捕的同學而作抗議行動，雖然略嫌情緒化，但卻因見義勇為而情有可原，現在這位同學既已保釋，援用的懲治叛亂條例亦已被廢除，若是這些參與行動的大學生但再持續抗爭，則是變為非理性行為，蓋因套句經濟學的術語，這將導致雙重的不經濟：一為內部不經濟；一為外部不經濟。就前者言，誠如那位女學生在信中所說的，「一個學生的本分是念書」，念書需要時間與心平氣和，而時間是流量性資源，不使用之時不能儲存，所以，持續抗爭，放棄了自己的本分，沒有盡其在我地讀書，這等於是浪費自我資源，所以造成內部不經濟。就後者言，這種抗爭，大而言之，引起社會震盪，小而言之，影響都市交通，以致產生很大的社會成本，從而造成外部不經濟。析而言之，此處的內部不經濟，是由於缺乏「盡己」之忠；此處的的外部不經濟，是缺乏「推己及人」的恕。尤其是據報載，若干夜宿台北火車站的學生，追打持不同意見或抱怨的進出旅客。假若這些報導是事實，則真令人失望，因為這種蔑視他人表達意見自由的人，是既不「忠」於自己的信仰——言論自由；又未設身處地以寬「恕」他人。至於那些參與的教師們，應該知道「傳道、授業、解惑」，是老師本分，而此處所傳之「道」，應是孔子的「忠恕之道」，而應持此以「解」學子之「惑」。

（八十一年五月二十日刊出）

宗教事件的經濟分析

——泛經濟化行爲亟須導正

最近一陣子，台灣社會出現好幾件假借宗教以遂詐騙之事例。這些事例出現得如此密集，但卻仍有人認為這些只是冰山一角，由此看來，「台胞」在台灣也幾成「呆胞」，其原因值得探討，而不能僅視之為非理性行為。

從業已揭露的事件看，那些裝神弄鬼的人，教育程度普遍不高，其信徒中卻不乏接受過良好教育者，但所「供養」的總金額，竟有高至以億萬元計。在歷史上，宗教狂熱通常是出現在戰亂時期，人們在朝不保夕的惶恐心情下，祈求宗教為其守護神，保護他們免於災難；另一情況是平時，那些對宗教甚為執著者，很多是生活於貧困之中，希得神靈賜福，讓他們有朝一日能脫貧致富，至少能有一個豐足的來生。這些宗教狂熱，或可稱之為仰他型，是要仰仗他力（亦即神力）以脫離苦海。此一形態的信徒，業已有些偏離宗教信仰的正道，蓋因真正的宗教信仰，可稱為自省型，即是通過宗教的「道」，自我省察，以自我超越，在提升過程中能有所「得」——這就是所謂「德者、得也」！

就當前這些偽宗教或次宗教事件看，其有關信徒，當然不是上乘的自省型，也不完全像是仰他型，因為台灣已有多年脫離戰亂，而且這些信徒不僅家道小康，甚至於還相當富有，其所以如此，是因為在高度商業化的社會裡，他們是把宗教信仰當作經濟行為來處理。這可分別從消費與投資的有關經濟理論探討之。

這些事件中的一般信徒，像是一般消費者，在追求其總效用最大，為達到此目的，將會不自覺地實踐「均等邊際法則」。該法則是說，消費者為求總效用最大，將使其最後一塊錢花在每一財貨上所獲得邊際效用（MU）相等。暫以A、B二財貨為例，其MU分別以MUa與MUb表示，各別價格為Pa與Pb，每一塊錢所取得的二財貨邊際效用，則為MUa/Pa與MUb/Pb。今若MUA/Pa>MUB/Pb，則該消費者必將多使用A可獲較大總效用；隨而減少B的消費；由於邊際效用遞減，此一行動將使MUB下降，MUA上升，導致消費者再須調整，一直到MUA/Pa=MUB/Pb=MUM為止——此MUM乃指貨幣的邊際效用。但是宗教的MU遞減緩慢，甚或遞增，以致這些宗教事例中很多信徒樂此不疲，且因富人們的MU一般較低，以致他們可能更易於狂熱，即使是為富不仁的吝嗇者，只要其宗教MU是遞增的，必將大量奉獻或供養——由於「時間即是金錢」，所以非金錢的投入，亦可作如是觀。

另有一批人——尤其是富人，將宗教信仰視為投資行為，從而在其潛意識中追求利潤（或報酬）最大化，那就是要投資（奉獻）到資本邊際效率等於利率。資本邊際效率即預期利潤率，在本質上是遞減的，但在宗教狂熱中，此一利潤率（例如成仙成佛或求來世）遞減緩慢；利率在本質上是時間偏好率，由於宗教信仰在於追求未來幸福，故其時間偏好率偏低。在這種情況下，要使遞減緩慢的資本邊際效率等於偏低的時間偏好率，勢必要投入大量金錢，此所以這些信徒以鉅金供養，而毫無吝色。尤其是特別狂熱的信徒，其資本邊際效率可能是遞增的，亦就是具有規模經濟，顯示貢獻愈多，報酬愈大，以致他們為供養而傾家蕩產，亦在所不惜。

上述的消費或投資行為，均從需求面著眼，都可說是功利型或交易型。其在供給面亦是如此，那些次宗教的裝神弄鬼，就是旨在提高需求者的MU與資本邊際效率，再拉攏社會聞人，以擴大其行銷效果。即使是正當宗教，亦在採取企業化經營，最常見的手法，是連銷店方式，在各處廣設道場——這些宗教雖以「入世」自詡，但是如此庸俗化，恐亦與其原有教義不合。

針對這些怪現象，可能要雙管齊下；一方面要強化社會教育，希望宗教信仰能回到自省型，至多亦只應為仰他型，萬不可泛經濟化，要讓宗教歸宗教，經濟歸經濟；另一方面，要強化宗教團體的管理，香港將寺廟視為營利事業，固然不當，但是今後必須要求這些團體於年終提出結算，並對其收入超過支出部分，於一定標準以上，研究課以所得稅的可能性。

（八十五年十一月四日刊出）

應速促進大學研究風氣

我國大學在精神脈絡上，是上承兩漢以來的太學。漢武帝建元元年（西元前一四〇年），董仲舒於對策中云：「故養士之大者，當大乎太學；太學者，賢士之所關也，教化之本原也」。但卻直到元朔五年（西元前一二四年），才納丞相公孫弘之建議，立太學，由五經博士任教授，置弟子五十人，稱博士弟子員。至東漢，太學大盛，學生逾三萬人，其教授統稱博士。關於博士之定義，可見於漢成帝之詔：「儒林之官，四海淵原，宜皆明於古今，溫故知新，通達國體，故謂之博士」。是以，博士們除專攻一經或通論五經，並教誨弟子外，還須校訂皇室藏書與為天子顧問，國有疑事，則備諮詢。

可是，我國現代大學制度，在形式上是襲自西方。西方大學是始於十二世紀的巴黎大學及十三世紀的牛津大學。這些大學享有內部司法權、授予學位及免稅之特權，雖然在起初是始於宗教之研究，但卻有獨立精神，不受教會與國家節制。這種精神在牛津、劍橋尤為顯著，蓋因歐洲大陸之大學校長與教授，是由政府任命的。

無論是我國兩漢的太學、還是西方古代的大學，都是著重研究工作，兩漢經學家多與太學有關，固無論矣！中世紀西方著名學者，如St. Bonaventure, St. Albert the Great,St, Thomas Aquninas, Roger Marston,Duns Scotus 等人，均出身巴黎大學；Robert Grosseteste, Roger Bacon 等人則出身於牛津大學，不是其學生，就是其教師，或者是先為學生，然後執教於該校。

無可諱言地，今日我國大學研究風氣並不濃厚，其所以如此，有很多原因。先說兩個不太直接有關的原因：一為台灣各大學歷史均甚短暫，以致研究傳統尚未建立；一為現行公私大學兼任教師非常多，隨而沖淡研究風氣。就後者言，尚須詳予解釋；首先是，很多官員與企業人士，以身兼教職為榮、為樂，他們本身工作已甚繁忙，那有時間從事研究工作，由於他們在大學教師人數上佔很多比例，以致縱然其他教師多做研究工作，亦因此一比例的存在，使研究成果「稀釋」，而沖淡研究風氣；其次是若干兼任教師，雖非現職官員或企業人士，但卻是以兼任為專業，每天奔波於若干大學之間授課，席不暇煖，豈有時間研究？最後還有一些私立大學，聘有假專任教師，表面上是專任，實際上只拿鐘點費，這些形為專任，實為兼任的大學教員，豈會有心研究？現在再說大學研究風氣不盛之直接原因：

第一是大學教師待遇偏低。以資深教授言，每月薪津只有三萬四五千元，還趕不上平均每人所得。目前我國每人所得平均約為三千美元，以一家五口言，則一年為一萬五千美元，折合每月所得約五萬元新台幣，高於資深教授不少，至於新進的副教授與講師們，落後每人平均所得更多。是以，年輕的大學教師們多須超鐘點教書或兼其他工作，以維持其應有的社會地位之開支。雖然，國家科學委員會每年均撥付研究補助費，但因粥少僧多，向隅者眾。在這種情況下，如何能苛求研究成果？

第二、有關當局未能重視研究工作。按現行大學教師升等辦法，主要是熬年資，年資一到，再附一篇論文，就有申請升等的資格。數年之間才提出一篇論文，照說應該是精心傑作，其實，找人捉刀者有之，抄襲者有之，東拼西湊者更有之。後一情形更為普遍，因為這些作者神通廣大，時常經由多種管道或方式，以影響論文審查者。如此情形，「研究」只是空有其表。

第三、國內研究環境不良。這一問題包括很多層面：首先是書刊、資料、設備之不足，我國很多大學圖書館不健全，缺乏西方經典性書籍，以及現代多種新書與期刊，甚至統計數據亦不健全，至於實驗設備，大多數學校談不上，例如機械科系所用的研究與教學的機具，還比不上台灣很多企業，這種環境如何能產生優良的研究成績？其次是研究經費有限，主要研究經費是來自國科會，亦著實有其限制，而且有些學校，還要從教師在校外找到的研究經費中抽成（有時可以高達百分之三十），其理由是使用了學校的設備；第三是很多大學教師竟然連私人研究室都沒有，能在甚麼場所做研究工作？第四是缺少互相砥礪的機會，現代西方大學各學系均有定期或不定期的工作坊與研討會，分別由教師報告研究心得，再由同仁們予以批評、訂正、與補充，彼此交換意見，提高研究水準；最後是缺少發表園地，國內普遍缺乏各學科的高水準學術刊物，以致即使有研究成績，亦難以得到發表的機會，隨而降低研究興趣。

根據以上分析，暫時不管影響研究風氣的間接原因，只針對直接原因，提出促進我國研究風氣的途徑如下：

一、提高大學教師待遇。今日大學即是兩漢的太學，是「賢士之所關」；大學教師則是漢成帝心目中的「儒林之官，四海淵源」。漢代，五經博士薪俸每年為六百石，若以一百公斤為一石（漢制略小於此），再乘以現行收購稻米之價格，則大學教授年薪應為一百餘萬元新台幣。即使以現代標準計算，大學講師或新進的副教授，其年薪應與每人平均所得相等，其他資深教師則比照提高，如此，使大學教師無生活之憂，才可以全心從事研究工作。如果這種待遇難以普遍提高，則須打破平頭主義，對於研究成績卓著之大學教師，給予優厚的薪俸或研究補助費——其實，打破平頭主義實為今後提高研究人員待遇之根本原則。

二、有關當局必須重視研究工作。首須修訂現行升等辦法，即不須按年資計算，而憑平時研究成績——亦就是說，不是看升等時才提出的學術論著，而是看平時發表或出版的論文與專長，既重其質，亦重其量，各大學亦應該每年或每隔若干年（譬如說二年或三年），評審全校教員研究成績，最簡單的辦法，是每年出版全校教師著作目錄，以資激勵；進一步則是列入考績，據此敘薪，甚或減少其教學時數，以增加其研究時間。

三、改進整個研究環境。這將涉及很多方面，譬如：

①充實各大學圖書與設備——多年來在國科會努力下，已在理工方面，成立若干研究中心，其他方面尚付闕如，目前可行的改進辦法，乃是教育部將補助私立大學的經費，指定一部分作為增添圖書設備之用，並驗收其結果；同時要推行各公私大學校際圖書館連線作業，俾使現有圖書作更有效率之運用。

②政府與社會應該普遍提供研究經費，除增加國科會預算外，還希望社會提供基金，目前有很多財團法人基金會，似乎可以在這方面提供一些經費支援，除呼籲這些基金會共襄盛舉外，有關當局亦很可以出面作有效安排。

③教育部應該協助各學科成立全國性學會，並撥出經費，支持這些學會出版高水準的學

術季刊；同時敦促各大學按學院甚或有關系所個別出版定期學報，並每年聘請專家評審這些學報的內容，以提高其水準。在這些學術期刊上發表的論文，作為升等的憑藉。

④各大學應對講師或副教授及其以上的教師，提供單人研究室，並鼓勵有關系所共同定期舉辦學術研討會，以樹立學術研究風氣；同時，應將所收到的圖書費，全部用於購置圖書，不可移作他用。

⑤有關當局與大學有關主管，應尊重學術研究之自由，有關當局尤其要具開闊與恢弘的胸襟。即除不干預研究方法與結果外，還應該開放國內現有資料，供人文與社會科學之學者利用；同時，對於大陸出版之書刊，亦應容許研究機構進口，與在該機構內閱讀參考，並可在論著中予以引用。

（七十五年九月二十八日工商時報刊出）

新聞自由與完全競爭

市場經濟是反對政府干預，而一般政府干預的理由，是為著促進公共利益，是以，從這個觀點看，反對干預是否意味著鼓勵自私自利？這倒不足為市場經濟病，因為亞當、史密斯的基本哲學是公益與私利為和諧的，亦即一致，並強調在自利的的前提下，價格機能就像一隻看不見的手，把社會帶向最適的境界，而價格機能只有在競爭的市場上才可充份發揮。易言之，古典學派之所以主張自由放位或反對政府干預的主要依據，是由於有競爭市場的存在。

說到競爭，常見的名詞，是「自由競爭」「純粹競爭」與「完全競爭」三種。此三者在應用上，經常是交互使用，但若仔細分辨，將會發現有其程度上的差異。一般說來，純粹競爭是基本的競爭市場形態，其條件有二：買賣者眾與品質均一。前一條件是說，任何一位買者或賣者無法左右市場價格；後一條件則意謂，產品品質一致，不致有品質差異，而不會出現壟斷性競爭。再加上「自由加入」，才成為自由競爭。「自由」（free）競爭之所以得名，就是由於「自由加入」（free entry）。再上一層是完全競爭，亦就是最高形態的競爭，即除上述三條件外，還須加上「完全消息」，蓋因此競爭之所以稱為「完全」（Perfect），就是由於「完全消息」（Perfect imformation）。

「完全消息」亦可以說是「資訊完備」，其所以加上此一條件，才使競爭市場得以完全，是因為買賣者眾與品質均一，是競爭市場的必需條件；自由加入與完全消息則是其充分條件，而買者或賣者之所以決定自由加入或不加入，完全取決於他對資訊或消息的評斷。由此看來，可見「完全消息」對競爭市場的重要性。

無論是消息或資訊，其提供者主要為大眾傳播媒介，而消息之所以能完全或資訊之所以能完備，主要是依賴新聞自由。從以上分析，可以確言，高度競爭的市場，必須配合著高度的新聞自由。這可從兩岸的比較而得到明確印證；彼岸缺乏新聞自由，所以，其市場亦缺乏競爭；此岸擁有新聞自由，所以，亦擁有競爭的市場。在這方面，彼岸正變本加厲，日前規定，所有海外的經濟資訊，統由新華社發布，才可傳播於大陸。此岸素以新聞自由自豪，但在這一點上，卻對彼岸亦步亦趨，上週一，證管會宣布，限制股市即時資訊引述海外媒體的兩岸關係消息，並一再強調，凡此類「重大不確定訊息」，若未經國內媒體報導，那些和證交所簽約的資訊公司不得發布，其做法幾與彼岸如出一轍。

證管會這一管制措制，引發中外媒體的抨擊，指責其違反資訊公開原則，妨害新聞自由，有「股市戒嚴」的傾向，亞洲華爾街日報在頭版報導，「台灣箝制新聞自由」，證券業者亦認為，如果須先經國內媒體報導才能傳輸，「即時」資訊也就不即時了，證管會此舉對我國宣稱國際化、自由化的決心是一大諷刺。

其實，證管會此一限制新聞自由舉動的真正禍害，是在於妨礙證券市場的競爭。在以往，台灣股市多由股票大戶所傳播的「內線交易」與「小道消息」所主宰，成為殺戮戰場，幸有即時資訊的公布，以「完全消息」取代「小道消息」，市場趨於完全競爭，大戶亦成為散戶。大家都可在公平的基礎上競爭。今若限制資訊，而最能得到資訊的一定是大戶或特權份子，這些人一有機會就將上下其手，這不僅使股市成為不完全競爭，也且是不公平競爭，其結果將是散戶長黑，大戶長紅。

證管會敢冒如此的大不韙，一定有其所恃或所本，大家如不健忘，總還記得我們的領導階層曾經公開要求民眾，對那些「偏頗」新聞，「不要看，不要聽」，其競選總部亦對若干不太「合作」的記者拒絕提供服務。若是這些行動也有限制新聞自由之意，則對證管會此一舉措，將會恍然大悟：其來有自。

（八十四年刊出）

科學研究應有的方向

——向國科會進一言

所謂「科學」，其最簡單的定義，是有關自然世界的知識，所以，最狹義的科學，是指自然科學；將這些知識使用到提升人類生活水準上，則是應用科學，而攸關生產面的應用科學則常被鬆弛地稱為科技；至於將科學上使用的有條理之分析方法，用到其他科學的研究上，就形成人文科學與社會科學，是以，最廣義的科學，是泛指使用科學方法的學術。

從以上的推論，足見科學的核心是自然科學，亦就是習稱的基礎科學，由於缺乏立竿見影的市場價值，以致常為人類忽視。其實，誠如「科學的科學」先驅貝賴爾（J. D.Bernal）所言：「科學是我們時代裡物質和經濟生活的不可分割之部分，又是指引和推動這種生活前進的思想中不可分割之部分；科學為我們提供了滿足吾人物質需要的手段，也向我們提供了種種思想。使我們能夠在社會領域裡理解、協調，以滿足我們的需要」。

由於資本主義社會的市場取向，很不利於基礎科學研究，所以，貝氏主張設立某種集中的科學基金，其經費應由政府負擔。至於研究經費的分配，則是要重點突破，並非面面俱到，因為「科學知識戰線上的進展，從來不是而且也不應該是劃一的，它總是包括一些凸出地帶」。在經費分配上，還須注意到靈活性與連續性；前者是因各學科的發展及需要常有很大的變化，必須靈活掌握之，俾可靈活地配置經費；後者是要「能夠保證任何擁有長期規劃

的實驗室都能繼續進行工作，不致因缺乏經費而中斷」。（引文均見貝氏所著，「科學的社會功能」一書）

我國的國家科學委員會，很像上述的科學基金，其經費由納稅人支持，但是，國科會這兩年可說是流年不利，去年曾連續發生中研院400多人連署抗議行政干預學術，中研院院士在院士會議上輪番批評國科會；上個月，有300位生物醫學研究者將連署抗議信交給行政院連院長，要求科學政策的變革，應由學術界集思廣益共同決定，而非少數人主導；本月上旬，來自美國的報導，返台華裔科技人才有回流加州現象，其中有參與衛星計畫者說，國科會主委換人後，只顧完成政治面任務，「把衛星打上去就好了」，忽略建設相關基礎工業的初衷。

綜合這些批評與抗議內容，主要是對經費分配感到不滿，並認為科技發展沒有明確的方向——前兩天，中研院李遠哲院長在行政院科技顧問會議中亦指出，近年我國科技政策受到政治變革的影響，經常不能有較佳的統合，以致出現「因人而治」的現象。

在經費分配問題上的癥結，學術界是「患寡」，國科會則「患不均」。後者是因大餅有限，不得不把餅切成小塊，俾可雨露均霑；亦就是由於這個緣故，造成很多計畫的經費被刪減約4成，以致若干頂尖學者的研究無以為繼，從而讓他們感覺到科技發展缺乏明確方向。從前面分析，已知科學研究經費的分配，最忌諱齊頭平等，而須重點突破，亦就是找出「凸出地帶」後，需要支援充分經費以突破之，否則，很可能是功虧一簣。記得近20年前，本文作者在研究台灣農業金融時發現，農貸的邊際報酬起初為負值，但於農貸金額達到相當大的數量時，此報酬才轉化為正值，其所以如此，可能是由於農貸機構對農民貸款金額慣予打很大折扣核放，而貸款農民則因所獲貸款難以達成其生產計畫，以致流向消費，其邊際報酬當然是負值；但於獲得足額貸款後，其生產計畫得以實現，故有高的正值報酬。易言之，貸款不足將會浪費資金，此一情況也將出現在科學研究上。

職此之故，國科會今後在科技政策上，首須注意到研究方向的凸出性，集中經費於若干重點，而非面面俱到以廣結善緣；其次是要注意研究工作的連續性，要支持同一主題的的連續研究，以免前功盡棄；最後則是政策擬訂的靈活性，這需要集思廣益，亦就是經常要和學術界溝通，作成群體決策。如此，就微觀言，避免使國科會再成箭靶；就宏觀言，真正可使科技生根。

（八十四年十二月十八日刊出）

大學教育的質與量

近來，有關教育的新聞可說是滿城風雨，所以，在教師節後兩天，對於擬議中的若干教育改革主張，作重點評論，以討論教育上的質與量問題，應該算是適當時機與適當話題。

這些主張有些來自教育部長的構想，有些則出自行政院教育改革委員會的倡議；但是，有些時候，二者如出一轍，以大學男女分校的擬議為例，就搞不清楚到底是誰的主意？由於本專欄基本原則是對事不對人，所以，就不必對於其確切來源下考據工夫了！

首先要回到大學男女分校的話題上，在社會風氣開放下，「男女」不再「授受不親」，很多中小學都已實施男女合班與男女合校，現在大學竟然要搞男女分校，不知是開時代倒車還是超越時代？但議者認為分校後，可使女生破除在男生群中的靦覥，而可教育出出色的科學家。但在另一方面，有人認為男女合校，由於互別苗頭，更可激盪腦力。到底如何，可能各有證據以支持之。但從理論上說，大學男女分校恐非最適，已有理工專家認為大學招生有如數學上的最適化（optimization）問題，只招收女生（或男生），等於是「有條件的最適化」；男女兼收，則等於是「無條件的最適化」。數學上早有定理，那就有條件的最適化，比不上無條件最適化。同樣地，大學招生亦類似經濟學的均衡問題：男女分校，最多只能達到部分均衡，男女合校，則可達成一般均衡，而一般均衡當然優於部分均衡。

其次，另一教改主張，是要多設大學，俾使社會上有志於學的人都可以上大學。此一構想很近似孔子「有教無類」的精神，但卻忘記此一精神的基本前提：「自行束脩以上」，亦就是由學生負擔全部教育成本，亦即「使用（或受益）者付費」原則。根據此一前提或原則，則今日每一大學生所負擔的費用，將遠高於目前私立大學的學雜費，蓋因目前私立大學的土地、建築物多來自校董或社會捐獻，而且若干硬軟體設施（如電腦、學生宿舍、改進師資……）等經費中，亦有若干是來自教育部的補助，以致目前私立大學學雜費，並未完全反映其真正成本，否則，私立大學費用勢必作倍數性增加。

顯然可見，這些力主增設大學的教改人士，當然志不在此，而是希望多設公立大學，學生縱然不是「白吃午餐」，但負擔有限，而將主要成本轉嫁給納稅人負擔。在現代的先進國家中，雖然延長其義務教育或國民教育時間，但卻罕及大學教育。易言之，就個人言，大學教育決非自由財，今若教改人士力言多設大學，勢必要從市場法則瞭解之。若是此一主張是正確的，則必是反映社會上高級人力的供不應求，但從下列情形看，事實並非如此：

一、今年8月份，國內失業率高達3.19%，創下11年新高紀錄，其中大專程度以上的失業率更高居榜首，而為4.19%，剛好比平均失業率高出1個百分點，亦可以說是高學歷高失業率，若再多設大學，豈不是在浪費社會資源？

二、若說大學這道窄門難以擠入，而要廣開大（學之）門，則今年大學聯考錄取率業已高達50%，比起民國60年代的10%，業已增加四倍，難道此大門還不夠寬廣？

三、自80學年度後，國內增設大學及學院8所，由專科學校及學院改制為大學及技術學院者有11所，難道此一增加速度還不夠快？

四、李國鼎資政曾就1989年至1993年資料，比較若干先進國家和我國18至21歲年齡人口接受高等教育的在學率：這些先進國家在學率依次為法國（43.2%）、澳（38.6%）、德（36.1%）、日（30.7%）、英（27.8%）；我國則高達45.2%，業已高出若干先進國家很多，還嫌不足？

由於篇幅所限，本文只討論這兩點教改主張，但卻已點出大學教育的質與量問題，而且此二者亦常背道而馳，譬如說，聯考錄取率增加四倍，當然表示大學生素質低落，入學後縱然嚴行淘汰，亦難以淘汰這麼多人！而且大學男女分校，在本質上亦是增設女子大學，並不能真正提高大學教育素質。

（八十五年九月三十日刊出）

「上山下海」的再考慮

最近，農委會提出一個新觀念，那就是呼籲農民「減產報國」——這顯然是對「增產報國」觀念的修正，其用意是減少政府補貼支出。

由「增產報國」到「減產報國」，在觀念上，可說是作一百八十度的轉變，其所以如此，是由於時代環境的變化。基於同樣理由，多年前所喊出的「上山下海」口號，亦應該有所修正，至少在涵義上應予全新的詮釋。

「上山下海」的口號，在當初是揭示農業政策的方向，這是因為台灣四面環海，而且山地多平原少，所以，當時有關當局就提出這個口號，揭示未來農業發展，主要是上山開墾與下海捕魚。在「上山」的意念下，有梨山一帶的開發，並且還在台灣省農林廳下成立山地農牧局，主管山地開發事宜；在「下海」意念驅使下，不僅建立了遠洋漁船隊伍，還大力擴展近海與沿岸漁業。

在漁業方面，我國已出現警訊，就單位漁撈量而言，遠洋漁業每船噸為2.8噸，近海漁業每船噸只有1.8噸，至於沿岸漁撈更是微不足道，這正顯示，我國四週海洋漁業資源正趨於衰竭之中。近年來，很多漁民抱怨工業汙染是導致漁撈量銳減的罪魁禍首，但在實際上，竭「海」而漁，亦一定是主因之一，因為漁民所使用的流刺網與拖曳網，正是破壞漁業資源的主兇——我國遠洋漁業成績雖然差強人意，但是，流刺網問題業已損及我們的國家形象，亦值得我們深省。

在上山方面，中部橫貫公路梨山段的開發，已經危及德基水庫的安全。可是，這一事實並未引起世人注意，很多人士還熱中於林地的放領，單是南投縣一個地方，就有四個墾民組織，發出共同的呼聲；再加原住民要求歸還土地的呼聲亦愈來愈烈，其主意亦很可能打在林地上。令人奇怪的，這些呼聲中還混雜有不少熱心社會運動人士的幫腔，其中不乏從事維護生態環境運動的人士——那些墾民組織還得到地方政府甚至執政黨地方黨部的支持。

這些要求林地放領的人，其目的當然不是繼續經營森林，而是作為森林以外的用途，以獲取遠高於森林經營的利得，其結果則是破壞森林，這顯然是在追求個體最大收穫，而罔顧總體利益。關於森林在生態環境方面所提供的利益至少有四：㈠水資源涵養機能，即森林可以攝取水資源，然後緩慢釋出，如此，既可防止豪雨成災，又可預防旱災，大致說來，每公頃森林至少可以涵養1.09萬多立方公尺的水資源，即使扣除其樹林本身蒸散量（約為15%），以今日水庫建築費用計算，每公頃水資源涵養效益每年約為78,000元；㈡防止土砂流失機能，以第三紀沉積岩為基岩的林地為例，未立木地全年浸蝕深度是立木地的四百倍，所以，一公頃森林每年至少可減少157立方公尺多的土砂流失，若以混凝土堰堤的成本來計算，這方面的效益每年約為116,000元；㈢防止土砂崩壞機能，立木地土砂崩壞量要比未立木地少得多，每公頃每年所減少的崩壞土砂近4立方公尺，計價可達2,700元；㈣氧氣供給機能，林木每生產一公斤木材乾重量（所放出的氧氣）為1.2公斤，大致說來，每公頃森林每年均可放出1,613公斤氧氣，以每公斤50元計，每公頃每年可產生八萬元以上的效益。

粗略說來，這些效益已達每公頃每年276,700元，更何況還有景觀、遊樂、氣象等方面難以計算的效益。那些要求放領林地的墾民們，只看到個人的私利，而未考慮到社會的公益，已經令人遺憾，而令人不解的，何以那些熱心社會運動與環保運動的人士亦跟著起鬨？

美國於1970年舉辦第一次地球日活動，每10年舉辦一次，今年是第三次。第一次活動只有兩千人參加，今年則有140個國家和一億人參加。舉辦地球日活動的動機，是因為森林資源的砍伐、臭氧層的破壞、海洋的污染、垃圾的不能分解。在這種時代潮流下，我們豈能成為時代的逆流，賡續以往的「上山下海」政策？

職此之故，「上山下海」的涵義必須有所改變，即由經濟取向改為保育取向。以「上山」而言，不是為著墾荒，而是為著造林，並對已破壞的森林予以恢復——假若必須放領，則須限定放領之林地要持續作為林木的經營，而不可作為其他用途。在「下海」方面，亦須注意到海洋資源的培養，孟子所云的「數罟不入洿池」，也許要擴大為「數罟不入海洋」，而且對於近海與沿岸漁業，要限制漁船數量，若有剩餘漁民，應該輔導其就業，而不可任憑他們增添漁船，以增加海洋資源的壓力，並導致單位漁撈量降低，以及漁民所得偏低的惡性循環。

（七十九年八月十三日刊出）

環保與成長兼顧之道

台塑「出走」事件雖然暫時落幕，但其出走主因之一，環保抗爭則仍未解決。

說到環保抗爭，據經濟部調查，目前仍在進行的，約可分為四大類：

一、工業區開發：大發、利澤、彰濱、斗六等工業區，因養殖物死亡、廢棄物處理所引發的賠償、補償等問題未獲解決，遭民眾長期圍堵。

二、仁大工業區與左營海洋放流管，被民眾懷疑與農作物死亡及漁民作業受影響有關，而要求回饋賠償。

三、水泥業：包括台泥花蓮廠、嘉新崗山廠及其大崗礦場、建台駱駝山礦場、正泰大崗山礦場、台泥等7家公司水泥儲庫、環泥大湖及阿蓮廠，因既有設備汰舊更新，礦權延長、港區設置水泥儲庫、地方回饋或工廠遷建等問題，發生圍廠、圍礦、圍港等抗爭。

四、石化業、台化新港廠、國喬高雄廠因氣體外洩。地方回饋談不攏，引發圍廠抗爭。

這些環保抗爭在本質上，是代表環保意識的覺醒，這絕對是件好事，顯示大家熱盼提昇生活素質。這種覺醒，若干環保運動啟蒙工作功不可沒，但是，不幸得很，這種環保運動於近來卻有走火入魔的跡象：經濟部有關台泥花蓮廠汰舊更新案報告中，指出某環保團體私下向台泥索取3,000萬元擺平抗爭；某環保團體以一本粗糙的資料統計報告，要「賣」給規劃工程的某顧問公司未果後，即展開一連串的杯葛、抗議行動；甚至於若干抗爭的民眾，其目的亦不是為著環保，而是一切向「錢」看，以桃園縣為例，半年來就有17家工廠，被民眾求償，金額為5萬元至600萬元。

這些求償多循一定方式，即在環保人員開單剛剛告發之際，這些民眾即以汙染為名索償，否則圍廠。賠償金額區分為兩類；一為補償金，立即交付；一為高額地方回饋押金，日後若再有汙染，立即將此押金沒收，這些民眾之所以如此熱中，主要是受到民國78年林園事件的鼓勵，當年由當地選出的執政黨重量級立委「調停」，對當地民眾現金賠償，據說每口8萬元。

台塑企業新港台化工廠面臨另一型態抗爭，當地民眾要求與台化簽訂公害管制協定，據台化指出，該協定要點有5：①執行委員會由11人組成，當地鄉民及鄉長佔6人，4人以上連署即可開會，會議結論台化定須執行；②執行委員會將另定環保標準（台化認為其標準已遠高於先進國家）；③執行委員擁有調查權，可進行調查；④設置溫水游泳池等以回饋地方；⑤台化捐出建廠經費的0.1%與盈餘的1%，成立環保公共建設基金，作為社區特定公共用途。台塑當局認為是「不理性抗爭，台化沒法度啦」，而有「倦勤」「出走」之說；當地民眾則認為是過度反應，因為該協定有其法源。

從上述，可見當前環保運動有變質之虞，很多方面人士所發動的抗爭，其目的不是在於環保，而是在於求償。長此以往，必將導致廠商紛紛出走，但在另一方面，生活素質亦不應遭到踐踏，尤其對於公害下的受害者更應有所補償，是以，如何在環境保護與經濟成長之間求得一個平衡點，將是國人面對的重要課題。在這方面，擬提兩點建議，俾供有關當局參考。

首先是政府府對所有工業，明確訂立可容忍的汙染標準，並定出很高的罰則，定期派員檢查。

其次，應成立全國性財團法人公害處理基金會，由廠商每年提撥其營業額的一定比例（譬如說0.1％）作為經費；其成員由民意代表、廠商代表、政府官員及包括環保專家在內的學者組成；其任務即當公害發生時出面處理，應予賠償者予以賠償，應予治療者則負擔全部費用。民眾若是圍廠，則由政府全力排除之，如是，廠商只須遵行環保標準生產與按期提撥公害處理基金，其餘則交由公害基金會與治安單位處理，以致不須簽訂公害管制協定。

（八十五年一月八日刊出）

再談公害處理基金

——兼論地方財政之充實

在月前發表的「環保與成長兼顧之道」一文中，曾經提出公害處理基金之構想，當時由於篇幅所限，未能暢所欲言，今天特擬分從政府、基金、廠商、社會四方面，探討其在環保問題中所扮演的角色，並涉及最近熱門話題：地方財政之充實。

政府在環保問題中的任務，是立法、執法與租稅分配。所謂立法，當然是訂立有關生產事業的汙染上限——此上限不妨仿照美國或日本的標準，並廣為宣導，還要訂定違反之罰則。所謂執法，除執行汙染檢驗及處罰外，還接受有關人等的申訴，這種申訴不僅來自受汙染之害的民眾，也來自被群眾威脅的生產者：對於前者，若是為著生產者汙染外洩，當即派員前往檢驗，並儘快公布結果，以釐清責任，若有公害發生而需予以賠償或救濟情事，則移交公害處基金接手；對於後者，則要保護生產者人身安全與自由，以及維持該生產事業的正常運行，易言之，即由檢警單位按集會遊行等有關法規，排除圍廠等行動。

政府的另一重大任務，乃是在中央暨地方財政收支劃分中，應將營業稅與貨物稅的大部分留給地方，尤其是稅源所在地的縣市鄉鎮，其中鄉鎮所佔比率理應不少於該項稅收的20%，如此，鄉鎮公所可將這些稅款造福地方，而不必生產者或廠商再作地方回饋行動。這種特別凸顯縣市鄉鎮的財稅劃分，不僅是對受汙染者（汙染上限是指可容忍的汙染限度，並非零汙染）有所補償，也且可擴大為地方財政補助之依據。後者是指目前有些地方拒斥工業設廠，但卻伸手向省及中央政府要錢，這種只顧自己享受零汙染，卻要分享其他地方產生汙染（儘管是可容忍）的稅收，是非常不負責任及不道德的行為，在省縣自治通則付諸實行之時，縣市要自治，就首須財政獨立，上級政府只應補助真正難以自立的縣市，而非那些一味拒斥工業的地方政府——假若仍須補助，則須從補助款中扣除該被拒斥之生產事業可能為該地方（縣市鄉鎮）所帶來的稅收。

政府有關環保的另一工作，即在立法中，規定各生產事業每年就其營業額繳納一定數額，譬如說（0.1%到0.5%）的款項，作為公害處理基金，此基金每年將有數十億甚或百億元以上的收入，由產官學及地方公正人士出任董監事，其中具有環保背景者不得少於1/5。該基金的任務，平時要作環保專題研究，公害防治之研討，協助政府有關單位訂定汙染標準，尤其要參考各國前例，針對各種公害發生之時如何因應，作成較詳方法與步驟，發行處理手冊，分發有關單位及團體，甚或個人，以傳播公害防治常識。遇有公害發生，該基金應立即派員協助當地環保機關予以處理，並對受害人作賠償及救治，其經費統由該基金支付。

廠商的責任，主要有二：一為嚴格遵守政府訂定的可容忍汙染上限，並設法儘可能降低汙染，以免政府提高環保標準而措手不及；一為按期繳公害處理基金，而將有關公害糾紛等事宜，交由該基金去處理，但這並非意謂，廠商與其所產生的公害毫無關係，因若證明該公害是出自人為的疏忽，則該廠商將脫不了關係，而要負請求上甚至賠償上的相當責任。除此之外，廠商儘可安心從事生產工作即可。

至於社會，可以區分為兩大類群：一群人是社會熱心份子，投身於環保運動的人士；另一群人則是汙染源附近的居民，他們可能成為受害人。前者經常協助後者爭取權利，有時候這些爭取權利的活動，就演變成抗爭，常使有關廠商與政府頭痛不已。現因有公害處理基金之成立，可以網羅前者中熱心及具專門學識人士，組成地方分支機構或其志工，讓他們對公害之鑑定及處理貢獻心力，並教育地方民眾正確的環保觀念傳播公害處理基金之基本理想，是維護人民生存與生活的權利，但非斂財對象。事實上，該基金既然代表所有生產者出面，則將社會與廠商隔開，讓他們彼此不成為攻擊的對象，易於和平地解決環保問題。

（八十五年四月八日刊出）

全保可採重大疾病保險方式

二十多年前，作者曾經有個構想，想推動「重大疾病公醫」制度，這是因為「生、老、病、死」人生四大苦痛中，疾病——尤其是重大疾病，可能是苦痛之尤，蓋因罹患癌症等重大疾病，患者本身固然痛苦，而家人為挽救其生命，常會典當一空，並多方舉債，以為患者求醫，所以，在求醫期間，不僅舉家為病情與親情而惶惶不可終日，也且為籌措龐大醫藥費用，而羅掘俱窮，甚至於弄得家徒四壁，債務纏身；即使患者僥倖回春，這筆債務可能壓得全家喘不過氣來，何況很可能「人財兩空」；尤有進者，對於收入不豐者而言，開始之時，因畏懼醫療費用龐大也許諱疾忌醫，等到病情嚴重才求醫療治，但卻可能導致更高的醫療費用支出，以致愈加提高「人財兩空」之機率。

職此之故，本文作者有「重大疾病公醫」構想，在此構想中，先須確定重大疾病範圍，凡罹害此一範圍內任何一項疾病，均可接受公醫治療。至於患者所負擔的義務，則類似保險中的投保人，其方式可有兩種類型：一種是投保人平時按月繳納保險費，其費用可由精算決定，但須甚為低廉，到被保人罹患明示的重大疾病時，一切醫療費用再由投保人員擔一定比例，譬如說百分之十或二十——當然亦可在精算時提高保險費，以致患病時投保人不須再負擔醫療支出，但恐保險費過高，將會影響到此一制度的普及；另一種是患者平時不必繳納任何費用，而且於患病時，不論醫療費用多少，患者本人或其家長只須支付其全年收入的一定比例，譬如說百分之三十。

這兩種負擔類型，在本質上有很大差異，即前者屬於保險範圍，後者則可視為救濟的一種。就維持人格尊嚴觀點來說，應以前者為宜。所以，在作者和若干朋友談及這個構想之時，他們之中亦有很多人贊成前一方式，但是卻有一致的質疑，那就是所謂「重大疾病」如何釐定？我雖說由衛生部門事先決定之，但仍受到這些朋友們的懷疑，而我的醫藥知識當然不能祛除這些懷疑。

可是最近卻看到報載，財政部於日前核准三張針對重大疾病的保單，其中有安泰人壽的「重大疾病保險」；國華人壽的「全祿養老保險」及「新生命終身保險」。財政部也為此一將來可能的保險需求趨勢，特請行政院衛生署提供資料，由台大、榮總醫院研究，訂出重大疾病的定義，包括心肌梗塞，冠狀動脈繞道手術，腦中風、慢性腎衰竭（尿毒症）而必須接受透析治療者，癌症、癱瘓，以及重大器官移植手術。

亦就在差不多同一時候，報載農民健康保險虧損累累，去年下半年就虧損了二十億元，這一方面是費率偏低（其中70％還是由政府—亦即納稅人負擔）——前一陣子想提高，卻被一些「慷他人之慨」的立委們封殺了；另一方面，是一人保險，全家看病，據說有一個鄉鎮人口不到兩萬，每天拿農保看病單的竟高達千人，其中三百人是職業看病者，顯然是在浪費醫療資源，亦是在浪費公帑與增加全體納稅人的負擔。

本文作者當初之所以有「重大疾病公醫」制度的構想，就是由於看到戰後英國推行公醫制度，造成大量公帑的浪費，亦成為導致英國國力衰退的眾多原因之一，現在看到農保情況，不禁令人為即將實施的全民健康保險擔心，因為若是全保亦像農保這樣，必將讓我國步上工黨時期的英國後塵。職此之故，特別要向社會大眾提出下列呼籲：

一、將全民健康保險改為全民重大疾病保險，或者仍然保持全民健康保險這個名稱，但是，其保險的標的，則為重大疾病——其範圍則如前述，但亦或可酌予增加其必需項目，甚至包括生育。

二、保費可採前述兩種類型的綜合，那就是投保人平時按月繳納保費，當被保人患病時，其醫療費用中一定比例（譬如百分之十或二十）由投保人負擔，但以投保人與被保人全年所得百分之二十為上限，其餘概由政府承保機構負責。

三、現行的公保、勞保與農保均可納入——前二者只須將其疾病保險部分納入全保之中，但公保與勞保仍可保持，即只投保傷害補償、死亡及老年給付。

四、同時充實基層醫療單位的人員與設備，以便人民一般疾病之療治。

這樣做，既可滿足人民真正追求健康的目的，而不至於「人財兩空」，亦可以同時顧及國庫及納稅人的負擔，真可以說是「惠而不費」，何不樂而為之！若是社會大眾傾向於政府現行構想的全民健康保險，當然亦可以，但須秉持「受益者付費」原則，而不可出現「搭便車人士」——只享權利，不盡義務。

（八十年二月四日刊出）

從現行社保缺失看全保規劃

「有病方知健是仙」，在以往，主要是出自生理與心理的感觸；「貧病交迫」，則是加上經濟的煎熬。今日醫療技術是同生活水準與日俱增，減少病人的一些生理與心理苦痛，但是，醫療費用不僅與經濟成長同步，而且是等加速度，頻增人民「貧病交迫」的處境。所以，現代先進國家都在推動健康保險，尤其是全民健康保險。

根據經建會的早期規劃，我國擬在民國八十九年，亦即公元二千年開始實施全民健康保險（以下將簡稱「全保」），後因民意代表反應激烈，認為應該提早實施這一福利制度，所以將實施時間一下子提早五年，要於八十四年開始，行政院郝院長就職後，再決定提早一年，亦就是要在民國八十三年全面開辦。

現在距離全保開辦時間不到兩年，各方正須詳予審慎規劃，以免浪費社會寶貴資源與造成財政上沉重負擔。在規劃以前，不僅要汲取實施全保的先進國家之經驗，還要檢討國內現行各種社會保險的缺失，以作為前車之鑑，避免全保重蹈覆轍。

目前國內社會保險已達十三種之多，但以公保、勞保、農保為主，這三種保險都有其缺失，擇要說來，可如下述：

農保：骨子裡是「社會救濟」，卻以「社會保險」為包裝；

勞保：有犧牲醫療機構利益，以照顧被保險人的傾向；

公保：瞻前不能顧後，意即健康保險尚可支持，老年給付將有龐大赤字。

農保自七十八年開辦以來，虧損累累，到今年二月底，累計虧損已達一六六億餘元，這還不包括七十四年試辦的虧損，估計到八十三年全保開辦之時，累計虧損將達五百億元。其所以有這麼大的虧損，主要原因有三：㈠投保甚為浮濫，據七十九年底統計，農林漁牧狩獵從業人員只有108萬人，但至八十年五月底，農保被保險人卻有161萬多人；㈡年齡沒有上限，以致投保人數中，六十歲以上者佔41％；㈢死亡給付過高，是給付十五個月，比勞保的五個月高出三倍多。而且即使沒有虧損，政府負擔亦甚沈重，因為保費中，農民本身只負擔30％，政府負擔70％——若加上利息及其他補貼，政府負擔已超過80％。

勞保費率目前為7％，但據一位醫生出身的立委精算，其費率應為13.4％，可見相差甚鉅，以致勞保單位為著精打細算，盡量壓低醫療支出中給付標準，去年一度引發醫療機構拒為勞保看病。勞保目前雖然累積了613多億元基金，但其可能應付的老年給付即達1200多億元，相差約600餘億元。

公保費率現為9％，精算費率應為12.9％，所以目前平均每年虧損30多億元，而且老年給付迄未提存，這方面據估計要190億元。

總括現行社保的缺失，對於全保規劃，至少可在投保費率與保險項目上得到一些教訓，而且，現行社保累計虧損或債務，如何予以處理，亦應在規劃之列。就後者言，拋開公保現在每年虧損金額，單是勞保老年給付差額與農保累計虧損，約達一千餘億元。若將這些虧損於八十三年，完全移轉給全保承保單位，則可能是「不好的開始，是失敗的一半」，所以，全保在經濟上應與現行社保一刀兩斷，以確保全保本身的「健康」。至於這筆債務，可能主要須由國庫負擔，並須立即調高費率，以減輕債務的累積。

關於全保的有關規劃，作者願意提供下列要點：

一、全保應以「自給自足」與「受益者付費」為原則。「自給自足」，是指整個全保制度而言，「受益者付費」則指被保險人患病時，要負擔一部分費用：譬如診療（包括檢查與動手術）費用，被保人要負擔20％，而不是現在的20元掛號費；住院病房等級可以自行投保；藥物則完全自己付費——首須國內藥價降到國際水準。

二、保險項目只限於傷病、醫療與生育，至於殘廢、老年、死亡等現行公勞保項目，則另由現行承辦單位主管，以致保費要單項計算，至於農保全名本來就是「農民健康保險」，當然可以完全納入全保，其死亡給付亦為之取消，因為自耕農均有耕地，其繼承的子女，當然有養生送死的義務。

三、為減少浪費，全保最好能採重大病病保險方式——目前國內若干保險公司已接受這種保單，投保人按月繳納保費，患病時則只負擔其醫療費用的20％，並以其本人（或配偶及子女）全年所得的一定比例為上限。且為配合此一方式，基層醫療單位必須普遍與充實，以便人民一般疾病之療治。

四、為能審慎規畫，有制訂「社會保險法」之必要。立法須費若干時日，所以，全保開辦時間應予延後，最好是在八十六年以後開始，先完成國建六年計畫再說。

（八十一年四月二十七日刊出）

全民健保的我見

全民健康保險預定明年實施，即使是實施日期是八十三年十二月卅一日，從現在算起，亦只有二十個月左右的時間，但是，距離完成立法的日子還甚遙遠，其他的準備工作，更是幾付闕如，怎不令人心焦！

關於「全民健康保險法」草案，目前至少出現了四種版本：一為衛生署版，計有九章八十一條；一為立院厚生會版，九章六十五條；一為立委沈富雄版，十章四十五條；一為醫界聯盟版，只有主張，沒有條文。實際說來，只有兩個版本，即前二者大致相同，後二者理念類似，姑且稱之為衛厚版與沈醫版，但以下所舉實以衛生署版與沈富雄版為代表。

衛厚版大致上是承襲現行公、勞、農保，而略予變革，即保費由被保人負擔50%，餘由中央、地方政府投保單位補助，所有門診、住院皆給付，被保人亦部分負擔。沈醫版則大異其趣，其基本主張是「只保重病，不保輕病」，取消醫療資源中40%的門診給付，只給付慢性病、特殊醫療程序、低收入戶及住院部分；至於保費負擔，被保人不必繳費，由雇主及政府各分擔一半，無雇主者自付一半。

就這兩個版本看，作者個人顯然喜歡沈醫版，因為在前年二月間，本專欄曾以「全保可採重大疾病保險方式」為題發表專文。該文首云，「二十多年前，作者曾經有個構想，想推動『重大疾病公醫』制度」，但因「重大疾病」難以界定，所以一直未曾撰文鼓吹；當時看到報載，財政部因核准三張保單，而由台大、榮總二醫院訂出重大疾病的定義，包括心肌梗塞、冠狀動脈繞道手術、腦中風、洗腎、癌症、癱瘓，以及重大器官移植手術，所以才撰文於本專欄發表。因此，對於沈醫版，心有戚戚焉！由於沈立委是醫生出身，醫界聯盟是由醫生組成，都是醫療專家，故對醫療的意見，能入木三分。

不過，醫療保險權威蕭慶倫教授卻指出，這種只保住院部分的沈醫版，將有很大的後遺症。他以美國保險為例，由於只付住院費，結果造成70%的醫生去當專科醫師，而且多是開刀的外科，使得美國的醫療費用佔政府支出比例全球最高，也使美國人開刀數比其他國家高出二至三倍——對於衛厚版的批評，蕭教授似乎更為嚴苛，他認為如果不能徹底修改現行公勞農保的財務結構及給付制度，全民健保將撐不過五年。

蕭教授所說財務結構，大概是指現行各種社會保險的嚴重虧損；勞保約虧1100億元，農保已虧300多億元，公保每年虧損30多億元。其所以如此，是因為保費未按精算結果收取；公保費率現為９％，精算應為13.9%；勞保費率７％，精算應為13.4%；農保費率6.8%，精算應為11.19%。至於給付，現行制度下，是沒有貫徹「受益者付費」原則，病患除每次付30元外幾無負擔。

但是，真若按精算收取費率，全民健保費率將會非常的高，以勞工言，其負擔的保險費，據估計，大約是現行勞保費率的七倍多；而且，即使平均說來，政府只要負擔保費的１／４，每年也要付出６、７百億元。所以，如何減少健保浪費，以降低被保人與政府的負擔，是重大課題。

沈醫版就是針對此一課題而提出的答案，若是認為將會產生上述後遺症，則不妨將住院部分改採重大疾病方式，並予以列舉——當然可於上述重大疾病外，另增若干項目，如此，則這些後遺症將會大為縮小。採取此一方式的前提，是要普設與改進基層醫療機構，俾使人民能得到低廉而質高的門診照顧。

若是一般人民希望得到全方位的健保，則可合併此二版本，再略予損益，其基本原則應如下述：

一、全民健保應以「自保自足」與「受益者付費」為原則。

二、基於「自給自足」原則，全民健保應組財團法人，不應由政府機構承辦，如此，亦可與以往的「爛帳」劃清界限。

三、基於「受益者付費」原則，被保人無論是門診還是住院，統須負擔1／4（當年留澳，門診費自己負擔20％，藥費亦須自付），但住院費自付部分，以不逾被保人全年所得20％為限（若一年內連續住院，累計額以不逾40％為原則）

四、由於如此部分負擔，經由精算的費率，當比現在預估的低得多，其負擔方式，可採衛厚版。

這四大原則只是揭示犖犖大者，但真若順利推行，必須假以時日，所以，為著審慎規劃，全民健保應該展延其實施日期，至少要延到八十五年才著手進行。

（八十二年六月二十一日刊出）

全民健保應爲民營

行政院為要如期於明年底以前實施全民健康保險，終於在前幾天跨出第一步，成立跨部會的全民健康保險推動小組，並舉行會議，會中除決定工作進度外，還有三項重要決議？

一、全民健保實施，其費用必須自零開始。

二、未來應立法明訂，全民健保如有虧損，以調整費率因應。

三、全民健保仍以公有公營型態辦理，但同時亦將公有民營或財團法人方式，列為全民健保長程發展的參考。

這三項決議，實在是宣示未來全民健保的三原則：即自零開始原則；自給自足原則；以及公有民營原則。這三個原則若能真正貫徹，則全民健保定將成功，否則前途多舛。

其第一個原則是要和公保、農保、勞保以往的「爛帳」劃清界線，因為此「三保」已潛在虧損好幾千億元，若是全由全民健保承受，則一開始就注定全民健保的失敗命運。但從第三項決議看，政府仍採公有公營方式，而且於上週通過的全民健保法草案時，聲言，年內即將成立中央健康保險局籌備處，未來的健保局定將容納目前辦理公、農、勞保的人員，除非政府將現行各種虧損一次付清，否則，新的健保局將難以和這些虧損撇清關係——但若要一次付清高額虧損，政府處於目前債台高築情形下，那有這個能力，此所以本專欄於今年6月21日提出的全民健保四大原則中第二條，指出「基於自給自足原則，全民健保應組財團法人，不應由政府機構承辦，如此，亦可與以往的爛帳劃清界線」。是以，真要貫徹自零開始原則，全民健保就須公有民營，否則將可能糾纏不清。

若是全民健保由政府承辦，則有公、勞、農保前車之鑑，自給自足原則絕對難以貫徹，蓋因保險費率之決定或調整，必須立法院通過，有些愛作秀的立法委員，必將大聲疾呼地壓低費率，即使一些有良知與有分寸的立委，明知費率偏低，但為選票關係而不敢公開反對，更別說調高費率使其合理了！改為民營則無此慮，或者有人說，若干自然獨占的企業（如大台北瓦斯與若干公車），雖為民營，但其費率調整，全須民意機關通過，是以，全民健保縱由民營，其費率可能仍然難以逃出立法院的掌握。其實不然，蓋因自然獨占是法律授予有關企業壟斷力量，所以其產品價格須經民意機關決定，以免這些獨占者有過當得利，全民健保則不然，其經營者全為公益，是非營利法人，故可在當初立法時賦予自我調整費率的權力，以求自給自足，立院最多是居於監督地位，所以，為貫徹自給自足原則，全民健保必須自營。

目前行政院正打算精簡人事，預計裁員5%，並希望政府消費支出零成長，現若成立中央健保局，即使納入現行有關人員，亦將大量增加名額，且將使消費支出大為增加，這完全與「精簡」背道而馳，而像自打耳光。何況經過行政院自己的評估，亦認為以公有民營方式辦理全民健保，較能符合用人精簡，提高行政效率的政策。在如此評估下仍要公營，豈非明知故犯?所以，從精簡與效率觀點看，健保亦須民營。

尤有進者，在順應世界潮流情形下，政府正大力推行公營事業民營化，但多年來乏善可陳，主要是由於阻力太多，尤其是對現有員工的處理，使主管單位頭痛不已。就在公營事業要推又推不出去的當口，政府卻又要大力創造一個大型公營事業——健保單位，豈不是既違反政策路線，又在自找麻煩？所以，從民營化的路線看，健保一開始就應民營。

政府之所以對健保採取公營方式，其主要考慮是因實施在即，政策急轉彎將使全民健保難以在明年底施行。這句話雖然堂皇，但亦有遁辭的味道，因為公營抑民營只是技術問題，無關政策目標。事實上往深處看，公營健保才是政策大轉彎，因為這既違反精簡與民營化政策路線，又違反全民健保政策的另兩項原則。而且公營礙於法令，經常比民營費時費力，是以，若從現在起，公營健保若能如期施行，則民營健保則在時間上更綽綽有餘。

（八十二年十月十一日刊出）

全民健保的三前提

關於全民健保，本專欄於最近三年半來，發表多篇文章，但卻環繞著三個中心論題，那就是㈠全民健保（以下簡稱「全保」）只應保大病；㈡全保方式應為公有民營；㈢全保應緩辦（以延至民國86年後開辦為宜）。

這三個中心論題，實在可稱為全保成功的三前提，而全保成功之基本準則，則是「惠而不費」。其所謂「惠」，當然是指全民將因全保而遠離人生四大苦中的「病」苦而受「惠」；而「不費」則指全保「不」可浪「費」社會資源，無論是要保人的保費，還是需要納稅人負擔的財政補助。易言之，全保要真正使人民受惠，而人民不須負擔高額保費，政府亦不會增加財政赤字，才稱得上是「惠而不費」。且因此，「不費」，亦避免要保人的高額保費，以致超越「自負盈虧」原則。

或者有人說，全保是要花大錢的，既要「惠」而又「不費」，豈非是天方夜譚？其答案當然不是，但其關鍵則是上述的三前提。而此三前提中，實以第一前提為主體，亦就是說，全保只應限於重病，是惠而不費的必需條件，主要是為財政解圍與有助縝密規畫。

疾病之所以可怕，當然是指重病，因為重病的患者本身固然痛苦，而家人為拯救其生命，常會典當一空，並多方舉債，俾為患者求醫，所以，在求醫期間，不僅舉家為病情而惶惶不可終日，也且為籌措龐大醫藥費用，而羅掘俱窮，債台高築，以致即使患者得以痊癒，這筆債務很可能使全家不堪負擔，何況在很多事例中，經常是人財兩空，這將使生者何堪！

死者亦難以瞑目。現在的全保，就是要解決這些問題，亦就是使身患重病者不致傾家蕩產，所以，全保對重病或大病的保險，才真是澤及蒼生的實「惠」。

在另一方面，公醫制度或健康保險下的真正浪費，是來自小病。由於醫藥費用幾乎全由保險機關負擔，以致很多人存有「不看白不看」的心理，而常去看病拿藥，有個笑話說，有幾位老人到公保中心，以看「病」為由而天天碰面談天，某一天，其中一位未到，有人回答：「他病了」！這雖是笑話，但卻反映健保下醫療資源之被大量浪費。所以，不保小病，將使這一類的浪費縮減到最小。至於這些小病，只要各地方衛生院所與各機關醫療室健全，則患者幾無負擔，而且即使向外求醫，其醫療費用，也將在患者負擔能力以內。由於這種浪費的消除，既不妨礙全民的實惠，又可大幅降低保費，所以是「惠而不費」。

關於具有充分條件的另二前提：一為公有民營，旨在自負盈虧，切斷保險庫與國庫間關係；一為延緩舉辦，蓋因即使一切在控制以內，政府亦有相當負擔，那就是政府至少須負擔無雇主民眾的部分保費，以及低收入戶保費的全部，甚至於還要支出全保的行政費用，據財政部長估計，一年要好幾百億元，目前財政吃緊，而應延緩實施全保，何況事緩則圓，欲速則不達。

這些前提於最近一年來，似已形成共識，譬如針對只保大病的前提，就出現立委沈富雄等人版本—最近，台經院的建議，亦有此意味；原本堅持公營且已成立籌備處的衛生署，日前亦曾傾向民營，但為部分立委反對而暫時作罷；社會與立院多主張緩辦，但政院卻堅持於本年內開辦，而在立院本會期最後一天挑燈夜戰，連續開會廿一小時，想強行通過「全民健康保險法」，結果引起反彈，刪除其第12條強制全民納入保險的骨幹條文，使全民健保精神全失，這才真正是「弄巧成拙」「欲速則不達」。

「緩辦」雖是充分條件，但亦有必需條件的意味，因為這是大事，怎麼可率爾操觚，產生貽害國家與個人的後遺症?所以，立委們應為全民負責，一本良知，在今天的院會中投下神聖的一票，以決定全保能否成功進行。

（八十三年七月十八日刊出）

「住者有其屋」達成之道

關於「住者有其屋」這句口號，作者一向是解釋為「住者有屋住」，其著眼點，是把「有」字可以解釋為所有權，也可以解釋為使用權。意謂有能力也有意願的人，可以買到中意的住宅；無能力或無意願的人，也可以租到合適的房子。

此所謂「中意」，當然包括合意的價格；「合適」也含合理的房租——實際上，「合意」與「合適」，在此處是可以互換的，亦可以說，無論是房價還是房租，都應該是合理的。說到房租與房價，很多人以為是成同一方向變動，其實不然。大致說來，房租約等於房屋成本（購屋利息加上折舊）減資本利得——後者即是買賣房價的差額淨值，是以，房價漲得越高，則資本利得越多，以致房租卻相對地降低（這些可用數學公式表達之）。這番話乍聽起來，似乎有些玄，但舉一實例，將可使人恍然大悟；以今天台北市郊區卅坪公寓為例，價格約300萬元，以10%年利率計算，每月利息為25,000元，可是，目前這種公寓的月租大約只有六至七千元，亦即其機會成本的四分之一左右。這些房東是否在做賠本生意？其答案當然不是，而是他們在預期房價上漲，使他們有很大的資本利得——這種心理，很像買股票的人，其動機不在於股息高低，而在乎買賣差價。易言之，若是房價長期不變，則房租必然要等於其機會成本，亦就是說，這幢卅坪郊區公寓月租現在至少要25,000元（約為基本工資月薪的三倍）。

依此看來，若是房價漲得不合理，則房租將會相對地低廉；若是房租合理地反映其成本，則房價必然是增值緩慢。前一情況是讓很多買房子的人買不起；後一情況則使很多租屋住的人吃不消。皆大歡喜的情況，則是房價緩升，利率偏低——但是，這一情況並不穩定，蓋因利率偏低，易於激發投機，隨而刺激到房價。這一皆大歡喜的情況，近年在台灣只出現於民國七十五年，當寺，房價與利率均處於低水準：買房子不難，房租也接近合理的機會成本。但好景不常，次年起，即因利率偏低，再加上其他因子，使股市發燒，連帶地亦使房地產價格飛漲，兩年多來，平均上漲兩三倍。據「無住屋者救援會」統計，我國國民大約要以二十倍的平均國民所得才可以擁有一戶「標準房價」的房屋，而美國則只需1.8倍——關於後者，或許有誤，因為美國平均所得近二萬美元，還未聽到一戶普通住宅只需三萬六千美元，就東西海岸言，一戶普通住宅約二三十萬美元，佛羅里達州亦要十萬美元以上。

台灣房價之高，其基本原因當然是地狹人稠，房地產供給有限，而人口與所得卻都在不斷增加之中，以致房地產需求昇高，再加在制度上有些缺陷，導致土地長期投機，房屋短線操作，以致台灣房價有週期性漲勢，每隔五至七年，就把房價推到新的高峰，使購屋者越來越望屋興嘆。就前者言，我中央政府遷台以後，仍然存有國土遼闊之心態，而未效法荷蘭等國土狹小國家那樣採取市地公有之措施，隨而讓很多財團大炒地皮，先以極低價格購入山坡地、林地或低等則農地，又以偷天換日手法，變更為建築用地，再以高出原來百十倍的價格出售。就後者言，由於土地法太注意「漲價歸公」，但其高額增值稅反而助長房地產的短線操作，因為只要在一年以內，公告現值沒有調整以前，房地產買賣價差完全「歸私」。職此之故，為著防止這一類型短線操作，土地增值稅應予檢討，並予補充修正，俾可有效解決此一問題。

但是，更為重要的根本解決之道，乃是市地公有，凡是工商用地及住宅用地之所有權，均應屬於政府，人民可以租來作為各種用途，租期可為五十年或六十年，而且除非政府另有用途，原租戶有優先續租權利。由於現行都市土地，業已寸土寸金，政府難有如此財力予以收購，較易方式乃是新市地公有，這亦是　中山先生的理想，例如，他在民國元年，談及江西市地問題時說：

「現在街市，亦不必再改，惟需擇最大之地段，另闢新埠，將衙署公所及學校銀行遷入其中，則舊有者不期廢而自廢，改建甚易矣，至於地皮祇可由公家購買。」此一主張後來又散見於實業計畫之中。

假若政府真有貫徹「住者有其屋」的決心，就必須要實現「新市地公有」理想，在大都市附近建立衛星城鎮，使人民（包括工商業者）只擁有建築物的所有權，而租來土地之使用權至少有半個世紀，隨而類似恆產。如此，房價將約等於建築費用，其價格當然遠低於現在。為著實踐此一理想，還須修訂有關法律，規定任何土地若變更用途而改為建築用地（住宅用地或工商用地），只有政府有權購買，如此，將可杜絕土地投機，造福社會大眾。再若在所得稅法中規定，購入自用住宅分期攤還的本息，可予相當部分的抵減，將更可協助住者有其屋，而不會興「購屋待來生」之嘆。

（七十八年六月二十六日刊出）

管制房租的商榷

「無住屋者團結組織」於發動「八二六」夜宿街頭後，聲名大噪，其所提出的意見中，亦有不少頗有見地的建議，但其有關管制房租的意見，卻值得商榷。該組織有關管制房租、屋價的基本論調，乃是反對將房屋視為商品，這一點在根本上很難站得住，因為在經濟學中，一向將財貨分為兩大類：一為經濟財；一為自由財。前者是指須付代價才可取得的財貨，廣而言之，亦就是一般所謂的商品。後者則是不付代價即可取得的財貨，其原本的意義就是「免費財」，這一類的財貨向來很少，往常以陽光、空氣、水喻之，但於現代，自來水須付費，人人皆知，而陽光與空氣又何嘗不需代價？譬如地下室的租金低於地上，即為一證。易言之，社會越現代化，經濟財種類越多，而自由財種類越少，而將趨近於無（「無」者，不顯著也）。

房屋既為商品，房租就是使用房屋的價格，因而在本質上是和其他商品的價格相同，而由供需決定之。在自由經濟體系裡，政府不宜干涉物價，豈可單挑房租下手而予以管制？或許有人認為美國若干都市，已有管制房租的先例，我國正可效法，管制國內房租，限制其上升。其實，美國管制房租之行動，多為當年社會主義思想狂潮下的產物，其動機是為社會正義，濟助經濟弱者，但其結果卻幫了倒忙。美國很多經濟學原理教科書，將紐約市管制房租例證，作為政府干預市場機能的反面教材。管制房租是將房租立一上限，而此上限亦必然低於使供需相等的均衡價格，其結果是供不應求，尤以長期為然，蓋因管制下的房租不夠成本使很多原擬購屋出租者改變心意，致使長期房屋供給減少。事實上，不僅新房屋的供給不增，舊屋的供給亦在縮減——在很多警匪影片中，經常看到一大片所謂「鬼屋」的空屋，就是這一情況下的產物，蓋因已租出的房屋，房東嫌房租過低，不願維修房屋，而住戶亦無力或無意大修，漸使房屋廢棄。這些鬼屋的出現，當然亦損及市容。房屋的供不應求，必然增加房荒，使很多買不起房子的人亦租不到房住，有時候則需私下付出高於均衡房租的租金才可以租到。是以，房租管制的結果，反而對無住屋者不利。

也許有人仍然認為我國管制房租，不必設置上限，只需管制其漲幅，即可避免上述弊端。假若這樣做，則對原來房租偏低的房東，無異是一種懲罰，形成另一種不公平。事實上，這些房東亦不會甘心受損，而將在房租管制條例生效以前，設法大幅提高其房租，而其他房東（包括房租偏高者）亦極可能起而效尤，結果，反而導致房租全面大幅上漲，對於無住屋者，豈不是愛之適以害之！在這種情況下，要想管制房租，首須確立基本或合理房租。就台灣言，要想建立這種合理房租，其對無住屋者所幫的倒忙，將遠高於上舉紐約之例。這是因為合理的房租必須等於房東的機會成本。購屋出租是一種營利行為，購屋者在行動前，必然考慮到其他營利途徑，是以，他至少面臨兩種選擇：一為購屋租賃，收取房租；一為存入銀行，收取利息。就今日台北市郊卅坪公寓言，其房價約300萬元，若將此款存入銀行，按一年期存款年利率（約9.5%）計算，全年利息收入應為28.5萬元；若是購屋出租，則全年房租收入不應少於此數，以致每月房租不得少於2.375萬元——其實，這只是房租的最低機會成本，實際上，則應高於此數，蓋因目前利息所得定額免稅，房租則需納稅，而且出租房屋常需維修，以至這幢卅坪公寓月租應在2.5萬元以上，這就是理論上應確立的基本或合理房租。實際上，目前這種房屋的月租只約五至七千元。

是以，政府若是不按這種方式確立基本房租，則按何種立論基礎？若按這種方式確立，豈不是要將現行房租提高好幾倍！

或許有人懷疑，現行房租既然遠低於其機會成本，為甚麼還有人購屋出租，這一疑問的答案，乃是這些購屋出租者預期房價上漲，形成資本利得，以致不太在意房租收入。易言之，今日台灣房租偏低於其機會成本的情況，是拜房價上升之賜。職此之故，目前不僅不宜管制房租，且也不宜對房價作過度抑制，否則，將對租屋者更為不利——不過，這兩年房價狂飆也著實不太合理。以上是分析管制房租將對無住屋者幫倒忙，其著眼點當然是置於市場機能。但是，當前出租房屋的市場上，卻在供給面出現壟斷的傾向。這種傾向主要是發生在近年才出現的所謂房屋仲介上，房屋仲介，本來是溝通供需，可是，台灣的若干房屋仲介公司卻在壟斷市場，故意抬高房價與房租。此外，這一市場的供給者是分散的，是一種競爭型態，對於房租難以予取予求，但是，大專學校附近卻因地緣關係，形成供給面壟斷趨勢，有過度提高學生房租的傾向。因此，政府目前雖然不宜管制房租，但是卻要正視出租房屋市場供給面出現壟斷的情事，而需解決之。

（七十八年六月二十六日刊出）

雙殼重稅不可行

由於房價狂飆，政府抑制無策，有關單位頻頻集會，致有「病急亂投醫」慌亂現象出現，據說在某幾次集會裡，某機關代表主張對擁有兩幢及以上房屋的人民，課以重稅，以抑制房屋的超額需求，而這一不可行之意見，居然得到很多單位代表贊同，真是出人意表。

這一雙殼重稅案之不可行，是有很多理由，首先從賦稅原理看，這種重稅當然是採累進稅率，其目的是為分配公平。但一般所謂的公平分配是指所得而言，而非指財產，所以，各個國家對於所得稅咸採累進稅率，對於財產稅則採比例稅率，此所以當年經革會力主廢除地價稅的累進課徵。房屋是財產之一，當無累進課稅之理。或者有人認為房屋像土地一樣，是非常稀少的，故對擁有一幢以上房屋的人課以重稅。其實，房屋是人造物，其供給並非固定，現在對於自然供給為固定的土地，並不累進課稅，卻對房屋採累進稅率，豈非咄咄怪事。假若真對雙殼課以重稅，則可能是三重課稅（何止重複）：第一重是購屋資金，無論是來自勤勞所得、財產所得，還是遺產所得，均已繳過所得稅；第二重是這些一幢以上的房屋多將出租，其租金亦已併入綜合所累進課徵；現若再以重稅課之豈不是第三重或第三次課稅，這些，豈是現代賦稅原理所能解釋！

其次，撇開累進稅率，且說政府政策手段。一般而言，政府時常運用賦稅政策作為獎懲手段，對於值得鼓勵的行為，是以減免賦稅，甚或負稅（即補貼），以獎勵之；對於有害或不良行為，則以課稅或提高稅率方式，以懲罰之。現對雙殼課以重稅，當然有懲罰之意，但不知這些房主身犯何罪？就財產言，開辦一家以上的公司，或擁有第二個一千萬元以上存款或證券或黃金，均未課以重稅，為何對一幢以上房屋要以重稅對待？購屋行為之動機，不外乎儲蓄或生產，而與開辦公司或存款等行為之目的一致，政府豈可厚此薄彼！引伸而言，目前很多人偏好於購屋，至少是有一部分是由於社會上缺乏儲蓄工具之故。事實上，國內不僅儲蓄工具種類過少，且也缺乏社會安全制度，以致很多人唯恐晚年生活無著，乃於自用住宅外，再購一兩幢房屋出租，擬於退休後依賴房租生活。現在，政府不在增多儲蓄工具與建立社會安全制度上著眼，反而對人民這種「自求多福」的適應行為，以重稅懲罰之，是不是有些「豈有此理」！

第三，即使政府硬性對雙殼課以重稅，其課稅方式將煞費思量。所謂「雙殼重稅」，當然是指擁有兩幢（及以上）房屋者課徵重稅，但若這兩幢房屋各為郊區公寓，各值三百萬左右，即對擁有六百萬元以上之房地產課以重稅，而另一人在台北市擁有價值一億元一幢房屋，卻不須課徵，這豈是公平之道！再可從坪數看，若一人擁有兩幢各十坪的大廈套房（其各自所佔土地，也許只有一坪左右），則須被課重稅，而另一人擁有佔地千坪的花園洋房，卻不須課徵，這豈不也有失公平？也許有關當局會在煞費思量情況下，終能想出一套「數」全其美的辦法，或者不顧一切硬行實施雙殼重稅，但其結果將只整倒守法的人，而狡黠者將以人頭戶或虛設公司方式逃避這一類的重稅——前者是以無住屋的親友名義購屋，這將可能在以後產生很多產權糾紛；後者是以公司名義購屋，再給董監事居住，如此，不僅將購屋成本作為公司費用支出，也可能將房屋維修費用視為公司成本，隨而減少政府稅收，且對公司其他股東不公平。

最後，從無住屋者觀點來看，雙殼重稅也不可行，因為擁有一幢以上房屋的人，泰半會將其自用住宅以外的房屋出租，今若課此重稅，則必然是水漲船高，房東一定會將這一稅負轉嫁到房租上，以致這種稅越重，房租將漲得越高，直接損及無住屋者的福利。更為嚴重的事，乃是這種重稅的目的，是希望每一家只擁有一幢住宅，以致如果這一政策目的完全得以貫徹，則社會上將無一幢可供出租的房屋。在這種情況下，不僅任何一對青年男女在組織小家庭以前，必須要先購買一幢住宅，而且任何到較遠地方就業或就學的人，也必須要先購進一幢房屋居住。如此，豈不是天下大亂！歸根結柢，乃是這種雙殼重稅政策，將會嚴重地減少出租房屋市場的供給，隨而大為影響市場機能，使無住屋者陷入嚴重傷害地步。

以上所說，並不意謂對於雙殼者絲毫不採取行動，而是要採取後遺症最少的措施，其方式可能有二：一為對現有自用住宅而擬再購屋者，抽查其資金來源，這將有助於抑制房屋超額需求；一為對已擁有一幢以上房屋的業主，抽查其有否出租？出租所得有否納稅？這也將對抑制房屋超額需求，有間接助益，而且有助於賦稅公平及稅收增加。

（七十八年九月十八日刊出）

廣建國宅不足恃

行政院日前公布「改善當前住宅問題重要措施」，被若干人士譏諷為「大而無當」。平心而論，該措施雖難盡如人意，但在當前環境下，於短期內能擬訂出如此對策，亦還算得上難能可貴。

在此「重要措施」內，列有增建國民住宅一項，並決定在最近二年內增建五萬戶國宅，即每年建築兩萬五千戶。這一規定，顯然是應很多人的要求，甚至於若干有關官員亦作如此想法，認為廣建國宅，可以解決房荒與抑制房價。其實，這一想法非常不切實際，且不談建造國宅需要時間，難解當前燃眉之急，即使從長期看，以廣建國宅來解決房荒問題，亦殊不足恃。

目前很多人寄望於國民住宅，是希望國宅建造得價廉物美，俾使絕大多數的人能買得起，而且對於其品質亦相當滿意。在實際裡，這一希望幾成幻想，因為一般說來，政府興建的國宅和民間建售的住宅比起來，將是價格偏高，品質較劣。

先從價格說起，除非國宅是蓋在公有土地上，否則其地價將會偏高。在公地上興建的國宅，其地價也許是按公告現值計算，而目前公告現值僅為市價40%左右，所以，承購人可以佔到不少便宜。但公有土地究屬有限，不能讓這種利益均霑於全民，其本身就是一種不公平。而且在公地用罄後，勢必購入私地興建，民間建築公司在操作上頗有彈性，只要取得幾百坪土地甚或幾十坪土地即可興建，並且還可採取合建方式；國宅則不然，必須要取得一大片土地（須幾千坪甚至幾萬坪），其中也許有一兩戶地主作梗，要索取高價，若是民間公司興建，或可用暗盤解決，政府則不能如此採取差別價格，以致必將整片地價提高。再者，民間土地買賣，地主可採公告現值報繳土地增值稅，政府購買當然不能如此做，使地主必須按照實際交易價格報稅，而羊毛一定會出在羊身上，地主所增加的稅負就必然會轉嫁到地價上。職此之故，國宅地價定較民間興造者為高。

再說營造價格，國宅也將高於民建住宅，蓋因營造廠必將「回扣」（即使政府有關人員潔身自好，廠商亦不能不先作準備），包括在價格之內。除回扣外，價格以內還含有其他額外成分：㈠政府付款關卡重重，以致撥款難有時效，迫使廠商常須乞靈於高利貸，或者為求及時領款，也許還須送上紅包——無論是高利貸利率還是紅包，均須計入營造成本；㈡政府高級官員為重視國宅，經常去巡視，以台北市來說，處長、局長、秘書長、市長，都可能去實地視察，假若在視察中，對於若干設施不盡滿意，指示調整一二，其變動雖小，但總金額卻可觀，所以，在事先估價之時，廠商亦須將這一部分包括進去。

最後說到國宅的品質，亦將比民建住宅為劣，蓋因民間建築公司為珍惜其商譽，監工較嚴，至於興建國宅之品質，對於主管官員無直接利害關係，其注意力當然不如民間廠商，甚至於監工還收受賄賂而「放水」。在這些情況下，國宅品質豈有不差之理。

就是由於價格偏高與品質較差，使民國七十年代初期興建的大批國民住宅，出現大量滯銷現象，一直到七十五、六年，房地產價格逐漸攀升時才告完全脫手。

從以上分析，可見要想運用廣建國民住宅的方式，以達成「住者有其屋」（指所「有」

權）之目的，實在是緣木求魚。假若說，興建國宅對於抑制房價真有甚麼作用的話，那必然是其滯後效果。即平時廣建國宅，任憑其滯銷，但於下一波房地產價格狂飆時將其再度推出，到那時候，承購者必然趨之若鶩，隨而解決一部分「住者有其屋」問題。這樣做，實際上是「歪打正著」，當然不足為訓，更何況這些「呆存」的國宅，是在浪費國家資源，而且，國宅基金回收緩慢，延誤以後興建國宅的進度（假設將廣建國宅視為「持續性政策」），並使一定基金所能興建的國宅戶數越來越少（因於房地產價格狂飆情況下，按原價出售國宅而收入之款項，遠低於新建國宅的成本）。

亦就是由於這些緣故，使若干官員擬建國宅出租，而非出售，其租金則按住戶收入中一定成數（在西方國家，多為每月所得的20％至25％）收取。這一構想，是將「住者有其屋」擴大解釋為「住者有屋住」——這實在應該是「住者有其屋」的真正涵義，但在目前的台灣，似無必要，因為即使按政府設定的中低收入之標準，在台北市每月為四萬五千元，其宜付月租亦在一萬元左右，以此金額在市郊租一幢公寓並不困難，以致用不著政府拔刀相助。倘若有關當局執意如此做，則將吃力不討好；一方面，可能將這批出租國宅演變成新貧民窟；另一方面，這些房客可能由於若干要求或溝通難以獲得滿足，轉而對政府產生離心力。

（七十八年十月二日刊出）

水利會費不應全免

台灣水利會本來是民間團體，由用水灌溉的農民組成，其所需費用亦由有關農民分攤。政府為減輕農民負擔，已自今年起，對農民應負擔的水利會會費補助七成，最近有立委要求，自明年起，再補助三成，亦即水利會費全面停徵。由於這三成水利會會費只約七億餘元，應是政府所能負擔，問題是在於基本觀念或原則，台灣省建設廳長說得好：「取消水利會費不是可不可以的問題，而是應不應該的考量」。

台灣省水利局主管課長認為水利會費停徵，等於是農民未盡義務而享權利，勢必引發嚴重後遺症：㈠水利會是公法人，現若水利會費全免，則灌溉用水完全免費，以致如果在輸水費途中，遭其他工廠、民眾取用，水利會將難以執行公法人任務以盜水名義取締，用水秩序恐將紊亂；㈡水利會費取消後，立將引發非水利會會員農民的要求補助；㈢水利會費取消後，農民以繳納會費取得會員資格的要件已不存在，水利會公法人的地位也受到質疑，會員是否還有法定權利選舉會員代表或進一步選舉會長，都在適法性上發生疑問；㈣水利會有部分灌溉渠道兼作都市排水，省府已計畫將開徵汙水下水道費用，水利會費全免後，兩者勢將發生混淆不清。

對於水利會費應否全免，首先應予考慮的，乃是權利與義務應否平衡？權利與義務間的平衡，在經濟活動上表現得最為明顯，「一手交錢，一手交貨」可為明顯例證，就買者來說，交錢是其義務，取貨是其權利，而且還是「一分錢，一分貨」。亦就是在這種情況下，產生「天下沒有白吃的午餐」觀念。經濟學中討論到的棘手問題之一，就是「搭便車的人」（"free rider"）問題，因為這些人只享權利，不盡義務，以致小則會影響公共財的提供，大則削減整個國民生產毛額的大餅。循此，水利會費全免的要求，是要使有關農民成為只享權利，不盡義務之「搭便車的人」，亦就是只佔便宜的人，這對於農民本身，不是一種優遇，而是一種傷害。

其次是在現行規定下，農民只繳三成水利會費，平均每家一年只約繳千餘元，負擔不能說重，要是全免，則這筆費用將由全體納稅人負擔——目前農民已不繳納田賦等直接稅，則這筆費用勢必由非農民代付，隨而將有損農民的自尊，因為自尊是來於自立，而不是靠別人接濟來維護自尊，所以亞當·史密斯說，「除乞丐外，沒有人會主要依賴其同胞的仁慈」。現在要為區區的千餘元來傷害自立與自尊，實在是得不償失，因小失大。

第三是將水利會費會免，意謂農民免費用水灌溉農作物，等於是政府完全補助農民在生產所需的灌溉用水費用。這一行動或許會引發農產品貿易上的困難，因為預定於本年底結束的烏拉圭回合，其主要議題之一，是要促使農產貿易自由化，擬議中要取消一切影響到農產品生產的補貼。灌溉用水當然影響到農業生產，現若其費用完全由政府補助，則將可能引發貿易伙伴非議，尤其是在我國正申請加入關稅暨貿易總協定之際，若採這種行動，豈非有些在自找麻煩與橫生枝節？

第四，須加指出的，增加農民福利或所得，是要作整體考量，而不宜採取零碎措施，蓋因這些零零碎碎支出累計起來，金額頗為可觀，但受益者卻無甚受惠之感，譬如說，今年農業各項補貼支出，計約287億元，以全台80萬家農民計算，平均每家約獲35,000餘元，但是，農民卻缺乏這種感覺，否則，這次選舉，執政黨亦不致喪失很多農業縣縣長的位置。這表示政府花錢沒有花在刀口上，反不如化零為整，將這批經費作重點使用，集中於增加農民所得上，其較為有效的做法，是將生產政策與所得政策分開，在所得政策方面，對專業農民作直接所得補助，俾使其每人所得不低於非農業部門勞工家庭的平均每人所得；至於生產政策則強調產品競爭化，投入自由化，建設現代化——前二者是著重市場機能，後者則指政府職責，以水利工程言，其建築費用應全由政府負擔（不必使用者攤還），但維護費用則本「使用者付費」原則以支持之，如此，農民負擔部分水利會費，豈非天公地道！

最後須予強調者，很多事情不要由於表面簡單就貿然從事，而須考量其基本道理，看看有沒有不良後果，譬如說，政府為顧念軍公教人員收入有限，創辦軍公教福利中心，廉價供應日用品，平均可為軍公教人員每月節省支出三百元，從表面上看，絕對是一好事，但卻帶來很多批評，終於在最近改組。取消水利會費一事在意義上頗為類似，但將產生很多後遺症，除上述外，至少還有兩個：一為將會導致一般人民拒繳自來水費，因為灌溉用水是用以生產、賺錢，尚可免費使用，何況生活與生命所繫的飲用水？一為將與稻田轉作目標牴觸，因為灌溉用水最多者厥為稻農，現在補貼用水，豈不是意味著在鼓勵稻作？

（七十九年一月十五日刊出）

減刑之益本分析

最近熱門話題很多，但政府研擬辦理的八十年減刑措施，無疑地，是熱門中之熱門，這是因為全面性辦理罪犯減刑之行動，影響甚為深遠，不僅影響到人權、倫理、治安、秩序、風氣與司法制度，且也影響到經濟面的投資環境。

由於這是超級熱門話題，所以三天前在上課時，曾作一次臨時測驗，結果在一班六十多位大學應屆畢業生中，贊成減刑的只有一位，其所持之理由，乃是導致這些犯罪的原因是社會，不是罪犯本人。這位學生的話，是有其根據，因為前幾年（現在還偶爾出現），每逢重大刑案發生，大眾傳播媒體找有關學者談話，幾乎千篇一律地說，是家庭對不起這位犯人，學校沒有教好這位犯人，社會更虧待這位犯人，結果是罪在萬方，而犯人本身無罪。在偶爾出現的特例中，情況也許如此，但若以偏概全地一般化，那就頗有問題，因為這將打翻倫理、道德、法治等一切維護社會秩序的規範，而有些像毛澤東的一句「名言」：「造反有理」——只是略變為「犯罪有理」。

這次研擬中的減刑，是為著慶祝中華民國建國八十年，其本身當然有其正面效果，但從各方的討論中，更看出很多負面效果。用經濟術語說，正面效果是效益，負面效果則是成本（或代價）。但在分析這次研擬中減刑的效益與成本以前，首須分析犯罪的效益與成本。

犯罪的效益，是指犯罪者達到其目的之「收穫」或「報酬」，而這些「報酬」可以大約分為兩大類：一為金錢性；一為非金錢性。凡是經由綁架、勒索、恐嚇、詐騙、中飽、貪瀆、搶掠、偷竊……等方式，以取得金錢之行為，均屬前者。凡用語言、文字、器械、拳腳、教唆……等手段，以傷害他人名譽、財產、健康或生命之行為，均屬後者。前者之所以被稱為「效益」，是顯然地由於犯罪者可獲金錢性收益，後者之被稱為「效益」，雖然沒有那麼明顯，但略加分析，就可看出，那是因為這些犯罪者採取這些手段以傷害他人，必然有其目的；今若罪案成立，則表示其目的已達成，而目的之達成，就犯罪者本人而言，是增加其效用。

至於犯罪者的成本，至少有三：一為喪失其人格、形象，甚至連累家人之名譽；一為內心之煎熬——這種煎熬有良心上之人神交戰，有對能否被補到案以及量刑之不確定感；一為刑之處罰，使他失去自由甚或生命，亦失去其正常正作的報酬，以及家庭親情。

這些益、本，均屬犯罪者私人，至於社會效益，則是絕無僅有，僅僅只有在被害者是人神共憤的對象，而且沒有其他處治方法之時，犯罪之社會效益才會出現。但在另一方面，犯罪的社會成本卻非常之大，因為除上述犯罪者私人成本外，還有其他成本：在短期中，直接損失被害人與犯罪者有關之勞力資源及非勞力資源，而且還使社會上人人自危，不知道那一天會橫禍當頭——易言之，增加社會上確定的損失與不確定的恐懼（就心理負擔言，不確定的恐懼比確定性恐懼，更令人恐懼）；在長期裡，則是破壞社會倫理與秩序。

現在要說到減刑的效益與成本，就罪犯私人言，減刑當然增加其效益或減少其成本，或者更正確地說，是在一定效益下使其成本大為降低，因為若由處決減為無期徒刑，是絕處逢生，當然大大降低其私人成本，而刑期之縮短，提早恢復其自由，亦減少其成本。任何一種事物，若在成本一定下提高其效益，或在效益一定下降低其成本，都會鼓勵其供給的增加，犯罪亦然。

關於減刑的社會效益，約有三種：一為顯現政府的仁慈心胸；一為給予犯人的自新機會；一為提供社會的較多人力。前者在封建王朝下，甚為重要，那是皇帝個人對人民的示惠，所以，常在登基或改元之時大赦天下；現在是民國時代，這一點已不存在，若要表現仁慈或尊重人權，大可盱衡社會變動情況，修改刑法以變更罰則，何況對壞人的仁慈，等於是對好人的處罰。

減刑的社會成本，是可想而知的，因為減刑是降低犯罪成本，等於是在鼓勵或誘發犯罪——這是就一般減刑而言，而我國這次研擬的減刑，則更富有鼓勵或誘發之傾向。歷代因登基與改元之大赦，是不確定的，因為老皇帝甚麼時候駕崩，誰亦無法決定，而且亦不見得每個皇帝登基都要大赦——改元更不見得大赦天下，何時改元，誰亦料不準，且自明代起，每位皇帝都是一個年號到底，不再改元。我國現在則不同，今年是第七任總統就職，已舉辦特赦，明年為建國八十年，正研擬減刑，而總統每六年就職一次，建國每十年一個整數，這都是確定的，以致在這兩個「確定」年頭的前兩年，很可能犯罪大增。這等於是將犯罪的不確定煎熬中的一部份，化為確定，以大大地降低其私人成本。但一般善良百姓，卻因不確定的恐懼大增，導致社會成本大為提高。至於一面大力掃黑，一面大減其刑，其本身不僅是一種矛盾，而且在捉放上浪費檢警人力，而更提高社會成本。是以，與其全面減刑，不若個別處理，對有悔意而在獄行為良好者提早假釋或縮減其刑。

（七十九年刊出）

敬老年金的商榷

本文作者夫婦今年65歲，在政府有關定義下，是名副其實的「老人」，所以，對於民進黨的「敬老年金」或「老人年金」主張饒有興趣。

民進黨的敬老年金，雖有若干種不同版本，但從其具體行動看，似乎是普遍贈與，其金額則從每人每月五千元到一萬元不等。若是張榮發與陳江章都能領取，則我夫婦受之無愧，每月淨領一至二萬元，且不納稅，當然是一大快事。

不過，本文作者有「研究」的癖好——這亦是一種「職業病」，對於這種金聖嘆列舉以外的「不亦快哉」之事，亦要予以分析一番。

首先發現，此一名詞甚為不當，因為所謂「年金」，是一種保險或強迫儲蓄的制度，由受益人每月繳納保險費（或稱社會安全稅），連續繳納一定期間（通常為15年）後，才可按月領取生活津貼，讓老者安享餘年，這實在是一種自食其力或互相協助的方式。現在所說的「敬老年金」，則是白吃的午餐，是一種社會救助，怎麼能稱之為「年金」？名不正則言不順，怎能教很多耿介終生的老人，消受如此「年金」？

若是社會救助，則不應統統有獎，只應對「貧而無告」的老人伸以援手，但據報載，有些阿公阿婆說，子女們要撫養下一代，難以向他們伸手，所以，需要這種「年金」，以維持人格尊嚴，殊不知人格尊嚴是靠自我維持，中國有句古語：「人到無求品自高」，現在這種「年金」，是來自於納稅人，老人們拿這筆錢，等於向全國同胞伸手，亞當·史密斯曾云，

「除非是乞丐，沒有人能依靠其同胞的仁慈」。所以，為著個人尊嚴，老人生活要靠自己解決，古人說，「有錢常想無錢日」，現在則須加一句，「年輕須慮年老時」，亦就是吳伯雄部長所說的，「有工作要為退休時打算，年輕時要為老年打算」。從這一觀點看，國民年金制度必須建立，至於那些難以享受國民年金的老人與準老人們，則須自我作理財規劃，籌劃養老基金，更不能為逃避遺產稅，將財產一古腦地設法贈與子女，讓自己身無長物。

最後，要從資源分派的觀點看「敬老年金」。任何一個社會，於某一時期，其所握有的資源是有其定量的，而各種用途要競爭取得這些資源，所以，要有效分派資源，亦就是要把有限的資源分派給最有效率的用途。就年齡層的資源分派言，應將資源多分派給青少年及兒童，他們才是未來社會的主宰與生產主力，至於老人們，則已日薄西山，不能發揮生產功能，投以過多的資源，則近似浪費，此所以「禮運、大同」只云「老有所終」，但卻強調「幼有所長」——從「終」與「長」二字，即可看出一些資源有效分派的端倪。在這方面，國外有些經濟學家甚至於要檢討政府負擔的老年醫療支出，認為如此使人「老而不死」，在資源利用上是否明智？這是由於政府所擁有的資源數量既為一定，老人多用，勢必減少其他年齡層的可用資源，尤以兒童為然，亦即減少對兒童的照顧。

就今日老人言，這些兒童是孫兒女輩，而身為祖父母的人，沒有那一個不鍾愛其孫兒女。前年首返故鄉，我那40多歲的外甥含淚說，「如果沒有外祖母，我們兄妹兩人在1960年左右的大飢荒中早就餓死。」當時，每天只吃一兩頓稀飯，先母每餐只喝米湯，而將下面的飯粒留給外孫與外孫女。現在，若是老人們熱中於老人年金，豈不等於是自己吃飯粒，而將米湯給予發育中的孫兒女，更像是把孫兒女的牛奶拿過來自己喝。我想天下絕對沒有這樣的阿公阿媽，所以，亦希望政客們不要陷老人們於不義。

為今之計，政府應做的事：首為對無依的清寒老人，盡照顧之責，俾使「老者安之」；其次，要在所得稅法中，寬列父母寬減額，使子女有能力奉養雙親；第三，對於老人和準老人的所得，給予一定金額的免稅優待，以使他（她）們能累積其養老基金——很多先進國家有此規定；最後，則是要及早籌劃國民年金的建立，俾使所有人等無「後顧之憂。」

（八十二年十月十八日刊出）

再論敬老年金的正當性與可行性

——兼答一讀者的質疑

當前熱門話題之一，是普遍發放的「敬老年金」。由於意見領袖多為中、青年，而年金前冠上「敬老」二字，就成泰山壓頂之勢，誰要質疑其正當性，就可能被扣上對老人「不敬」，甚至對父母「不孝」的帽子，以致很多人討論這件事，只在可行性亦即財政負擔上打轉。

本文作者夫婦今年屆滿65歲，正可受益於這種年金，但卻有所質疑，所以，於上週在本專欄提出「敬老年金的商榷」（以下簡稱「敬文」），這是以可能受益的老人身分反對這種優惠，當然談不上「不敬」。可是，卻有一位讀者以電傳文字，指責我「竭力曲解抹黑這項立意良善的制度」與缺乏「同情之心」。

仔細地將這篇文字看了好幾遍，真找不出被指責的原因，因為對於名正言順的年金制度，正贊成之不迭，故於「敬文」結尾，寄望政府「要及時籌劃國民年金的建立，俾使所有人等無後顧之憂」，何來「曲解」？並說「政府應做的，首為對無依的清寒老人盡照顧之責，俾使老者安之」，難道這不是「同情之心」！

其所謂「抹黑」，才似「曲解」，因為「敬文」已曾指出，民進黨的敬老年金「有若干版本，但從其具體行動看，似乎是普遍贈與」。「其具體行動」當然是指澎湖——事實上，民進黨縣市長在此次競選中多有類似承諾；其實，這位讀者亦以澎湖為例，甚且主張「白給」；如此這般，怎麼能說我在「抹黑」！

這位讀者通篇文字熱情洋溢，足見其具有一副溫暖的心腸，但是英國經濟學家馬先爾告訴我們，面對世間之事，光有「溫暖的心」，並不足夠，還須配合「冷靜的腦」。我們可用溫暖的心去發掘人間困苦，再須以冷靜的腦來考慮對策。關於對策的考慮，除其適法性外，首須注意其正當性，再須顧及其可行性——「敬文」內容是為前者，本文則將兩者兼顧。

在討論名不副實的敬老年金合理性以前，要談一個有趣問題，那就是這次競選，二大黨紛以「敬老年金」與「老人生活津貼」相號召，但都似乎沒有強調兒童與少年的福利——這些幼苗才真應該多得到社會的關注與協助，其所以如此，是因為這些幼苗沒有投票權，而老人卻有選票。誠如那位讀者所說，「對那些生命朝不保夕」的老人們，政府應該義無反顧地照顧他們的生活，但不能稱為「年金」，以免混淆。不過，人到晚年，可能有較具貪心傾向，所以，孔子告誡道，「及其老也，……戒之在得」。有些本可自立的老人未能如此，反而認為此種「年金」可以維持個人尊嚴。而個人尊嚴的維持，是基於自愛、自重，有位老前輩生前曾云：「無取於人，斯富；無求於人，斯貴；無損於人，斯壽。」這才是自立、自重之道，統統有獎的敬老年金，則是使若干本可無取、無求與無損於人的老人們，要「取於人」「求於人」與「損於人」。

「敬文」並未如那位讀者所說，提到「拖垮政府財政」，即使現在談到普遍贈與敬年老金的可行性，亦將不從「拖垮政府財政」出發，而是要就社會資源分派觀點予以討論。

民進黨若干縣市候選人提出這種老人年金，其黨中央政策白皮書主張，「建立家庭津貼制度，給予有養育未成年或已成年但無工作能力之子女的家庭生活津貼」。這兩項合起來，就很像福利國家為解決生命循環問題所提供的福利，據瑞典經驗，這筆支出約占國內生產毛額（GDP）的20%至25%，再若加上疾病與失業支出的20%，以及社會救助的5%，連同政府的基本職能與公共設施，約須三分之二的GDP。

民進黨所主張的社會福利支出，也許沒有這麼多，但是，即使打個對折，加上政府的基本支出，亦將近GDP一半左右。這就不禁要引發社會大眾的深思：我們是否願將社會資源半數交由政府支配？假若願意，則須想到另一問題：我們是否願意將個人一半所得拿出來納稅？若是肯定的，則這會否將我國經濟型態，由市場經濟轉變為社會主義？真若如此，我們願意接受嗎？

（八十二年十月二十五日刊出）

國家圖書館出版品預行編目資料

暮鼓晨鐘——侯家駒專欄選集

侯家駒著. – 初版. – 臺北市：臺灣學生，1997
面；公分

ISBN 978-957-15-0848-1(平裝)

1. 論叢與雜著

078 86011726

暮鼓晨鐘——侯家駒專欄選集

著作者 侯家駒
出版者 臺灣學生書局有限公司
發行人 楊雲龍
發行所 臺灣學生書局有限公司
地址 臺北市和平東路一段75巷11號
劃撥帳號 00024668
電話 (02)23928185
傳真 (02)23928105
E-mail student.book@msa.hinet.net
網址 www.studentbook.com.tw
登記證字號 行政院新聞局局版北市業字第玖捌壹號
定價 新臺幣五〇〇元

一九九七年九月初版
二〇二二年六月初版二刷

57312

ISBN 978-957-15-0848-1 (平裝)